dtv

Berlin 1922. Mitten in den Wirren der Inflation bekommt es Kriminalkommissar Leo Wechsler, verwitweter Vater von zwei Kindern, mit einem mysteriösen Mord zu tun: Ein Wunderheiler, der Patienten und vor allem Patientinnen aus den besten Kreisen behandelte, wurde mit einer Buddhafigur aus Jade erschlagen. Es gibt keine Zeugen, keine Spuren. Doch der Heiler war kein unbeschriebenes Blatt: Es stellt sich heraus, dass er viele seiner Patienten mit Kokain versorgte. Wenig später wird im Scheunenviertel eine Prostituierte ermordet. Leo vermutet eine Verbindung zum Tod des Heilers. Seine Ermittlungen führen ihn in elegante Villen, ärmliche Hinterhöfe, Kokainhöhlen und Rotlichtbezirke ...

»Als habe sie Ort und Zeit selbst erlebt, bewegt sich Susanne Goga durch die Szenen ihres Romans. Berliner Lokalkolorit, eine packende Handlung, lebhafte Dialogfolgen, fesselnde, sich kreuzende Handlungsstränge: ›Leo Berlin‹ hat alles, was ein richtig guter Krimi braucht.« (Inge Schnettler in der ›Rheinischen Post‹)

Susanne Goga lebt als Autorin und Übersetzerin in Mönchengladbach. Sie hat außer ihrer Krimireihe um Leo Wechsler mehrere historische Romane veröffentlicht und wurde mit dem DeLiA-Preis 2012 ausgezeichnet.

Susanne Goga

LEO BERLIN

Kriminalroman

Deutscher Taschenbuch Verlag

Von Susanne Goga
sind im Deutschen Taschenbuch Verlag erschienen:
Tod in Blau (24577)
Die Tote von Charlottenburg (21381)

**Ausführliche Informationen über
unsere Autoren und Bücher
finden Sie auf unserer Website
www.dtv.de**

Neuausgabe 2012
© 2005 Deutscher Taschenbuch Verlag GmbH & Co. KG,
München
Vermittelt durch die Literarische Agentur
Thomas Schlück GmbH, Garbsen
Umschlagkonzept: Balk & Brumshagen
Umschlaggestaltung: Wildes Blut, Atelier für Gestaltung,
Stephanie Weischer unter Verwendung
eines Fotos von ullstein bild/Yva
Satz: Fotosatz Amann, Aichstetten
Druck und Bindung: Druckerei C. H. Beck, Nördlingen
Gedruckt auf säurefreiem, chlorfrei gebleichtem Papier
Printed in Germany · ISBN 978-3-423-21390-5

Für Axel – für alles

PROLOG

»Na los, Kleiner, nicht so schüchtern.« Nie würde er die Worte vergessen. Den Geruch in dem heißen Raum mit seiner üppig-geschmacklosen Dekoration, den blutroten Samtportieren und dem goldenen Spiegel. Das schwere Parfüm, das sinnlich wirken sollte, aber nur schwül und abstoßend war. Die Rufe spielender Kinder unten auf der Straße, die nicht wussten, was hinter den Fenstern des unauffälligen Hauses geschah. Die feuchten, sauren Flecken, die sich unter seinen Achseln gebildet hatten. Seinen trockenen Mund, in dem die Zunge am Gaumen klebte. Und die Frau im geöffneten Negligé, die mit gespreizten Beinen auf dem Bett lag und die ganze Szene mit einer Mischung aus Langeweile und Belustigung betrachtete.

»So ein großer Kerl und noch Jungfrau«, sagte einer spöttisch. »Herbert, schubs ihn mal.«

»Bitte schön.« Der Angesprochene stieß ihn ein Stück näher ans Bett. Er senkte den Kopf, als könnte er so seine Scham verbergen, verriet sich aber durch seine verkrampfte Haltung, die Hände, die sich in die Hosennaht krallten.

»Wenn ihr nicht bald zur Sache kommt, wird's richtig teuer«, sagte sie mit einer lässigen Handbewegung. Ihre Lippen waren blutrot, das Rouge ließ ihre blasse Haut wie Porzellan aufschimmern. Eigentlich war sie nicht hässlich, hatte er flüchtig gedacht und sich gewundert, dass er zu einer so nüchternen Überlegung fähig war.

Doch dann stieß ihn jemand von hinten, zerrte an seinem Jackett, riss ihm den Hosenschlitz auf, dass ihm die heiße Röte ins Gesicht schoss, und er hörte sie »Herbert, Herbert!« rufen, und er ließ alles mit sich geschehen, hörte ihr Johlen, als sie ihn aufs Bett stießen, auf die Frau.

Herbert zerrte, angefeuert von den Kameraden, an seinen Schuhen, dann an seiner Hose, und die Frau bewegte sich unter ihm und sagte, als sie seine Erektion sah: »Immer sachte, du kommst ja dran«, was eigentlich am schlimmsten war. Sie würde glauben, dass er es insgeheim wollte, dass ihm nur der Mut fehlte, und tief im Inneren spürte er, dass sie Recht hatte. In diesem Augenblick, der sein Leben für immer in zwei Hälften spalten würde, wollte er sie. »Na los, enttäusch sie nicht!«, schrie Herbert heiser. Und als die Tür hinter seinem letzten grölenden Kameraden zugeschlagen war, riss er mit beiden Händen ihr Negligé herunter.

Als der Rausch vorbei war, lag er neben der Frau, auf angenehme, nie gekannte Weise erschöpft. Seine Begierde hatte über die Scham gesiegt. Doch als er sich zu ihr drehte und ihr Gesicht aus der Nähe sah, die Falten um Augen und Mund, nur unzureichend von der Schminke verdeckt, und die wässrig blauen Augen, deren Augäpfel rot geädert waren, kehrte sein Abscheu zurück.

Seine sogenannten Freunde, auf die sein Vater größten Wert legte, hatten ihn in dieses Haus gebracht. Freunde aus guter Familie, die ein zügelloses Leben führten, gegen alle Regeln verstießen, ihre Untaten aber geschickt verbargen. Sie hatten sich über ihn lustig gemacht, und er argwöhnte insgeheim, dass sein Vater hinter dieser erzwungenen Entjungferung steckte. Seine Mutter hätte nie geduldet, dass er sich mit einer solchen Frau abgab, sie berührte, sie –

Aber sein Vater fand ihn zu weich, das hatte er oft gesagt. Zu weich, um die Firma zu übernehmen, zu weich, um in der anspruchsvollen Berliner Gesellschaft etwas zu gelten. Zu weich, um zum Militär zu gehen, dabei litt er doch an Asthma. Das hatte seine Mutter ihm erzählt. Dass er als Junge im Bett nach Atem gerungen, dass sie sich um ihn gesorgt hatte. Zwar hatte er nie etwas davon gemerkt, doch bei der Musterung befand man ihn für untauglich. Seine Mutter hatte eben Beziehungen gehabt.

Er war froh gewesen, als er das Bordell verlassen und zu Hause ein gründliches Bad genommen, die Frau von sich abgewaschen hatte. Und allmählich gelang es ihm, die Erinnerung an sie fortzuschieben.

1

»Herr Kommissar, wollen Sie nicht allmählich nach Hause gehen?«, fragte Ursula Meinelt, die Stenotypistin, und legte Leo Wechsler einige Blätter auf den Schreibtisch. »Ihre Kinder warten sicher schon.«

Leo blickte kurz von seinen Akten hoch, ein wenig misstrauisch, als wollte er prüfen, ob Fräulein Meinelt nicht einfach Lust auf Feierabend hatte.

»Schauen Sie mich nicht an wie ein Polizist«, sagte sie forsch.

»Ich bin Polizist«, entgegnete Leo trocken. »Sie erinnern mich jeden Tag daran. Und wenn man einen Mitarbeiter wie von Malchow hat, kann man die Arbeit gleich allein machen.«

Sie hob beschwichtigend die Hand. »Ich weiß, aber... wenn Sie ehrlich sind, ist es auch nicht leicht, mit Ihnen auszukommen.«

Er sah sie überrascht an. »Wieso? Sie kommen doch auch mit mir aus.«

»Darüber wundere ich mich jeden Tag.«

»So frech heute?«, fragte er grinsend. »Wissen Sie, warum ich mit Ihnen auskomme?«

»Weil ich nicht der Sohn eines pommerschen Gutsbesitzers bin, der nur aus Spaß zur Polizei gegangen ist und eigentlich sein Leben mit Forellenfischen auf dem elterlichen Anwesen zubringen könnte«, lautete die schlagfertige Antwort.

»Genau«, sagte Leo Wechsler. »Mit Ihrer Beobachtungsgabe sollten Sie Detektivin werden.«

»Um in Warenhäusern Frauen aufzulauern, die drei Schichten Unterwäsche tragen? Nein danke, da sitze ich lieber vor meiner Schreibmaschine und tippe Ihre Berichte«, sagte sie lächelnd und griff in ihre Rocktasche. »Nehmen Sie die mit, wenn Sie nach Hause gehen.« Sie hielt ihm zwei Zuckerstangen hin.

Er öffnete den Mund, schloss ihn wieder und steckte die Süßigkeiten ein. Beinahe hätte er gesagt, die kann ich selber kaufen. Verdammt, warum glaubte er ständig, dass alle ihn mitleidig anschauten und sich nur für die Tatsache interessierten, dass Kommissar Wechsler verwitweter Vater von zwei Kindern war?

Energisch schlug er den Aktenordner zu und schob ihn zur äußersten Ecke des Schreibtischs. »Sie haben Recht, ich mache Schluss für heute. Und danke für die Zuckerstangen. Wer weiß, wie viel die demnächst kosten.« Er zog sein Portemonnaie heraus. »Sehen Sie sich das mal an. Geht kaum noch zu bei den vielen Scheinen. Letztens habe ich gesehen, wie bei Wertheim jemand mit einem Zehntausendmarkschein bezahlt hat.«

Ursula Meinelt betrachtete die Geldscheine in Leos Hand und schüttelte den Kopf. »Ich verstehe nicht, wohin das noch führen soll. Wie kommt es, dass unser Geld immer weniger wert ist?«

»Weil man im Krieg so viel davon gedruckt hat, als wäre es Spielgeld«, antwortete Leo und hängte sich den leichten Sommermantel über den Arm. »Und jetzt sitzen wir in der Achterbahn und wissen nicht, wohin sie fährt. Schönen Abend noch.«

Mit diesen Worten verließ er das Büro.

Als er draußen auf dem Alexanderplatz vor dem Präsidium stand, das im Polizeijargon gern »Fabrik« genannt wurde, atmete er erst einmal auf. Es war halb sieben und taghell, der längste Tag des Jahres nicht mehr fern. Er beschloss, ein Stück Unter den Linden entlangzugehen, bevor er die Elektrische nach Moabit nahm.

Menschen in sommerlicher Kleidung schlenderten über den Boulevard. Von einem Zeitungskiosk sprang ihn das Wort »Blausäure« an. Leo blieb kurz stehen und las die ersten Zeilen.

»Am gestrigen Pfingstsonntag verübten bisher Unbekannte ein Blausäure-Attentat auf den Politiker Philipp Scheidemann (SPD). Er soll dem Vernehmen nach schwere Verletzungen erlitten haben.«

Leo Wechsler schüttelte den Kopf. Manchmal kam es ihm vor, als wäre die Welt verrückt geworden. Als hätte sie acht Jahre zuvor den Verstand verloren und ihn nie wiedergefunden. Zuerst der lange Krieg, dann Revolution und Straßenkämpfe, Hunger, Unsicherheit und ... Er zuckte zusammen, als ihn die Erinnerung an Dorotheas Tod überfiel. Sie war im Januar 1919 gestorben, die Spanische Grippe war schon beinahe abgeflaut. Als hätte die tückische Krankheit gewartet, bis Marie geboren war, und Dorothea dann umso heftiger gepackt.

Zuweilen ertappte er sich dabei, dass er etwas zu ihr sagen oder sie berühren wollte und erst dann merkte, dass sie nicht mehr da war. Vielleicht hatte er sich zu wenig Zeit gelassen nach ihrem Tod, alles möglichst schnell vergessen wollen. Andererseits erinnerten ihn seine Kinder jeden Tag an Dorothea, und er genoss immer wieder die mit Schmerz vermischte Freude, die sie ihm bereiteten. Wenn Marie eine kluge Frage stellte oder Georg eine gute Note mit nach Hause brachte, dachte Leo, dass er Dorotheas letzte Bitte, gut für die Kinder zu sorgen, wohl doch erfüllt hatte.

Er klopfte auf die Zuckerstangen in seiner Manteltasche, blieb einen Augenblick stehen und schaute nach oben in die grünen Baumwipfel der Mittelpromenade. Eigentlich war es kein Abend zum Nachhausegehen. Solche Abende sollte man lieber in einem Schankgarten verbringen, natürlich nicht allein, ein bisschen tanzen, sich den Kopf verdrehen lassen. Einfach drauflosleben. Das hatte er schon lange nicht mehr getan.

Leo schüttelte den Kopf, wie um sich aus seinen Träumereien zu reißen, und ging zur nächsten Straßenbahnhaltestelle.

Gabriel Sartorius beugte sich über den Tisch. Er starrte die glattgeschliffenen Halbedelsteine an, die in einem nur ihm bekannten Muster auf der unbearbeiteten Holzplatte angeordnet waren. Er spürte, wie die Kraft der Steine in seine Finger strömte, seinen ganzen Körper durchdrang. Sie verlieh ihm übermenschliche Energien, mit denen er die Frau auf dem Diwan von ihrem Leiden heilen würde.

Ellen Cramer lag ganz still auf dem Diwan, die Augen geschlossen, die Arme neben sich ausgestreckt. Sie vertraute Gabriel Sartorius blind. Er behandelte sie seit einigen Wochen wegen ihrer schweren Migräneanfälle, und sie meinte schon eine gewisse Erleichterung zu verspüren. Nachdem sie von einem angesehenen Berliner Arzt zum anderen gelaufen war, ohne die quälenden, von Sehstörungen und Übelkeit begleiteten Schmerzen loszuwerden, hatte sie sich zu diesem ungewöhnlichen Schritt entschlossen.

Eine Freundin hatte sie auf den Wunderheiler aufmerksam gemacht. Zunächst war Ellen skeptisch gewesen, und ihr Mann wusste bis heute nichts von diesen Besuchen, da er alles ablehnte, dem nicht mit Rechenschieber und Kontenbüchern beizukommen war. Doch er musste auch nie davon erfahren. Sie besaß selbst genügend Geld, um die Honorare des Heilers zu bezahlen.

In Berlin waren Hellseher und Hypnotiseure zurzeit groß in Mode. Man munkelte, dass sogar die Polizei gelegentlich ihre Dienste in Anspruch nahm, um schwierige Fälle aufzuklären.

Sartorius schien sich allerdings nicht als Modedoktor, sondern als Berufener zu empfinden, der auserwählt war, die Leiden der Menschheit zu lindern. Sein wallendes, schulterlanges Haar und die orientalischen Gewänder, in die er sich zu hüllen pflegte, erinnerten an Christus-Gemälde der Renaissance. Er sprach mit sanfter Stimme und verströmte eine Gelassenheit, die Ellen gleich beim ersten Besuch die Angst genommen hatte.

Jetzt spürte sie seine Hände, die beruhigend über ihre Schläfen strichen, über die Stirn fuhren, sich sacht auf ihre Augen legten und wieder zu den Schläfen wanderten.

»Ich übertrage jetzt die Kraft der Steine auf Sie«, hörte sie ihn sagen. »Amethyst gegen die Schmerzen. Karneol für besseres Blut. Diamant für klare Erkenntnis. Hämatit für mehr Lebendigkeit. Opal für mehr Lebensfreude. Brauner Chalcedon für Herzenskraft.«

Sie überließ sich ganz seinen Händen. Seine heilende Kraft umfloss wohltuend ihren Kopf. Beinahe wäre sie eingeschlafen, doch dann klopfte er sanft gegen ihre Wange. »Sie können die Augen öffnen. Die heutige Sitzung ist beendet. Hören Sie auf meinen Rat: Viel Ruhe, genießen Sie Ihr Leben. Überlassen Sie sich Ihrem inneren Fluss, er wird Sie leiten.«

Ellen setzte sich auf und schaute sich im Zimmer um, als hätte die Sitzung auch ihre Umgebung verwandelt. Gedämpftes Licht, schwere Samtvorhänge, an den Wänden eine Mischung aus christlichen, hinduistischen und buddhistischen Motiven, die sie beim ersten Anblick ein wenig irritiert hatte, inzwischen aber vertraut schien. Auf einem kleinen Intarsientisch befanden sich mehrere Gegenstände, die zusammengewürfelt wirkten, dem Heiler aber viel zu bedeuten schienen: ein Dolch mit wunderschön ziselierter Klinge, ein Bild der heiligen Hildegard von Bingen, ein Buddha aus grüner Jade.

Sie legte das Honorar dezent neben den Dolch und verabschiedete sich von Sartorius. »Nächste Woche um die gleiche Zeit?«, fragte er, als er sie zur Tür begleitete.

»Gern. Vielen Dank.«

Er schloss die Tür hinter ihr, nahm das Geld vom Tischchen und steckte es in die Tasche der leichten Hose, die er unter seinem weiten Gewand trug. Dann ließ er sich auf dem Diwan nieder und nahm eine Hand voll Weintrauben aus einer Obstschale. Nach einer Sitzung brauchte er immer Nahrung, um neue Kraft zu gewinnen. Es war anstrengend, den Edelsteinen als Medium zu dienen und ihre heilende Wirkung auf seine Patienten zu übertragen, aber seine wirksamste Therapie. Manchmal ließ er sie auch Szenarien aus den Steinen legen, mit denen er ihren Gemütszustand deutete und ihnen neue Wege aufzeigte.

Da klingelte es an der Tür. Sartorius warf einen Blick auf seinen Terminkalender, doch Ellen Cramer war an diesem Nachmittag als letzte Patientin eingetragen. Seltsam. Er legte die Trauben neben die Schale und ging zur Tür.

Manche Patienten wunderten sich, dass er sie persönlich an der Tür empfing, doch ein Hausmädchen hätte ihn nur gestört. Erst abends kam eine Frau, die den Haushalt besorgte und für ihn kochte, wenn er nicht auswärts aß. Auch heute war er zu einer Gesellschaft bei einem wichtigen Patienten eingeladen und er ärgerte sich, dass noch jemand kam, da er eigentlich ein Bad nehmen und sich in Ruhe umziehen wollte.

Er führte seinen Gast ins Behandlungszimmer. »Ich hatte nicht mit Ihnen gerechnet, es ist so lange her. Ein Anruf wäre ratsam gewesen, dann hätte ich mir mehr Zeit für Sie nehmen können.«

»Ich werde Sie nicht lange aufhalten, Herr Sartorius.« Die rechte Hand in dem eleganten Wildlederhandschuh zitterte leicht.

Als Leo Wechsler die baumbestandene Emdener Straße in Moabit erreichte, in der er seit seiner Heirat wohnte, klebte ihm das Hemd am Körper. Die Straßenbahn war übervoll gewesen, und er war eine Haltestelle früher ausgestiegen, doch der Fußmarsch hatte ihn nicht erfrischt. Es war einfach zu warm.

Er nickte dem Wirt der Eckkneipe zu, mit dem er gelegentlich eine Weiße trank, und ging in Gedanken versunken weiter. Dann hörte er eine vertraute Stimme, nackte Kinderfüße patschten auf ihn zu, und seine Tochter Marie sprang so heftig an ihm hoch, dass sie ihn beinahe umgeworfen hätte. »Vati, da bist du ja endlich. Tante Ilse hat gesagt, du kaufst mir bestimmt ein Eis. Kann ich ein Eis haben, bitte?«

Er küsste seine Tochter auf die Nasenspitze, umschlang mit dem rechten Arm ihre Taille und stellte sie auf den Boden. Sie reichte ihm inzwischen fast bis zur Hüfte, dabei kam es ihm vor, als hätte er sie erst gestern als winziges Bündel im Arm gehalten. »Ich glaube kaum, dass Tante Ilse das gesagt hat. Aber, Moment mal, was ist denn das hier in meiner Manteltasche?« Er tat geheimnisvoll, bevor er eine von Fräulein Meinelts Zuckerstangen hervorzauberte.

Marie griff mit strahlenden Augen nach der Stange, riss das Papier ab und steckte sie zufrieden in den Mund. Sie lutschte hingebungsvoll, hielt dann aber inne. »Hast du auch eine für Georg?«, fragte sie besorgt.

Leo wurde es heiß in der Brust. Seine Tochter. »Ja, natürlich, Liebes. Wo steckt er eigentlich?«

Marie zeigte die Straße hinunter. »Im Hof von Nr. 56. Mit den Jungs vom Hufschmied. Die suchen bestimmt wieder Kippen.«

Leo runzelte die Stirn. Manchmal bereute er, dass sie hier wohnen geblieben waren, nur weil er in dieser Gegend aufgewachsen war. Sentimentalität, dachte er dann. Vielleicht wären seine Kinder woanders besser aufgehoben. Einerseits wusste er, dass auch die Straße eine Schule war, in der man Dinge lernen konnte, die in keinem Buch standen. Aber Kippen sammeln, Tabak herauspulen und verkaufen ging dann doch zu weit.

»Hol Georg! Wir wollen essen«, sagte Leo und blieb vor der Haustür stehen.

Marie rannte los, bog ein paar Häuser weiter in die Toreinfahrt und kam kurz darauf mit ihrem achtjährigen Bruder wieder, der nur ein abgetragenes Hemd und kurze Hosen anhatte. »Hallo, Vati«, sagte er. Leo fuhr ihm durchs Haar.

»Ich mache keine große Sache draus, aber das mit den Kippen lässt du in Zukunft bleiben.«

Sein Sohn schaute ihn schuldbewusst an. »Na ja, wir haben gedacht, wir verdienen uns was dazu. Sind doch schlechte Zeiten, Vati.«

Wie sollte er da hart bleiben? Seufzend schloss Leo die Haustür auf und trat in den wohltuend kühlen Flur. Das schlichte Treppenhaus war hell und sauber, die Holztreppe blank gebohnert, die rot-weißen Fliesen frisch gescheuert, und es roch nie nach abgestandenem Essen oder muffiger Wäsche wie in den Hinterhäusern. Seltsam, wie eng diese Welten beieinander lagen. Er kannte die Hinterhäuser, hatte dort oft genug Ermittlungen durchgeführt und war immer wieder betroffen von dem Elend, das in ihnen herrschte.

Dabei gehörte diese Gegend im Westen Berlins noch nicht zu den schlimmsten. Er kannte Mietskasernen im Norden und Osten, die an wimmelnde Bienenkörbe erinnerten, nicht an menschliche Behausungen. Im ersten Stock blieb er vor der linken Tür stehen und fragte seine Kinder leise: »Wie ist die Lage?«

»Leicht bewölkt, aber trocken«, meinte Georg grinsend im geheimen Kode, der die jeweilige Stimmung seiner Tante bezeichnete.

Sein Vater grinste zurück und schloss die Wohnungstür auf. Aus der Küche drang der Geruch von frischen Pellkartoffeln, und er spürte plötzlich seinen Magen. Bei der Arbeit vergaß er gelegentlich das Essen.

»Bist du das, Leo?«, rief seine Schwester aus der Küche. »Hast du die Kinder mitgebracht? Wer weiß, wo die sich wieder rumtreiben.«

»Keine Sorge, Ilse.« Er ging in die Küche und legte seiner Schwester die Hand auf die Schulter. Sie war kleiner als er, hatte aber seine dunklen Haare und die gleichen blaugrünen Augen. Obwohl sie nur zwei Jahre älter war, wirkte ihr Gesicht matt, resigniert und vorzeitig gealtert. Er spürte die Spannung, die sich nie ganz gelegt hatte, seit Ilse vor über drei Jahren zu ihnen gezogen war. Nach Dorotheas Tod hatte sie ihm angeboten, sich um die Kinder zu kümmern, doch insgeheim vermutete er, dass es eher aus Pflichtgefühl geschehen war und Ilse nun fürchtete, das Leben laufe an ihr vorbei.

»Die Erdbeeren sehen wunderbar aus«, sagte er und biss in eine leuchtend rote Frucht. »Schmecken nach Sommer.«

Sie lächelte verhalten. »Das war ein Glücksfall. Ein Bauer hielt mit seinem Karren genau vor der Tür, da konnte ich nicht nein sagen. Die Kinder haben so gebettelt.«

»Danke.« Er strich ihr leicht über den nackten Oberarm, eine scheue Geste, mit der er seinen Dank besser als mit Worten ausdrücken konnte. »Georg war wieder mit Pollacks Söhnen zusammen. Haben Kippen gesammelt. Vielleicht sollte ich ihm ein bisschen Taschengeld geben.«

Ilse streute etwas Zucker über die klein geschnittenen Erdbeeren und rührte vorsichtig um, damit sie Saft zogen. »Ach, übertreib's mal nicht, Leo. Wer weiß, wer es ihm wegnimmt.«

»Du bist misstrauischer als die Polizei«, meinte Leo ironisch. »Siehst in allen Leuten nur das Schlechte.«

Ilse lachte, aber das Lachen erreichte ihre Augen nicht. »Wenn du öfter hier wärst, wüsstest du, was in den Hinterhöfen passiert. Georg hat erzählt, dass sie einem Mitschüler auf dem Heimweg die gute Jacke gestohlen haben.«

»Wer schickt denn in solchen Zeiten sein Kind mit einer guten Jacke in die Schule? Und davon abgesehen – was glaubst du, mit wem ich es tagsüber zu tun habe? Mit der Heilsarmee?«

Manchmal kam ihm das Leben mit ihr vor wie eine alte, abgenutzte Ehe. Sie kannten sich, kamen halbwegs miteinander aus, doch es gab keine echte Zuneigung. Ob er überhaupt noch dazu fähig war?

Seufzend setzte er sich an den Tisch und goss sich ein Glas Wasser ein.

»Ansonsten alles in Ordnung? Hat Georg seine Hausaufgaben gemacht?«

»Ja, alles bestens.« Ilse zögerte und sah ihn unschlüssig an.

»Was ist denn?«

»Na ja, ich weiß nicht, ob es wichtig ist, aber… Er hat gesagt, dass ein Junge aus seiner Klasse komische Sachen erzählt.«

»Was für komische Sachen?«

»Dass lauter Verbrecher an der Regierung sind. Und dass vor dem Krieg, als wir noch den Kaiser hatten, alles besser war.«

»Ach, Ilse, das ist doch das übliche Gewäsch, das kann er in jeder Zeitung lesen. Warum soll ich mir darüber Sorgen machen?«

»Er hat auch erzählt, dass dieser Junge einen Klassenkameraden verprügelt hat, weil er nicht vor ihm salutieren wollte.«

Leo schaute hoch. »Wie bitte?«

»Der Junge hat wohl behauptet, der Vater des anderen sei ein Roter, der Deutschland verraten habe.«

Leo seufzte. »Wir sind hier in Moabit, da gibt es Rote wie Sand am Meer.«

»Schon, aber der Schläger war der Sohn vom Lehrer.«

»Was? Hat Scheller schon wieder mit seinen Sprüchen angefangen?« Obwohl kriegsverherrlichende Propaganda an den Schulen gesetzlich verboten worden war, gab es noch viele treue Staatsdiener, die den Jungen Flausen in den Kopf setzten und vom Tod fürs Vaterland schwärmten. Ludwig Scheller war ein Hetzer der übelsten Sorte, und Leo war mehr als einmal mit ihm aneinander geraten. Zurzeit herrschte zwischen ihm und dem Lehrer eine Art Waffenstillstand. »Wenn es so weitergeht, muss ich wohl noch mal mit ihm reden.« Er trank einen Schluck Wasser. »Hast du gehört? Man wollte Scheidemann mit Blausäure töten. Weißt du noch, wie er damals am Fenster gestanden und die Republik ausgerufen hat?«

Ilse zuckte gleichgültig mit den Schultern und stellte die Schüssel mit den Erdbeeren auf den Tisch, dazu Kartoffeln, Margarine und etwas Wurst. »Die Politik ist schmutzig, das habe ich schon immer gesagt. Und nur weil jetzt die anderen dran sind, wird sie nicht besser. Ich hole die Kinder zum Essen.« Mit diesen Worten ging sie aus der Küche und Leo sah ihr nach. Auf einmal kam er sich unendlich allein vor.

Marie stürmte in die Küche und kletterte auf den Stuhl neben ihrem Vater. »Guck mal, Papa, Tante Ilse hat Erdbeeren gekauft. Sehen die nicht lecker aus?«

Fünf Minuten später war ihr Mund rot verschmiert und ihre Augen strahlten. »Für wen ist die letzte?«, fragte sie mit einem besorgten Blick auf ihren Bruder.

»Ach, ich bin so satt«, meinte Georg vielsagend und schaute seinen Vater an, der anerkennend lächelte.

Leo trat ans Wohnzimmerfenster, riss es weit auf und rauchte eine seiner seltenen Zigaretten. Komisch, viele Menschen rauchten nur in Gesellschaft, er aber rauchte, wenn er einsam war.

In Gedanken versunken fuhr er mit einem Finger über seine linke Schläfe, an der eine lange weiße Narbe vom Haaransatz bis zur Höhe des Wangenknochens lief. Vor drei Jahren, bei den Straßenkämpfen im Winter, hatte er bemerkt, wie drei Polizisten einen Arbeiter verprügelten, der schon am Boden lag, die Arme um den Kopf geschlungen. Spontan war er dazwischengegangen. Worauf die Polizisten mit ihren Gummiknüppeln auf ihn einschlugen. Manchmal glaubte er, dass sie ihn nur bei der Kripo behalten hatten, weil Kriminaloberkommissar Ernst Gennat sich für ihn eingesetzt hatte.

Auf der Straße spielten noch ein paar Kinder. Ein Betrunkener taumelte aus der Eckkneipe und umschlang den nächsten Laternenpfahl wie eine Geliebte. Von hier oben sah alles aus wie immer, kein Hunger, kein Elend, keine Krankheiten. Aber das war nur die Täuschung eines hellen Sommerabends.

Später las er in einem Buch über Malerei, eine seiner privaten Leidenschaften. Gegen neun klingelte das Telefon. Sie besaßen einen der wenigen Anschlüsse in dieser Gegend, weil Leo als Kriminalkommissar ständig erreichbar sein musste.

»Wechsler.«

»Leo, du musst kommen«, meldete sich sein Kollege Robert Walther, mit dem er befreundet war. »Wir haben einen Mordfall in Charlottenburg. Ein Mann namens Gabriel Sartorius wurde erschlagen.«

Er saß am Schreibtisch, vor sich ein Glas Weinbrand. Seine Hände ruhten auf der polierten Tischplatte, reglos, ohne die Spur eines Zitterns. Mit diesen Händen ...

Dabei hatte er nur mit ihm reden wollen. Ihn fragen, wie jemand außer ihnen beiden von den Dingen wissen konnte, die er ihm anvertraut hatte. Wie jemand diesen Brief hatte schreiben können. Ob jemand, der Sartorius nahe stand, den Heiler missbraucht hatte, um dessen Patienten zu schaden. Das musste der Mann ihm sagen, das war Sartorius ihm schuldig, nachdem er seine ganze Heilkunst an ihm ausprobiert hatte: Edelsteine, Meditation, Pendel, Hypnose ... einfach alles, was Hilfe versprach.

Doch als er davon erzählte, hatte er eine flüchtige Veränderung bemerkt, ein verstohlenes Grinsen, das einen Mundwinkel des Heilers kräuselte. Sollte er ... ? Nein, das war undenkbar.

2

Kriminalsekretär Robert Walther holte ihn ab. Leo hatte sich kurz gewaschen, ein frisches Hemd übergezogen und Ilse Bescheid gesagt, die sich mit einem säuerlichen Blick von ihm verabschiedet hatte. Dann war er die Treppe hinuntergeeilt und in den dunkelblauen Dienstwagen gestiegen. Im Fond saßen die Kriminalassistenten Stahnke und Berns, die Leo kannte und schätzte. Es gab keine festen Mordkommissionen, sondern nur Ermittlergruppen, die von einem Kommissar geleitet und für jeden Fall neu zusammengestellt wurden. Daher war es Glückssache, wer einem zugeteilt wurde.

»Gott sei Dank, dass sie dich geschickt haben und nicht von Malchow«, sagte Leo zu Walther, nachdem er sich auf dem Beifahrersitz niedergelassen hatte.

Sein Kollege grinste ihn schräg von der Seite an. »Ich glaube, der ist über Pfingsten weggefahren.«

Leo antwortete mit einem Knurren. »Für den besteht das Leben nur aus Feiertagen.« Er schwieg eine Weile. »Wer hat angerufen?«

»Das Charlottenburger Revier. Die Haushälterin hat die Leiche gefunden und ist auf die Straße gerannt. Zum Glück kam gerade eine Fußstreife vorbei.«

»War sonst niemand im Haus?«

»Wohl nicht. Es sind nur drei Wohnungen, eine ist zu vermieten, die Mieter der dritten sind verreist.«

»Dabei hatte ich es mir gerade mit einem Buch bequem gemacht«, meinte Leo seufzend, als der Wagen am Charlottenburger Schloss vorbei den Spandauer Damm entlangschoss. Er bog einmal links ab, rechts, dann waren sie in der Nussbaum-allee. Walther hielt vor einer eleganten Mehrfamilienvilla, die in einem üppigen Garten mit alten Bäumen lag. Die Männer stiegen aus, Walther mit seiner Kamera bewaffnet, Stahnke und Berns mit dem Spurensicherungsbesteck, und gingen durch das Gartentor zu der säulenflankierten Eingangstür. Auf ihr Klingeln öffnete ein Schutzpolizist die zweiflügelige Haustür und grüßte.

»Guten Abend. Kommen Sie bitte mit. Der Arzt wird gleich kommen.«

Das Treppenhaus war ganz in Weiß gehalten, weiße Marmortreppe, weiß getünchte Decke mit üppigen Stuckornamenten. Das Geländer hatte einen Handlauf aus poliertem honigfarbenem Holz und war aus glänzend schwarzem Schmiedeeisen. Ganz schön feudal, dachte Leo bei sich. Der Polizist führte sie in den ersten Stock, wo hinter einer Wohnungstür lautes Schluchzen hervordrang. »Die Haushälterin, Elisabeth Moll«, sagte der Schupo leise. »Sie hat die Leiche gefunden.«

»Wurde die Wohnungstür aufgebrochen?«, fragte Leo mit einem Blick auf das Schloss.

»Nein, sie war vollkommen unversehrt. Frau Moll hat sie mit ihrem eigenen Schlüssel geöffnet. Die Tür war nur zugezogen, nicht abgeschlossen. Darüber hat Frau Moll sich gewundert, wie sie sagte. Im Wohnzimmer fand sie dann die Leiche ihres Arbeitgebers«, erklärte der Streifenpolizist.

Leo nickte. »Gut. Walther, Stahnke, Berns, ihr seht euch den Tatort an. Ich rede erst mal mit der Frau.«

Leo fand die Haushälterin in der Küche, wo sie vor einem Glas Weinbrand am Tisch saß und sich die Tränen mit einem karierten Geschirrtuch abtrocknete. Ihr dickes Gesicht mit dem Doppelkinn war stark gerötet, die Augen verquollen. Er reichte ihr sein Taschentuch, worauf sie ihn dankbar und zugleich verwirrt ansah. »Sind Sie von der Kriminalpolizei?«

»Kommissar Leo Wechsler«, stellte er sich vor. »Erzählen Sie mir bitte in Ruhe, was geschehen ist.« Er setzte sich zu ihr an den Tisch.

»Ich, na ja, ich sollte um sieben kommen und sauber machen. Kochen brauchte ich nicht, weil Herr Sartorius«, sie schluckte, als sie den Namen aussprach, »weil er heute eingeladen war.«

»Bei wem?«

»Bei Konsul Werresbach in Zehlendorf.«

»Er verkehrte also in illustren Kreisen?«

»Er war ein Heiler, er hat vielen Menschen geholfen. Auch armen Leuten«, fügte sie hinzu, als wollte sie ihn nachträglich in Schutz nehmen. »›Wer viel bezahlen kann, bezahlt viel, wer wenig hat, zahlt wenig‹, hat er mal zu mir gesagt. Wie er das mit dem Heilen gemacht hat, weiß ich aber auch nicht. Davon verstehe ich nichts«, sagte sie entschuldigend.

»Darum kümmern wir uns noch. Wie war er denn so als Mensch? Lebte er allein? Hatte er Familie? Ich muss das alles fragen, damit ich mir ein Bild von dem Toten machen kann. Wir müssen herausfinden, wer ihn getötet hat, aber das ist nur möglich, wenn wir ihn nachträglich kennen lernen. Verstehen Sie das?«

Frau Moll nickte. »Er wohnte allein und hatte, soweit ich weiß, auch keine Verlobte. Seine Familie lebt irgendwo im Osten. Er war immer freundlich. Hat nie ein böses Wort zu mir gesagt. Und als ich letztes Jahr den schlimmen Hexenschuss hatte, hat er mir die Hände auf den Rücken gelegt, einfach so. Mir wurde ganz warm, das hat Wunder gewirkt.«

»Gab es denn auch Leute, mit denen er Streit hatte? Ehemalige Patienten vielleicht, denen er nicht geholfen hat? Die sich um ihr Geld betrogen fühlten?«

Sie schüttelte den Kopf. »Nicht, dass ich wüsste. Aber ich bin auch nur die Haushälterin … ich meine, ich war –« Sie schluckte wieder, und Leo spürte ihre Angst, sich in diesen Zeiten nach neuer Arbeit umsehen zu müssen. Eine Stelle wie diese war Gold wert und ungeheuer schwer zu finden.

Er stand auf und legte ihr die Hand auf den Arm. »Bleiben Sie bitte noch hier. Beruhigen Sie sich ein wenig, ich komme später noch einmal zu Ihnen.«

Mit diesen Worten verließ er die Küche und ging zu den Kollegen ins Wohnzimmer.

Gabriel Sartorius lag auf dem Rücken, die Arme weit ausgestreckt, ein Bein gerade, das andere angewinkelt. Sein Kopf war von einer roten Lache umgeben, die langen Haare waren an der rechten Kopfseite mit Blut verklebt und hingen dem Toten ins Gesicht, so dass Leo die Züge nicht erkennen konnte.

Die Kollegen hatten bereits ganze Arbeit geleistet. Ein Kreidekreuz markierte eine Stelle nicht weit vom rechten Arm der Leiche. Daneben lag ein grüner Gegenstand.

Leo kniete sich hin.

»Das ist eine Figur aus ... wie heißt dieser grüne Stein doch gleich?«, fragte Stahnke, ein kräftiger Mann mit rotem Walrossschnurrbart.

»Jade. Ein Buddha aus Jade.«

Walther begann den Tatort sorgfältig zu photographieren, nahm zuerst das Opfer aus allen Winkeln auf, dann den Buddha und das Wohnzimmer als Ganzes. Das Kreidekreuz war die einzige Markierung im Raum.

»Sonst nichts?«, fragte Leo erstaunt.

»Nein, Herr Kommissar«, erwiderte Berns. »Keine Kampfspuren, keine Gegenstände, die auf den ersten Blick nicht hierher gehören, keine aufgerissenen Schubladen oder Schranktüren, nichts, was auf einen Raubmord hinweist. Neben der Obstschale liegen Weintrauben, als hätte er davon gegessen, bevor der Mörder ihn überraschte. Vermutlich wird man im Magen Reste davon finden. Wir können die Haushälterin fragen, ob ihr etwas auffällt, aber –«

»Lasst nur, sie hat genug gesehen.« Walther wunderte sich immer wieder, wie rücksichtsvoll Leo Wechsler mit den Beteiligten an Mordfällen umging, während er sich seinen Kollegen gegenüber manchmal grob und unduldsam zeigte.

Der Kommissar sah sich den Buddha näher an, ohne ihn zu berühren. Die Figur war blutverschmiert, an einer Ecke des Sockels klebte ein Büschel Haare. »Jedenfalls brauchen wir nicht lange nach der Mordwaffe zu suchen. Einen Moment, ich komme gleich wieder.«

Er nickte den Männern zu, die ihr Spurensicherungsbesteck auspackten und anfingen, sämtliche Oberflächen von Möbeln, Gegenständen und Türklinken mit feinen Pinseln und Rußpulver zu bestäuben, und ging noch einmal in die Küche. Frau Moll hatte sich nicht von der Stelle gerührt und sah ihn ängstlich an.

»Keine Sorge, ich habe nur noch eine Frage. Vermutlich wurde Herr Sartorius mit einer Buddhafigur aus grüner Jade erschlagen. Können Sie mir sagen, ob die Figur ihm gehört hat und wenn ja, wo er sie aufbewahrte?«

»Meinen Sie den dicken Mann?«, fragte Frau Moll spontan. »Der hat immer auf dem Tischchen neben dem Diwan gestanden. Ich musste ihn jedes Mal hochheben, wenn ich Staub gewischt hab. War ganz schön schwer.«

»Das glaube ich gern«, entgegnete Leo und dachte an den zerschlagenen Kopf des Heilers. »Vielen Dank. Die Kollegen nehmen jetzt noch Ihre Fingerabdrücke, danach können Sie Ihre Aussage unterzeichnen. Wir melden uns, falls wir Sie noch einmal brauchen.«

Die Haushälterin schaute ihn entsetzt an. »Fingerabdrücke? Warum denn? Ich bin ... ich hab doch nicht ...« Sie brach erneut in Tränen aus. Leo legte ihr beruhigend die Hand auf die Schulter.

»Es ist eine reine Vorsichtsmaßnahme, Frau Moll. Nur so kann unser Erkennungsdienst die Fingerabdrücke des Täters von denen aller anderen Personen, die sich in der Wohnung aufgehalten haben, unterscheiden. Und Ihre Aussage ist uns sehr wichtig.«

Sie nickte, schniefte und ging rasch zur Tür hinaus.

Leo kehrte ins Wohnzimmer zurück und sah die Kollegen fragend an. »Schon was gefunden?«

»Nicht viel«, meinte Stahnke. »Bis jetzt können wir nur wenig sagen, müssen erst die Abdrücke des Toten nehmen. Die Haushälterin scheint beim Staubwischen sehr penibel zu sein, es sind nur wenige brauchbare Abdrücke vorhanden. Mal sehen, was wir an der Mordwaffe finden.« Er bückte sich, streifte Handschuhe über und steckte den Buddha vorsichtig in eine Papiertüte.

Leo schickte Berns zu Frau Moll in die Küche, dann sahen er und Walther sich in den übrigen Zimmern um.

Auf den ersten Blick wirkte alles unberührt und aufgeräumt. Anscheinend war nichts durchsucht worden. Er wies Stahnke und Berns an, sämtliche Türklinken zu behandeln, obwohl ihm sein Gefühl sagte, dass der Täter nur Flur und Wohnzimmer betreten hatte. Die ganze Wohnung war teuer eingerichtet, mit einem Hang zum Exotischen. Das Bett war mit orientalischen Schnitzereien verziert, an den Wänden hingen exquisite chinesische Malereien, die sich bei näherem Hinschauen als reichlich pornographisch entpuppten. Im Kleiderschrank hingen kaum Herrenanzüge oder Sakkos, dafür zahlreiche wallende Gewänder und Kimonos in leuchtenden Farben, die mit üppigen Stickereien verziert waren. Nur die Küche war schlicht und zweckmäßig eingerichtet.

Es klingelte an der Tür, und kurz darauf führte der Polizist einen Mann mit Stahlbrille herein, der einen schwarzen Lederkoffer in der Hand trug. »Dr. Lehnbach vom kriminalärztlichen Bereitschaftsdienst«, stellte er sich vor. »Ich glaube, wir hatten noch nicht das Vergnügen.«

Er untersuchte die Leiche, ohne ihre Lage zu verändern, und fragte dann in knappem Ton: »Wer kann das Diktat aufnehmen?«

Kriminalassistent Berns zückte Notizblock und Bleistift.

»Ich treffe abends um zehn vor zehn am Tatort ein. Der Tote, männlich, ungefähr vierzig Jahre, liegt auf dem Rücken. Todesursache vermutlich Schädel-Hirn-Trauma infolge eines Schlages mit einem schweren Gegenstand. Der Schädel weist rechtsseitig eine Platzwunde auf, die Blutung ist beträchtlich. Der Tod ist schätzungsweise vor vier bis fünf Stunden eingetreten.«

»Könnte das hier die Mordwaffe sein?«, fragte Leo und hielt dem Arzt die geöffnete Tüte hin.

Dr. Lehnbach schaute sich den Buddha an und wog die Tüte in der Hand. »Sieht ganz danach aus. Alles Weitere erfahren Sie nach der gerichtsmedizinischen Untersuchung. Sie hören in zwei bis drei Tagen von mir. Guten Abend, die Herren.«

Dann hatte er die Arme vor der Brust verschränkt und von oben herab gesagt: »Glauben Sie etwa, ich rede mit anderen über meine Patienten? Glauben Sie, ich könnte kein Geheimnis wahren? Ich bin zwar kein Arzt, aber ich habe meinen eigenen Ehrenkodex, und der verbietet mir, über meine Arbeit zu sprechen.« *Er hatte auf die Uhr gesehen, als wollte er ihn zum Gehen drängen.*

»Natürlich, Herr Sartorius, aber irgendjemand muss doch davon wissen. Sonst hätte ich nicht den Brief –«

Der Heiler hob die Hand. »Haben Sie sich schon einmal überlegt, dass Sie vielleicht gar nicht mehr wissen, mit wem Sie worüber reden? Dass Sie anfangen, Dinge zu vergessen? Dass Ihnen Ihre Welt allmählich entgleitet?«

»Nein«, *hatte er gestammelt, war sich plötzlich vorgekommen wie ein Junge, der seinem strengen Vater gegenübersteht, eine Situation, die er nur zu gut kannte.*

»Sie kommen her und machen mir dreiste Vorwürfe. Was gehen mich Ihre Frauengeschichten an? Woher wollen Sie wissen, dass es nicht jemand aus Ihrer Vergangenheit war, der sein Wissen zu Geld machen will? Die Zeiten sind schlecht, da kann man jede Mark gebrauchen.«

Doch als ihn Sartorius' Blick wie ein Seziermesser traf, wuss-te er, von wem der Brief stammte.

Der Heiler wandte sich ab, beugte sich ungerührt über seinen Terminkalender. » Wenn Sie nun bitte –«

Der Griff nach dem Buddha war nicht überlegt, eher ein Auto-matismus, wie von fremder Hand geführt. Er erinnerte sich, wie er Sartorius bei seinem ersten Besuch danach gefragt hatte. »Ja, ein wirklich außergewöhnliches Stück. Ich habe ihn aus China mitgebracht, wo ich die asiatische Heilkunst studiert habe.«

Die Figur wog schwer in seiner Hand, und doch war es so leicht, Sartorius bot sich ihm förmlich dar, und er hob den Buddha hoch und schwang ihn, schwang ihn …

Irgendwann schaute Leo auf die Uhr. Mittlerweile war es halb elf, und er wurde allmählich müde. Daher war er froh, als die Leiche abtransportiert war und sie endlich Schluss machen konnten. Sie packten ihre Utensilien ein, versiegelten die Woh-nung und verließen das Haus. Draußen vor dem Gartentor blieb Leo stehen. »Heute ist noch Ruhe. Falls er wirklich Pa-tienten aus der feinen Gesellschaft behandelt hat, wird uns die Presse belagern, sobald sie davon Wind bekommt. Ich wüsste gern mehr über diesen Heiler und seine Methoden. Morgen nehmen wir uns seinen Terminkalender und das Patientenbuch, oder wie immer er es genannt hat, vor. Ich glaube, das wird eine interessante Lektüre.«

»Steig ein, ich setz dich zu Hause ab«, meinte Walther.

Doch Leo schüttelte den Kopf. »Ich gehe lieber zu Fuß.«

»Ich dachte, du bist müde. Der Weg ist ganz schön weit.«

Aber Leo winkte ab und ging davon.

Manchmal wusste er selbst nicht, ob es gut war, immer seinen Impulsen zu gehorchen, aber es war eben seine Art.

Walther war einer der wenigen Kollegen, die Leos gelegent-liche Sprunghaftigkeit akzeptierten und als das erkannten, was sie war: ein starkes kriminalistisches Gespür, das nicht selten zum Ziel führte.

Dieser Mord war nicht aus Habgier geschehen, das ahnte er. Und die Waffe war auf jeden Fall einer der Schlüssel.

Entweder hatte der Täter im Affekt gehandelt und nach dem erstbesten Gegenstand gegriffen, der sich bot, oder er hatte die Wohnung gekannt und die Tat geplant. Vermutlich hatte Sartorius den Mörder gekannt, da die Tür unversehrt war, oder ihm zumindest so weit vertraut, dass er ihn in sein Wohnzimmer gelassen hatte. Er würde Frau Moll morgen fragen, ob sie ihren Arbeitgeber als eher vorsichtig oder vertrauensselig empfunden hatte.

Leo näherte sich in Gedanken versunken der breiten, von Geschäften gesäumten Turmstraße, die wie eine Lebensader mitten durch Moabit führte, als plötzlich ein frischer Wind aufkam, der die Gedanken an den Mord vertrieb. Er sah auf die Uhr. Fast halb zwölf.

Es war, als stieße ihn die Emdener Straße ab wie ein Magnet mit gleichem Pol. Etwas in ihm wollte nicht nach Hause. Die Kinder schliefen, Ilse war vermutlich auch nicht aufgeblieben.

Er seufzte. Seine Frau hatte oft auf ihn gewartet, wenn er spätabends zu einem Fall gerufen wurde, weil sie spürte, dass er mit ihr darüber sprechen wollte. Vor allem, wenn es um die abscheulichsten Verbrechen ging, die Morde an Kindern. Die wenigen Fälle, die er bearbeitet hatte, waren ihm lange nachgegangen.

Er dachte flüchtig an Marlen, ihr dunkles Lachen, die verständnisvollen Augen. Nein, nicht heute. Leo spürte, wie etwas Dunkles an ihm zerrte, eine vertraute Finsternis, die ihn ansprang, wenn er am wenigsten damit rechnete. Manchmal konnte Marlen sie vertreiben, aber heute ... Er zog die Schultern hoch und machte einen zögernden Schritt. Er würde wohl doch nach Hause gehen.

Kurz vor der Haustür hörte er Schreie aus einem Innenhof und blieb einen Moment in dem dunklen Torborgen stehen.

Schuster Matussek schlägt mal wieder seine Frau, dachte er beinahe gleichgültig. Das ging schon lange so. Die Nachbarn beschwerten sich, hatten ihn sogar darauf aufmerksam gemacht, weil er doch ein »Kriminaler« war, aber der Frau war offenkundig nicht zu helfen. Einmal war sie mit aufgeplatzter Augenbraue in den benachbarten Kolonialwarenladen gestürzt und hatte um Hilfe geschrien, worauf man ihren Mann verhaftete. Am nächsten Tag holte sie ihn auf der Wache ab und erklärte, sie habe sich an einer Schranktür gestoßen. Das Spiel wiederholte sich alle paar Monate.

Ihn störte nur, dass seine Tochter mit Inge Matussek spielte. Bei der Arbeit ging er täglich mit Gewalt um und konnte daher umso weniger hinnehmen, dass seine Kinder damit in Berührung kamen. Es fiel ihm schwer, ihnen solche Dinge zu erklären oder einen Rat zu geben. Einmal hatte Marie ihn gefragt, warum Inges Mutter ein blaues Auge habe, und er war ihr mit einer Notlüge ausgewichen. Und ob seine Ratschläge Georg in der Schule helfen konnten, bezweifelte er.

Er stieß die Hände in die Taschen und schaute nach oben zum schweigenden Himmel. Einen Mord aufzuklären erschien ihm leichter, als Kinder zu erziehen, denn obwohl bei seinen Fällen oft Fragen offen blieben, gab es letztlich nur eine Lösung. Bei Kindern hingegen schien es tausend Antworten zu geben, und meist wusste man nicht, welche richtig war.

Dann und wann ertappte er sich dabei, wie er seine Frau verfluchte, sie und die tückische Krankheit, die ihre Lunge binnen Tagen in einen blutigen Schwamm verwandelt und sie in ihrem eigenen Atem hatte ertrinken lassen. Er hatte den Kindern nicht von den letzten Stunden erzählt. Wie sie nach Luft gerungen, um sich geschlagen, nach ihrer Mutter gerufen hatte. Von dem Gurgeln, das jeden qualvollen Atemzug begleitete. Von seinem fassungslosen Entsetzen, dass diese Seuche den harmlosen Namen Grippe tragen sollte.

Als das Ende kam, hatte sie sich mit übermenschlicher Kraft

im Bett aufgesetzt, ihn ruhig angeschaut und mit fester Stimme gesagt: »Die Kinder.« Mehr nicht. Aber er hatte es als Auftrag verstanden. Und er zwang sich, daran zu denken, wenn ihn die vertraute Dunkelheit zu überfallen drohte.

Seit er Viola kannte, war alles anders geworden. Viola, das Veilchen. Als hätten ihre Eltern bei der Geburt geahnt, dass ihre Tochter in dieser Farbe einmal ganz bezaubernd aussehen würde. Und auch ihre Augen erinnerten an zwei frisch erblühte Veilchen, Tränen wie Tau an ihren Wimpern...

Er lachte leise. Was die Liebe aus den Menschen machte – Heilige, Verrückte oder sogar Dichter.

Natürlich würden sie die Verlobung bald bekannt geben, auch im großen Rahmen, wenn ihr daran lag. Und eine prächtige Hochzeitsfeier sollte sie haben, mit Orangenblüten und weißem Tüll, wenn sie es altmodisch mochte. Er würde Frack und Zylinder tragen, wie es sich für einen Mann seiner Stellung gehörte. Und die Flitterwochen würden sie an einem romantischen Ort wie Venedig verbringen.

3

Das Büro mit der hohen Decke wirkte nüchtern und gleichzeitig sakral. Einige bunte Kunstdrucke milderten die Eintönigkeit der weißen Wände, obwohl manche Kollegen die »modernen« Bilder eher misstrauisch betrachteten. Die Einrichtung war – wie in den meisten Dienstzimmern – schlicht und zweckmäßig. Nur der Kollege Ernst Gennat hatte in seinem Büro ein gemütliches Sofa stehen, auf dem er seine Fälle zu erörtern und dabei Kuchen zu essen pflegte.

»Gut, fangen wir an«, sagte Leo zu Robert Walther und breitete die Unterlagen, die sie in der Wohnung des Ermordeten sichergestellt hatten, auf dem Schreibtisch aus. »Ich gehe den Terminkalender durch, du schaust dir die anderen Sachen an.«

Das Buch, in dem Gabriel Sartorius seine Patiententermine verzeichnet hatte, war in teures weinrotes Leder gebunden und passte zu der Eleganz der Wohnung. Leo blätterte bis zu der Seite mit dem Datum des Vortages. Sartorius hatte insgesamt fünf Besucher gehabt, die letzte Patientin, eine gewisse Ellen Cramer, war für vier Uhr eingetragen. Wie lange mochte eine Behandlung bei dem Heiler dauern? Er schaute in Frau Molls Vernehmungsprotokoll. Sie hatte die Wohnung pünktlich um sieben Uhr betreten. Er betrachtete die Behandlungstermine, die im Durchschnitt anderthalb Stunden auseinander lagen. Angenommen, Frau Cramer war um vier Uhr erschienen und um fünf Uhr wieder gegangen. Der Tod war laut Aussage des Arztes zwischen fünf und sechs eingetreten, so dass dem Mörder im Höchstfall eine Stunde für sein Vorhaben geblieben war. Eine

Stunde, in der außer dem Opfer wohl niemand im Haus gewesen war.

Schweigend blätterten sie die Unterlagen durch, bis Leo durch die Zähne pfiff. »Das musst du dir anhören, Robert.« Er las eine Reihe Namen vor. »Roger Walden, Sita Selenko, Harry Asmus, Elisa Reichwein, Sascha Roloff –«

Sein Kollege trank einen Schluck Kaffee und sah ihn verblüfft an. »Lauter Filmleute und Künstler.«

»Und das sind nur die Namen, die ich kenne«, meinte Leo, der sich selten mit den Klatschspalten der Boulevardpresse befasste. »Und hier, Mathilde Westheim, ob das die Frau des Delikatessenkönigs ist? Sartorius scheint überaus illustre Patienten gehabt zu haben, kein Wunder, dass er sich diese Wohnung leisten konnte.« Er stützte den Kopf in die Hand und schaute versonnen zur Decke. »Wenn von Malchow wüsste, welch interessanten Fall er gerade verpasst.«

»Wieso? Ich dachte, der kommt heute wieder.«

»Schon, aber ich habe darum gebeten, ihn Kommissar von Fritzsche beizuordnen, wie es so schön heißt. Ich kann nicht mit ihm zusammenarbeiten. Die sollten ein Sonderdezernat Orden und Ehrenabzeichen für ihn einrichten.«

Walther grinste. Er kannte Leos tiefsitzende Abneigung gegen Offiziere, die aus dem verlorenen Krieg heimgekehrt waren und noch immer taten, als höre die ganze Welt auf ihr Kommando. Er kannte keinen Mann, der weniger militärisch eingestellt war als Leo Wechsler, was nichts über dessen persönlichen Mut aussagte, doch das Obrigkeitsdenken der preußischen Armee war ihm völlig fremd. Daher hatte er während des Krieges seinen Dienst bei der Kripo versehen und nicht einmal den Versuch unternommen, sich freiwillig zu melden, was ihm so manchen verächtlichen Blick eingetragen hatte. Vor 1914 hatte man das Präsidium gern als Adelsklub bezeichnet, weil viele Beamte nach einer Offizierslaufbahn in den Polizeidienst eingetreten waren. Heutzutage war das anders, aber man traf, vor allem in den oberen Rängen, noch immer viele »von« und »zu« an.

Leo Wechsler dagegen stammte aus kleinen Verhältnissen. Sein Vater war Gemüsehändler gewesen und hatte nur widerwillig akzeptiert, dass sein Sohn diesen sonderbaren Beruf ergriff. Durch seine Begabung war Leo relativ schnell weitergekommen, auch wenn er öfter einmal durch unkonventionelles Verhalten auffiel. Dass er sich den prügelnden Schupos in den Weg gestellt hatte, nahmen ihm die Konservativen unter seinen Kollegen bis heute übel.

Leo musste ehrlich zugeben, dass viele dieser »Landjunker« durchaus fähige Kriminalisten waren, doch bei Herbert von Malchow hörte sein Verständnis auf. Von der ersten Minute an hatte eine tiefe Abneigung zwischen ihnen geherrscht, und er vermutete insgeheim, dass es mit der kriminalistischen Begabung des Neuen auch nicht allzu weit her war. Beziehungen, hatte er gedacht, vielleicht wusste die Familie nicht, was sie mit ihm anfangen sollte, und hatte ihn zur Polizei abgeschoben. Andererseits war die Berliner Kripo für die ausgezeichneten Fähigkeiten ihrer Beamten bekannt. Im Grunde konnte sie sich bei der ungeheuren Kriminalität, unter der Berlin seit Kriegsende zu leiden hatte, gar keine derartigen Freundschaftsdienste leisten.

Zurück zum Wunderheiler, mahnte er sich.

»Arm war der jedenfalls nicht«, sagte Robert nach einer Weile. »Sparbücher, Wertpapiere, ein Wochenendhaus am Wannsee. Der muss an seinen prominenten Patienten ganz schön verdient haben.«

»Na ja, er wird sie sich schon entsprechend ausgesucht haben«, meinte Leo.

Schweigend arbeiteten sie weiter.

»Hier, Leo, eine Mappe mit Dankesschreiben. Die musst du dir ansehen.« Walther schob ihm einen Aktenordner hin, der säuberlich abgelegte Briefe enthielt, viele auf elegantem Papier mit persönlichem Briefkopf oder Prägesiegel verfasst.

Leo blätterte die Mappe durch und las einzelne Sätze vor. »Sie haben mir zu einem neuen Leben verholfen. Edda von Walsick. – Noch nie habe ich die Liebe zu meiner Frau so drängend, so intensiv erlebt. Prof. W. Keller. – Die Träume, zu denen Sie mir verholfen haben, lieber Meister, haben mir Einblicke gewährt, die alles verändern werden. Elisa Reichwein.« Er schaute hoch und begegnete Walthers Blick. Sein Kollege schien die gleiche Idee zu haben. »Ob die dankbaren Patienten wissen, dass er das alles aufbewahrt hat?«

Walther grinste. »Was mag er dem Ehepaar Keller wohl verordnet haben? Wenn ich an die Bilder in seinem Schlafzimmer denke.«

Leo lachte. »Ich fürchte, wir kommen nicht umhin, die werten Herrschaften persönlich aufzusuchen.«

In diesem Moment kam Stahnke, der rote Walrossschnäuzer, mit einigen zusammengehefteten Blättern herein. »Herr Kommissar, hier sind die Ergebnisse der Fingerabdrücke. An der mutmaßlichen Mordwaffe fanden wir nur einige Fragmente von Abdrücken der Haushälterin, allerdings sehr verwischt. Keine vom Opfer oder anderen Personen.«

Leo runzelte die Stirn. Diese Aussage widersprach seinem instinktiven Gefühl, doch bei Stahnkes nächsten Worten hellte sich sein Gesicht wieder auf. »Möglicherweise hat der Mörder Handschuhe getragen. Das würde auch die verwischten Spuren erklären.«

Er reichte Leo die Unterlagen.

»Gute Arbeit, Stahnke, das werde ich mir merken«, sagte Leo und meinte es auch so. Die wissenschaftlich arbeitende Spurensicherung war erst im Aufbau, und fähige Leute galten als wahres Geschenk.

Stahnke grinste erfreut und ging hinaus. »Wenn der so weitermacht, geb ich beim nächsten Mal 'ne Molle aus«, sagte Leo und machte sich an das Studium des Berichts. »Überall die Abdrücke der Haushälterin, aber das war ja zu erwarten. Dazu die des Toten und einige, die noch nicht identifiziert werden konnten.« Er bohrte nachdenklich einen Bleistift in seine Wange, dann sprang er auf. »Warte mal, Robert.«

Er verließ eilig das Büro und kam bald darauf zurück. »Stahnke soll alle Abdrücke mit dem Album vergleichen, vielleicht treffen wir ja auf einen Bekannten.« Die daktyloskopische Kartei der Berliner Kripo war bereits sehr umfangreich, und bei den zahlreichen Razzien, die Glücksspiel- und Sittendezernat durchführten, kamen ständig neue Proben zusammen.

Dann sagte er spontan zu Robert: »Hör mal, ich fahre jetzt zu Frau Moll. Ich habe so ein Gefühl, dass wir noch etwas aus ihr herausbekommen können, aber hier in der Fabrik wäre sie vermutlich eingeschüchtert. Bis später.«

Der Hinterhof war trotz des strahlenden Wetters dunkel und feucht, die Häuser schienen sich eng zusammenzudrängen, als wollten sie die Kastanie in der Mitte des Vierecks ersticken. Frau Molls Wohnung lag im ersten Hinterhaus und war über eine enge Treppe zu erreichen. Als Leo Wechsler die Haustür öffnete und auf die erste Stufe trat, schlugen ihm die unterschiedlichsten Gerüche entgegen – gekochter Kohl, Schimmel, feuchte Wäsche.

Die dunkelbraune Wohnungstür fiel dadurch auf, dass sie neu und glänzend aussah und ein Namensschild trug. Er klingelte. Schritte näherten sich, dann spähte Frau Moll durch den Türspalt. Bei Leos Anblick öffnete sie die Tür und schaute ihn besorgt an. »Ist etwas nicht in Ordnung?«

»Doch, Frau Moll. Wenn ich hereinkommen dürfte. Ich habe noch ein paar Fragen.«

»Hat es was mit meinen Abdrücken zu tun?«

»Nein.« Er lächelte beruhigend und wurde in die enge Diele vorgelassen. Links konnte er in eine kleine Küche sehen. Ausguss und Herd waren ausgesprochen sauber, die Kohlenkiste stand ordentlich daneben, auf dem Tisch ein Weckglas mit ein paar Sommerblumen. Frau Moll führte ihn in die Wohnstube, die gleichzeitig als Schlafzimmer diente, und bot ihm einen abgewetzten Sessel an. Leo nahm dankend Platz. Er sah sich kurz um, sein geschulter Blick verriet ihm, dass die Bewohnerin trotz ihrer Armut versuchte, einen Rest von Bürgerlichkeit zu bewahren. Davon zeugten die Stickbilder mit den Sinnsprüchen und die vereinzelten Nippfiguren auf dem Büfett. Frau Moll blieb unschlüssig stehen und setzte sich dann auf ein Zeichen von ihm auf einen Stuhl.

Er beugte sich vor und klemmte die Hände zwischen die Knie. »Sie könnten uns sehr helfen. Wir benötigen Auskunft über die Menschen, die bei Herrn Sartorius ein und aus gegangen sind: Freunde, Bekannte, Patienten. Jeder noch so kleine Hinweis kann dienlich sein. Sie wollen sicher auch, dass wir seinen Mörder finden.«

Die Haushälterin nickte eifrig. »Natürlich. Aber... außer seinen Patienten hat er selten Leute empfangen. Er ging lieber aus, ließ sich unterhalten. Das war doch sein gutes Recht, oder?«

»Gewiss. Ich habe mir seinen Terminkalender angesehen und war erstaunt über die vielen Namen, die man täglich in der Zeitung liest. Filmschauspieler, bekannte Geschäftsleute, Damen der Gesellschaft.«

»Nun, ich habe ja gesagt, er war sehr beliebt und hat vielen geholfen.«

Wenn sie nur nicht so verdammt loyal und ein bisschen klatschsüchtiger wäre, dachte er und verdrehte innerlich die Augen.

»Gut, aber es muss mindestens einen Menschen gegeben haben, der ihn nicht gemocht hat. Der ihn so hasste, dass er ihm den Schädel eingeschlagen hat«, sagte Leo absichtlich brutal. Die Frau zuckte zusammen und sah ihn betroffen an.

»Da haben Sie Recht.« Sie schien zu zögern, und er spürte,

wie sie mit sich rang. »Na ja, vor einer Weile, es ist vielleicht ein Jahr her, war mal die Polizei da.«

»Die Polizei?«, hakte Leo sanft nach, um sie nicht zu verunsichern.

»Ja, zwei Männer wie Sie, ohne Uniform, auch von der Kriminalpolizei.«

»Wissen Sie, worum es ging?«

Sie biss sich auf die Lippen. »Hm, ich habe Herrn Sartorius das Essen ins Speisezimmer gebracht, er musste noch weg und wollte sich von dem Besuch nicht den Abend verderben lassen. Hat er mir später gesagt.«

»Und? Haben Sie von dem Gespräch etwas mitbekommen?« Er ließ ihr Spielraum, damit sie nicht zugeben musste, dass sie womöglich an der Tür gelauscht hatte.

»Ja, beim Rausgehen hab ich mitgekriegt, dass es um Kokain ging. Dieses Rauschgift, von dem man jetzt so viel hört.«

Leo pfiff leise vor sich hin. Also gab es doch Flecken auf der weißen Weste des Heilers. Er musste unwillkürlich an die Dankesschreiben denken. Was waren das wohl für Heilmittel gewesen, die eine so wundersame Wirkung entfaltet hatten?

»Sind die Beamten lange geblieben?«

Sie schüttelte den Kopf. »Nein, und ich habe sie auch nie wieder in der Wohnung gesehen. Vielleicht war es ja ein Irrtum, oder jemand wollte ihm schaden.«

»Da könnten Sie Recht haben, Frau Moll. Jedenfalls danke ich Ihnen und bitte Sie, sich sofort zu melden, falls Ihnen noch etwas einfallen sollte. Alles kann wichtig sein, ein Streit, Briefe ohne Absender, was auch immer.«

Sie brachte ihn zur Tür und schien erleichtert, als er in den Flur trat und die Treppe hinunterging.

Als er das Vorzimmer betrat, eilte Walther ihm schon entgegen. »Wir haben seine Abdrücke in der Kartei.«

»Zeig mal her.« Tatsächlich, die Fingerabdrücke, der Name,

die Anschrift. Verhaftet während einer Razzia in der »Flotte«, bei der die Polizei größere Mengen Kokain sichergestellt hatte. Auch Sartorius hatte etwas bei sich gehabt. Handel mit dem Rauschgift konnte man ihm allerdings nicht nachweisen, daher hatte es kein Verfahren gegen ihn gegeben.

»Das passt zu dem, was Frau Moll mir erzählt hat. Ein Kollege war vor einer Weile bei Sartorius und hat ihn wegen Kokain verhört. Frag mal bei den Rauschgiftleuten nach, ich fahre zu Frau Cramer.« An der Tür drehte er sich noch einmal um. »Ist schon was vom Leichendoktor gekommen?«

Walther schüttelte den Kopf.

Leo Wechsler steuerte den Wagen Richtung Grunewald. An den baumbestandenen Straßen reihten sich Villengrundstücke aneinander wie kostbare Perlen. Elegante Häuser mit Buntglasfenstern, edlen Holztüren und griechischen Säulen, umgeben von gepflegten oder verwunschenen Gärten, zogen an ihm vorbei. Er kam selten in diese Gegend und dachte flüchtig, wie wohl die Kinder in diesen Häusern aufwachsen mochten, inmitten von Reichtum, Schönheit und Dienstboten, die ihnen jeden Wunsch von den Augen ablasen. Dann erinnerte er sich daran, dass es auch hier Skandale und Familientragödien gab.

Er hielt vor einer zartgelben Villa, die über und über mit violetten Clematis berankt war. Am Tor war ein kleines Messingschild angebracht. Er ging durch den Vorgarten und betätigte den blankpolierten Türklopfer in Form eines Löwenkopfes.

Ein Hausmädchen in schwarzem Kleid und weißem Häubchen öffnete die Tür und fragte: »Ja, bitte?«

Leo zeigte seine Dienstmarke und stellte sich vor. »Ich möchte Frau Cramer sprechen.«

»Kommen Sie bitte mit.« Das Hausmädchen beherrschte ihre Gesichtszüge perfekt, doch er fragte sich, wie es in diesem Moment in ihrem Gehirn arbeiten mochte. Die Kriminalpolizei bei der gnädigen Frau!

Sie führte ihn in den Salon. Ellen Cramer trug ein violettes Seidenkleid mit tief angesetzter Taille und als einzigen Schmuck eine dezente Perlenkette. Als Leo gemeldet wurde, sprang sie auf und deutete auf die ›BZ am Mittag‹, die neben ihr auf dem Sofa lag. »Es steht schon drin. Sind Sie deswegen hier?«, fragte sie atemlos.

»Ja, Frau Cramer, bitte beruhigen Sie sich. Wir müssen die letzten Stunden des Opfers rekonstruieren und mit allen Personen sprechen, die in dieser Zeit mit Herrn Sartorius zusammen waren.«

Ellen Cramer hatte sich gefasst. »Adele, bringen Sie uns bitte Tee.« Das Hausmädchen knickste und verschwand.

Sie bot ihm einen Platz in einem eleganten Sessel an und setzte sich gegenüber aufs Sofa. Dann beugte sie sich erwartungsvoll vor. »Bitte stellen Sie Ihre Fragen, Herr Kommissar.«

Leo versuchte sie einzuschätzen. Eine gutaussehende, nicht mehr ganz junge Frau, elegant und ungeheuer gepflegt. Makellos. Was mochte sie bei dem Heiler gesucht haben? »Warum waren Sie bei Herrn Sartorius in Behandlung?«

»Ich leide seit längerem unter Migräneanfällen, die mein Wohlbefinden stark beeinträchtigen. Ich habe viele Ärzte aufgesucht, doch niemand konnte mir helfen. Eine Freundin empfahl mir Herrn Gabriel Sartorius, der als erfolgreicher Heiler galt.«

»Und welche Erfahrungen haben Sie mit ihm gemacht?«

»Ich war erst viermal bei ihm. Aber ich meine schon eine gewisse Linderung zu spüren.«

»Darf ich fragen, wie er Sie behandelt hat?«

Sie errötete leicht, als wäre ihr die Frage etwas peinlich. »Nun ja, mit Edelsteinen. Er schöpfte Kraft aus ihnen und konnte sie dann auf mich übertragen.«

»Und wie machte er das?«, fragte Leo mit aufrichtigem Interesse. Er sammelte ungewöhnliche Informationen wie andere Menschen Briefmarken.

»Er . . . er ordnete sie zu einem Muster an und hielt die Hände darüber, dann konzentrierte er sich ganz stark und schien sich irgendwie zu verändern. Er strahlte etwas aus. Dann berührte er sanft meinen Kopf. Ich habe wirklich etwas gespürt.« Es klang, als wollte sie sich verteidigen, doch Leo winkte ab.

»Ich bin nicht hier, um über Ihr Vertrauen in Herrn Sartorius zu urteilen. Ich habe einen Mord zu untersuchen. Haben Sie bei Ihren Besuchen irgendwo einen Buddha aus Jade bemerkt?«

Sie nickte. »So einer stand immer auf dem Tischchen neben dem Diwan, daran kann ich mich erinnern.«

»Stand er gestern am üblichen Ort?«

»Ja. Ich weiß es genau, weil ich Herrn Sartorius' Honorar daneben gelegt habe.«

Das passte. In einer Hosentasche des Heilers hatten sie ein Bündel Geldscheine gefunden.

»Im letzten Jahr wurde der Tote mit Kokain in Verbindung gebracht. Wussten Sie davon?«

Sie schüttelte energisch den Kopf, zu energisch, wie er fand.

»Er wurde bei einer Razzia in der ›Flotte‹ festgenommen. Solche Lokale sind Ihnen wohl gar nicht bekannt, dort verkehren Menschen, die Rauschgift kaufen und verkaufen möchten. Natürlich müssen wir allen Spuren nachgehen. Falls Sie also etwas wissen ...«

Sie rutschte ein wenig auf dem Sofa hin und her und sah zur Tür, als das Hausmädchen mit dem Teetablett hereinkam. Sie stellte die silberne Kanne und die Tassen, Milch, Zucker und Gebäckschale auf den Sofatisch und ging diskret hinaus.

Frau Cramer schenkte ihm zart duftenden Darjeeling ein. Dabei trinkt ganz Berlin Zichorienkaffee, dachte er ein wenig zynisch, genoss den Tee aber dennoch.

»Also, Frau Cramer, um noch einmal auf das Kokain zurückzukommen ...« Dann hatte er eine Idee. »Dürfte ich nach dem Namen der Freundin fragen, die Ihnen Herrn Sartorius empfohlen hat?«

»Elisa Reichwein, die Galeristin«, sagte sie rasch, als wollte sie es hinter sich bringen. »Sie . . . na ja, ab und zu nimmt sie etwas. Sie hat mir auch davon angeboten, aber ich habe nichts für Rauschgift übrig. Es macht mir Angst«, fügte sie schüchtern hinzu, was Leo ganz sympathisch fand.

»Und was hat Frau Reichwein Ihnen über Herrn Sartorius erzählt?«

Sie schien sich inzwischen äußerst unbehaglich zu fühlen und schaute unruhig zur Tür. Sie leckte sich nervös über die Lippen. »Mein Mann weiß nicht, dass ich bei einem Heiler war. Er hält nichts von solchen Dingen, er ist ein Zahlenmensch, der immer seinem Verstand folgt. Es wäre mir unangenehm . . .«

»Bedaure, aber ich kann keine Diskretion garantieren«, sagte Leo knapp. »Herr Sartorius wurde brutal erschlagen, da dürfen wir keine Rücksicht auf Privates nehmen.«

Sie schluckte. »Also gut, er hat Elisa Kokain gegeben. Sie war . . . irgendwie niedergeschlagen, die Galerie lief nicht gut, sie fühlte sich kraftlos. Also ist sie zu ihm gegangen. Zuerst hat er es mit den Edelsteinen versucht, aber die haben bei ihr nicht geholfen. Da gab er ihr Kokain.«

Der Heiler hatte seinen Patienten Kokain verabreicht, eine ganz neue Perspektive. In der Wohnung war nichts gefunden worden, aber Rauschgift ließ sich ausgezeichnet verstecken. Er würde seine Leute noch einmal auf den Tatort ansetzen. Falls Sartorius im großen Stil gehandelt hatte, war der Mörder vielleicht auf das Kokain aus gewesen.

»Wie oft?«

»Das weiß ich nicht. Sie hat geschwärmt, es verleihe ihr ungeheure Energie, sie sehe die Welt in ganz neuen Farben, es klang unglaublich.«

»Nun ja, Kokain verursacht einen überwältigenden Rausch, aber die Abhängigkeit, in die man sich begibt, ist furchtbar«, sagte Leo. In den letzten Jahren hatte der Rauschgiftgenuss in Berlin erschreckend zugenommen, eine Razzia folgte auf die nächste, doch die Polizei wurde der Sucht nicht Herr. »Eine letzte Frage noch: Ist Ihnen bei Ihrem Besuch irgendetwas aufgefallen, war etwas anders als sonst? Wirkte Herr Sartorius beunruhigt, aufgebracht oder geistesabwesend?«

»Ganz und gar nicht, Herr Kommissar. Er war wie immer, ausgesprochen ruhig, er ruhte in sich, möchte ich sagen.«

»Haben Sie jemanden im Haus oder der Umgebung gesehen, der Ihnen seltsam vorkam oder sich verdächtig verhielt?«

Sie schüttelte den Kopf.

»Gut, Frau Cramer, damit wäre ich für heute fertig. Falls Ihnen noch etwas einfallen sollte, rufen Sie mich bitte im Präsidium an.« Er schrieb ihr die Nummer auf.

Sie begleitete ihn persönlich zur Haustür. Am Gartentor begegnete er einem eleganten, grauhaarigen Mann, der ihn fragend ansah und kurz den Hut lüftete. Er legte Ellen Cramer die Hand auf den Arm und führte sie ins Haus.

Als sie später in ihrem Boudoir an der Frisierkommode saß und ihr Gesicht sorgfältig eincremte, dachte Ellen Cramer noch einmal an den Tod des Heilers. Seltsam, dass sie so kurz bevor ein Mensch gestorben war, noch bei ihm gewesen, von ihm berührt worden war. Sie legte die Fingerspitzen ans Gesicht. Ob er sie tatsächlich auf Dauer von ihren Schmerzen befreit hätte? Sie schüttelte den Kopf, als wollte sie die Erinnerung verdrängen.

Sie warf einen liebevollen Blick auf die Photographie ihrer Tochter, die neben dem Spiegel stand. Bald würde Viola von ihrer Reise an die Ostsee zurückkehren.

Beim Zubettgehen dachte sie noch einmal daran, wie sie nichtsahnend das Haus des Heilers verlassen hatte, die Nussbaumallee entlanggegangen war, zufrieden, dass sie endlich jemanden gefunden hatte, der sie von ihren quälenden Schmerzen befreien würde. An der nächsten Straßenecke hatte sie ein Taxi genommen und beim Einsteigen noch flüchtig einen Bekannten gesehen, der gerade aus seinem eleganten rot- und cremefarbenen Delage stieg.

4

Die gesamte Berliner Presse stapelte sich auf seinem Schreibtisch. Er studierte die Zeitungen aufmerksam, las alle Berichte über den Mord an dem Heiler Sartorius. Sie ahnten nichts. Ein Raubmord wurde ausgeschlossen, da nichts aus der Wohnung entwendet worden war.

Als er die Artikel las, ging eine Veränderung in ihm vor. Er kam sich plötzlich ungeheuer mächtig, beinahe allmächtig vor. Er hatte die Tat nicht einmal geplant, sie war einfach geschehen. Und niemand würde ahnen, wie leicht es gewesen war, so leicht, dass es seiner beinahe nicht würdig war.

Er ging ins Schlafzimmer, öffnete den schön geschnitzten Kleiderschrank, zog eine Wäscheschublade auf und betrachtete fast liebevoll die Handschuhe. Samt, Kalbsleder, Satin, Glattleder, in allen Farben, mit Lochmuster, gestrickt mit Lederbesatz für den Winter, sportlich mit geknöpftem Riegel über dem Handrücken zum Autofahren. Bedachtsam wählte er ein Paar aus, das er noch nie getragen hatte, strich sanft darüber und legte es wieder in die Schublade zurück.

Leo saß zu Hause an seinem Sekretär, den Kopf in die Hände gestützt. Bislang führten alle Spuren ins Nichts. Die Personen, die Sartorius an seinem Todestag behandelt hatte, besaßen alle ein sicheres Alibi.

Das Gespräch mit Elisa Reichwein hatte ihm neue Einblicke in die Berliner Kunstwelt, aber kaum kriminalistische Erkenntnisse beschert.

Er war neugierig auf den Besuch in der Galerie gewesen, weil er sich selbst für Kunst interessierte und die Galerie Reichwein vor allem die Avantgarde vertrat.

Die Besitzerin öffnete ihm persönlich die Tür, eingehüllt in ein fließendes Kleid mit geometrischen Mustern, das an die Bilder erinnerte, die an den Wänden ihrer Galerie hingen, und führte ihn in einen riesigen Raum mit hohen Fenstern, der ganz in Blassgelb gehalten war, um alles Augenmerk auf die Bilder zu lenken. Sie streckte ihm die Hand entgegen, als erwarte sie einen Handkuss, doch Leo ließ sich nicht auf solche Gesten ein.

Elisa Reichwein schien nichts von Bubiköpfen zu halten, sondern trug ihr schwarzes Haar, das wie Lack glänzte, streng nach hinten gekämmt und im Nacken zu einer festen Rolle gesteckt, was ihr ein leicht japanisches Aussehen verlieh. Dazu passten auch die porzellanweiße Haut, die sorgfältig gepudert war, und der karminrote Lippenstift. Nicht mein Typ, dachte Leo, aber unbestreitbar apart.

»Möchten Sie mir gleich Fragen stellen oder erst einen Blick auf die Bilder werfen?«, fragte sie mit wohlklingender Altstimme und deutete mit der türkischen Zigarette, die sie sich soeben angezündet hatte, auf die Bilder an den hellgelben Wänden.

»Die Bilder«, sagte Leo und schaute sich um. Die aktuelle Ausstellung zeigte ausgewählte dadaistische Werke der letzten sieben Jahre. Bilder von Marcel Janco, Max Oppenheimer und Francis Picabia, Stickereien von Sophie Täuber-Arp, eigenartig geformte Objekte von Hans Arp und Marcel Duchamp. So verschieden sie waren, spiegelten sie doch alle die ungeheuren Umwälzungen wider, die Europa im letzten Jahrzehnt erlebt hatte. Altes wurde gnadenlos umgestürzt, Traditionen zerbrachen.

»Das ist leider nur ein kleiner Ausschnitt«, sagte Elisa Reichwein. »Max Ernst konnte ich beispielsweise gar nicht bekommen.«

Leo war vor ein Bild von George Grosz getreten, auf dem eine rasende Menge um einen Sarg tobte, umgeben von Hochhäusern, im Vordergrund ein Café, aus dem rote Flammen loderten. Ein Tanz, kurz vor dem Untergang. Oder schon danach.

»Gefällt es Ihnen?«

»Gefallen ist nicht das richtige Wort. Ich finde es ... beunruhigend. Man muss einfach hinschauen.«

Sie nickte. »Grosz hat es gegen Ende des Krieges gemalt. Als hätte er vorausgesehen, welches Chaos auf den Straßen losbrechen würde.«

Leo konnte sich nur mit Mühe von den Bildern losreißen. »Frau Reichwein, ich möchte Ihnen, wie gesagt, einige Fragen über Gabriel Sartorius stellen.«

Mit einer Handbewegung bot sie ihm einen Platz in einem schlichten hölzernen Sessel mit weißem Sitzkissen an. Sie selbst blieb an einem der hohen Fenster stehen und schnippte die Zigarettenasche in einen kleinen Aschenbecher aus Onyx.

»Woher kannten Sie Herrn Sartorius?«

»Ich habe ihn auf einer Vernissage kennen gelernt. Wir kamen ins Gespräch, er erzählte von seiner Arbeit. Als ich mich wenig später nicht wohl fühlte, habe ich mich an ihn erinnert und von ihm behandeln lassen.«

»Wann waren Sie das letzte Mal bei ihm?«

Sie überlegte. »Das ist schon länger her, etwa drei Monate.«

»Warum sind Sie nicht mehr hingegangen?«

»Weil er meine Probleme erfolgreich behandelt hat.«

»Mit Kokain?« Manchmal zog er den schnellen Angriff vor.

Kurz flackerte Überraschung in ihren Augen auf, dann antwortete sie gelassen: »Ja, das auch. Ich fühlte mich damals ausgelaugt und müde, nichts wollte mir gelingen. Er probierte dies und jenes, alles fauler Zauber, wenn Sie mich fragen. Dann empfahl er mir, es mit Kokain zu versuchen.«

»Bekamen Sie es von ihm persönlich?«

»Ja, er hatte gelegentlich etwas in seiner Praxis.«

»Ihre Freundin, Frau Cramer, sagte mir, Sie hätten ihr Herrn

48

Sartorius empfohlen, als sie unter Migräne litt. Warum haben Sie das getan, wenn Sie seine Methoden für faulen Zauber hielten?«

Elisa Reichwein lächelte. »Nun ja, Ellen ist eine gute Freundin, aber ich will nicht verhehlen, dass wir beide wenig gemeinsam haben. Sie ist sehr konventionell und ein wenig leichtgläubig. Und ich dachte mir, dass ihre Migräne vielleicht ... wie soll ich sagen, emotionaler Natur sein könnte. Ein wenig Hokuspokus, ein interessanter Mann wie Gabriel, vielleicht würde das schon reichen, um sie von ihrem langweiligen Ehemann abzulenken.«

Leo dachte an den Blick, mit dem Ellen Cramer ihren Mann an der Haustür erwartet hatte. Sollte etwa mehr zwischen ihr und dem Heiler gewesen sein?

»War sie seine Geliebte?«

Elisa Reichweins Lachen hallte tief und voll durch den hohen Raum. »Oh nein, das würde nicht zu ihr passen. Sie hätte es mir sicher erzählt. Er hat sie mit seiner Edelsteintherapie behandelt, das war alles, Herr Kommissar.«

»Gut. Wie Sie bereits wissen, wurde Herr Sartorius vorgestern in seiner Wohnung erschlagen aufgefunden.«

Sie nickte.

»Wir vermuten, dass er seinen Mörder, oder seine Mörderin«, fügte er herausfordernd hinzu, »gekannt hat. Die Tür war nicht aufgebrochen, er hat den Besucher selbst eingelassen. Dürfte ich Sie fragen, wo Sie vorgestern zwischen fünf und sechs Uhr gewesen sind?«

Sie zog überrascht die Augenbrauen hoch, bewahrte aber ihre gelassene Art. »Da brauche ich nicht lange zu überlegen. Ich war hier in der Galerie, mein Mitarbeiter Herr Melotti kann das bestätigen.«

»Es ist eine Routinefrage. Natürlich überprüfen wir alle Patienten, soweit sie uns bekannt sind. Können Sie sich vorstellen, welches Motiv hinter diesem Mord stehen könnte? Hatte Herr

Sartorius Feinde oder Konkurrenten? Gab es enttäuschte Patienten, die sich womöglich an ihm rächen wollten? Er scheint in illustren Kreisen verkehrt zu haben.«

»Da haben Sie Recht. Er lebte von den Reichen und hat sich gerne unter sie gemischt. Kein Fest war ihm zu bunt, keine Party zu schrill. Seine religiöse Ausstrahlung war nur Fassade, er war einfach gern mit solchen Leuten zusammen und hat gut an ihnen verdient.«

»Und dennoch haben Sie Ihre, wie Sie sagen, gutgläubige Freundin zu ihm geschickt?«, hakte Leo noch einmal skeptisch nach.

Elisa Reichwein lachte. »Ich pflege großzügige moralische Maßstäbe, Herr Kommissar. Er war ja kein Verbrecher und hat, soweit ich weiß, niemandem geschadet. Das hat Ellen Ihnen gewiss bestätigt.«

Er merkte, dass er bei ihr nicht weiterkam. Auch war kein Motiv für einen Mord zu erkennen, doch die Begegnung mit der Galeristin hatte immerhin dazu beigetragen, einige Lücken im Bild des Ermordeten zu füllen. Leo stand auf und warf noch einen Blick auf George Grosz' Totentanz. »Schade, dass Polizisten so wenig verdienen«, sagte er und meinte es ehrlich.

»Tja, da kann ich Ihnen leider auch nicht helfen«, bemerkte die Galeristin lächelnd.

Im Gehen drehte er sich noch einmal um. »Wussten Sie, dass Gabriel Sartorius die Korrespondenz mit seinen Patienten aufbewahrt hat?«

Wieder daneben. Sie war nicht aus der Ruhe zu bringen. »Ich habe nichts zu verbergen, Herr Kommissar. Natürlich weiß ich nicht, was andere ihm geschrieben haben …«

»Falls Ihnen etwas einfällt, das uns helfen könnte, rufen Sie mich bitte im Präsidium an.« Er legte seine Karte auf ein Tischchen neben der Tür und verabschiedete sich.

Leo goss sich ein Glas Bier ein und überlegte. Der Be
Leichendoktors überraschte ihn lediglich in einem P'
Schlag war nur die indirekte Todesursache gewesen. Dem Up-
war die Zunge in den Hals gerutscht, was im Verlauf der tiefen
Bewusstlosigkeit, die auf den Schlag folgte, zum Tod durch Ersticken geführt hatte. Vermutlich hatte der Täter schräg rechts
hinter Sartorius gestanden und das Überraschungsmoment ausgenutzt. Theoretisch kam auch eine Frau als Täterin in Frage,
die jedoch über ungewöhnliche Kraft verfügen musste. Der Angriff war mit der rechten Hand geführt worden. Nichts, was
einen Rückschluss auf den Täter zuließ oder den Kreis auch nur
eingeschränkt hätte. Nichts außer der Tatsache, dass der Täter
vermutlich Handschuhe getragen hatte.

Die Zeitungen hatten sich sofort auf den Mord gestürzt und
sensationelle Geschichten über Sartorius' Heilerfolge gebracht.
Eine Filmschauspielerin hatte sich, ohne dass ihr Name überhaupt mit ihm in Verbindung gebracht wurde, von dem Heiler
distanziert. Vielleicht hatte er ihr ebenfalls Rauschgift besorgt.
Interessant. Wenn nun doch ein Patient durch diese Methoden
zu Schaden gekommen war?

Leo stand auf und ging in die Küche, wo Ilse mit ihrem Hand-
arbeitskorb saß und Kinderstrümpfe stopfte. Bei ihrem Anblick
zog sich etwas in seiner Brust zusammen. So ähnlich hatte Dorothea früher im Wohnzimmer gesessen, den Korb neben sich
auf dem Sofa, den Stopfpilz im Strumpf, nur war ihr Gesicht
sanfter und fröhlicher gewesen.

»Ich muss noch mal weg, Ilse. Es kann spät werden.«

Sie schaute kaum hoch. »Sei leise, wenn du wiederkommst.«

»Es ist dienstlich«, sagte er und ärgerte sich sofort, weil es
wie eine Rechtfertigung klang.

Sie nickte wortlos.

Er zog Hut und Mantel über, telefonierte kurz mit Walther
und verließ die Wohnung.

Lokal konnte man es kaum nennen. Ein Keller, zu dem einige Stufen hinunterführten, so dunkel, dass er vom Gehweg aus kaum zu erkennen war. Das winzige Fenster war mit einem Tuch verhängt. Kein Laut drang auf die Straße. Es war ja auch kein Tanzlokal. Niemand, der hierher kam, wollte Musik und Unterhaltung.

Träge Blicke wandten sich den beiden Polizisten zu, als sie den dämmrigen Raum betraten. Eine flackernde Gaslampe enthüllte schemenhafte Gestalten, die am Boden lagen, auf Bänken kauerten oder gekrümmt in der Ecke hockten.

Leo und Walther sahen sich an. Zum Glück war für diesen Abend keine Razzia geplant, das hatten sie vorher überprüft. Leo trat zu dem Mann, der hinter einer behelfsmäßigen Theke stand und beim Anblick der »Geheimen«, wie die Kripoleute in diesen Kreisen hießen, rasch etwas hinter dem Tresen verschwinden ließ. Doch obwohl dieser Mann unzählige Kunden mit seinem Gift versorgte, war Leo heute nicht an Kokain und Morphium interessiert. Er beugte sich zu dem Wirt hinüber und sagte leise: »Paule, für deinen Stoff sind die Kollegen zuständig. Ich will nur ein paar Antworten.«

Der Wirt schaute ihn zweifelnd an. »Na, ick weeß nich …«

»Deine Gäste bekommen sowieso nichts mit«, meinte Leo mit einem Blick in die Runde. Keine der apathischen Gestalten, kaum mehr als dunkle Flecken in dem verräucherten Raum, schien sich für die Kriminalbeamten zu interessieren.

»Es geht um Gabriel Sartorius«, warf Walther ein. »Den dürftest du doch kennen.«

Paule zog die Schultern hoch. »Die meisten Jäste kenn ick nich mit Namen. Die zahlen und kriejen wat se wollen, det is allet.«

»Ach, komm schon. Du liest doch Zeitung, auch wenn's nur Käseblätter sind«, meinte Leo strenger. »Der ermordete Wunderheiler. Wurde vor drei Tagen in seiner Wohnung erschlagen. Wir wissen, dass er hier verkehrte. Ist im letzten Jahr sogar mal von den Kollegen befragt worden.« Er sah Walther an. »Ich glaube, wir sollten die Jungs noch mal herschicken, was?«

»So 'n jroßer Kerl mit langen Haaren?«, fragte Paule plötzlich beflissen. »Der war öfter mal hier.«

»Hat er größere Mengen gekauft oder nur für den Eigenbedarf?«

»Hm, jekooft hat er nich ville, mal zehn Gramm, mal wat mehr. Hat nich jroß jehandelt, würd ick sagen.«

»Meinst du, er hat es selbst genommen?«, nahm Walther den Faden auf. Ihm wurde es zu stickig im Keller, er sehnte sich nach der frischen Abendluft. Außerdem hasste er den Geruch. Er erinnerte ihn an Dinge, die er lieber vergessen wollte.

»Na ja, so richtich viel hat er nich jenommen. Kann schon sein, dat er anderen ooch wat jejeben hat.«

»Wem denn?«, bohrte Leo weiter und zog ungeduldig die Augenbrauen hoch.

»Tja, da war mal so 'ne Kleene, nettet Ding, richtich duftes Mädel, juter Stall, det konnt man sehen ... die sind mal zusammen hier jewesen. Später kam se dann alleene, immer öfter. Hat jekokst wie 'ne Alte. Die Nasenlöcher waren schon janz kaputt ... Seit 'n paar Monaten isse nich mehr aufjetaucht. Moment.« Er kam hinter dem Tresen hervor und verschwand in einem Hinterzimmer. Kurz darauf kam er zurück. »Ick hab den Fritz jefragt, der hat ihr immer wat jejeben. Verena Moltke hieß die Kleene. Den Rest müssen Se aber selber rausfinden, Herr Kommissar.«

Als sie zur Tür gingen, stand ein junger Mann auf und taumelte gegen Walther, der ihn angewidert von sich stieß. Leo sah einen Augenblick lang das Gesicht, hager, bleich, mit rot geränderten Nasenlöchern und trüben Augen. »Haben Sie vielleicht ein bisschen Geld für mich?«, fragte er mit einer Stimme, die überraschend gebildet klang. Leo schüttelte den Kopf und folgte seinem Kollegen die Treppe hinauf auf die Straße.

Walther lehnte an einem Laternenpfahl und wischte sich den Schweiß von der Stirn.

»Immer noch?«, fragte Leo.

»Geht nie ganz weg.«

Im Krieg hatte Robert Walther eine schwere Bauchverletzung erlitten und war mit Morphium behandelt worden. Nach seiner Genesung hatte er monatelang gegen die Sucht nach dem Rauschmittel angekämpft, bevor er wieder den Dienst aufnehmen konnte. Leo wusste, dass er die Arbeit in diesem Milieu als persönliche Prüfung betrachtete, und nahm ihn grundsätzlich mit, wenn er mit Rauschgiftsüchtigen zu tun hatte. Das mochte unorthodox sein, war aber der Grundstein ihrer Freundschaft, und Walther wäre für Leo durchs Feuer gegangen.

»Manchmal muss ich denken, was aus mir geworden wäre ...«, sagte Walther kopfschüttelnd.

Leo sah auf die Uhr. Halb elf. »Noch 'ne Molle vor dem Schlafengehen?«, fragte er seinen Kollegen. Walther nickte.

Sie fuhren zu einer Kneipe in der Friedrichstadt, nicht weit vom Präsidium. Es waren nur noch wenige Gäste da, und der Wirt räumte schon die Gläser weg, grinste aber, als er die beiden Kriminalbeamten hereinkommen sah. »Späte Kundschaft, was? Zwei Weiße, die Herren?«

Sie nickten und setzten sich in eine Nische.

»Was hältst du von dem Tipp?«, fragte Leo.

»Klang ganz plausibel. Wenn Sartorius dieses Mädchen nun zum Rauschgift verführt und dann im Stich gelassen hat ... Womöglich gibt es einen Vater, Bruder oder Verlobten, der davon wusste und Sartorius dafür verantwortlich gemacht hat.«

»Stahnke und Berns sollen den Namen morgen überprüfen.« Er verstummte, als der Wirt die Getränke brachte. »Na, wie läuft das Geschäft?«, fragte Leo.

»Die Leute haben kein Geld mehr in der Tasche. Sogar die Polizei kommt erst kurz vor der Sperrstunde«, knurrte der Wirt gereizt.

Als er gegangen war, sah Walther Leo prüfend an. »Ist ja schön, dass wir noch einen trinken, aber mir kommt es vor, als würdest du in letzter Zeit nicht gern nach Hause gehen.«

»Stimmt. Wenn die Kinder nicht wären ...« Leo fuhr sich mit der Hand durchs Haar und nahm einen tiefen Schluck aus seinem Glas. »Mit Ilse ist es nicht einfach. Sie hat das Gefühl, bei uns ihr Leben zu verschwenden.«

»Das klingt aber hart.«

»Ist auch hart. Für sie, meine ich. Anstatt eine eigene Familie zu gründen, kümmert sie sich ständig um meine Kinder. Sie lernt niemanden kennen, kommt selten unter Leute, weil ich abends oft dienstlich unterwegs bin.«

»Rede doch mit dem Chef. Der kann dich für den Tagdienst einteilen.«

Unwillig schlug Leo mit der Hand auf den Tisch. »Du weißt genau, dass das nicht geht. Ich kann als Kommissar schlecht die Ermittlungen unterbrechen und meinen Leuten sagen, morgen früh um acht bin ich wieder da.«

Walther kannte Leos inneren Zwiespalt. Der Mann war hin- und hergerissen zwischen seinen Kindern und einer Arbeit, die ungewöhnlichen Einsatz und Dienststunden weit über das übliche Maß forderte. Er selbst war zum Glück unverheiratet. Andererseits kannte er auch Leos Leidenschaft für seinen Beruf, selbst wenn er manchmal nicht ganz verstand, woher sie rührte. Er hatte ihn dabei beobachtet, wie er andächtig Bilder betrachtete oder sich in ein Buch vertiefte, und gedacht, was einen Menschen wie Leo, der schöne Dinge liebte, wohl zu dieser oft so hässlichen Tätigkeit hinzog.

»Vielleicht lernst du ja mal wieder jemanden kennen«, sagte Robert vorsichtig.

»Wie denn?«, fragte Leo skeptisch. »Abends hat unsereins meist keine Zeit, auszugehen. Und wenn, ist es dienstlich. So wie im Kokskeller.« Er grinste schief.

»Ach, komm. Du warst bei Frau Cramer –«

»Nicht mein Typ und verheiratet«, warf Leo ein.

»– und bei Frau Reichwein –«

»Reizvoll, aber wohl kaum an einem Witwer mit zwei Kindern interessiert.«

»Tja. Dann musst du eben deinen Beruf zur Braut nehmen wie Gennat.« Kriminaloberkommissar Ernst Gennat war für seinen Argwohn gegenüber dem weiblichen Geschlecht bekannt, den er durch seine leidenschaftliche Liebe zum Beruf und den Konsum ungeheurer Kuchenmengen kompensierte.

»Ich weiß nicht ...« Leo schaute auf die Tischplatte, als könnte er dort eine Antwort finden. »Schön wäre es schon.« Dann trank er sein Glas aus und stellte es geräuschvoll auf den Tisch, womit er den Abend beendete.

»Gehen wir, Robert.«

Er lag noch nicht lange im Bett, als jemand heftig gegen die Wohnungstür hämmerte. Verschlafen torkelte er durch den Flur und öffnete das Fensterchen in der Tür.

Draußen stand eine Nachbarin, die er vom Sehen kannte, an der Hand die kleine Inge Matussek mit tränenverschmiertem Gesicht. »Entschuldigen Sie die Störung, Herr Kommissar, aber ich glaube, der Matussek hat seine Frau umgebracht.«

5

Leo sah auf die Uhr. Halb zwei. Er weckte seine Schwester und ging mit ihr ins Wohnzimmer, wo die Nachbarin mit der kleinen Inge Matussek saß. Das Kind schmiegte sich eng an die Frau und schien nicht recht zu begreifen, wo es sich befand. »Kümmerst du dich bitte um die beiden?«

»Was ist denn los«?«, flüsterte Ilse verschlafen. Sie war ihm in den Flur gefolgt.

»Sie sagt, Matussek habe seine Frau getötet.«

»Mein Gott.« Ilse warf einen hilflosen Blick ins Wohnzimmer. »Was soll ich . . .«

»Was weiß denn ich? Herrgott, koch ihnen einen Kamillentee, ich bin gleich wieder da.«

Er zog einen Pullover über den Pyjama, nahm eine Taschenlampe und eilte die Treppe hinunter auf die Straße. Alles war menschenleer. Nur ein Betrunkener taumelte an den Hauswänden auf der gegenüberliegenden Straßenseite entlang.

Er betrat den Innenhof des Hauses Nr. 56. Aufgestapeltes Gerümpel zeichnete sich als dunkler Schattenberg vor der helleren Hauswand ab. Die Fenster waren nur schwarze Vierecke. Nirgendwo brannte Licht. Er zuckte zusammen, als eine Ratte an seinem Fuß entlanghuschte. Die Tür zur Schusterwerkstatt war verschlossen, doch die Wohnungstür nebenan stand einen Spalt offen. Leo schaltete die Taschenlampe ein und trat in die enge Diele. Es roch nach Armut und feuchter Wäsche. Er schaute in die Wohnküche, dort war niemand. Blieb nur das Schlafzimmer.

Sie lag auf dem Boden, einen Fuß noch im Pantoffel, der andere nackt. Ihr Kopf war weit zur Seite gedreht, um den Hals zog sich ein Band aus Würgemalen. Er beugte sich über die Frau, fühlte vorsichtig den Puls. Nichts.

Leo war versucht, heftig gegen die Wand zu treten. Solche Geschichten hasste er, abrupter Tod, ein zurückgelassenes Kind, ein zerbrochenes Leben. Wo war der Mann? Leo trat wieder in den Hof und sah sich um.

Matussek war in der Nähe, ganz sicher. Leo schaltete die Taschenlampe aus und umrundete einmal das Mauergeviert. Dann ging er rasch durch den Torbogen in den zweiten Hinterhof, dessen noch bedrückendere Enge selbst im Dunkeln zu spüren war. Aus einer Ecke drang leises Kratzen. Leo schaltete die Taschenlampe ein und entdeckte einen Kaninchenstall. Ein Tier knabberte geräuschvoll am hölzernen Rahmen der Drahttür. Dann sah er Matussek.

Der Schuster kauerte hinter dem Stall an der Wand und hielt sich die Hände vors Gesicht, als der Strahl der Taschenlampe auf ihn fiel. Leo kniete sich hin, legte die Lampe beiseite und ergriff die Hände des Mannes.

»Ihr Kind ist bei mir. Kommen Sie.«

Verständnislos sah ihn der Schuster an, dann schaute er auf seine Hände hinunter. »Det hat mir einfach so überkommen. Die Frau hat mir jereizt und jetriezt. Hat mir jedrängt, ick soll noch mehr schuften. War allet nich jut jenuch.«

Leo zog Matussek am Arm hoch. »Sie kommen jetzt mit in meine Wohnung, dann rufe ich die Polizei.«

»Wieso, Sie sind doch 'n Jeheimer«, erwiderte der Mann.

»Der Fall muss ordnungsgemäß aufgenommen werden, Spurensicherung und so weiter. Man wird Sie auf dem Präsidium verhören. Am besten, Sie gestehen alles.«

»Aber sie hat mir jereizt ... imma wieda –«, begehrte Matussek auf.

Leo juckte es in den Fingern. Er hätte den Mann am liebsten gegen die Wand gestoßen und ihm gesagt, was er von einem

Kerl hielt, der seine Frau womöglich vor den Augen der kleinen Tochter erwürgt hatte.

Er zerrte Matussek durch den ersten Hof auf den Gehweg. Gut, dass niemand wach geworden war. Die Geschichte würde auch so schnell die Runde machen.

Es war nicht einfach, den widerstrebenden Schuster die Treppe hinaufzubugsieren. Ilse öffnete auf sein Klopfen hin und sah ihn besorgt an.

»Pass auf, dass die Kleine ihn nicht sieht«, flüsterte er, schob Matussek in sein Schlafzimmer und schloss die Tür ab. Dann verständigte er das Präsidium.

»Wissen Sie, ob die Matusseks Verwandte haben?«, fragte Leo die Nachbarin, die sich als Martha Hennig vorgestellt hatte. Die kleine Inge war mittlerweile auf dem Sofa eingeschlafen.

»Ich kenn die Leute auch nicht gut«, sagte sie unsicher und umklammerte ihre Teetasse, als wollte sie sich daran festhalten. »Wo bin ich da nur reingeraten?«

»Ganz ruhig, Frau Hennig, Sie haben das Richtige getan. Die Kollegen werden Herrn Matussek gleich abholen und Ihre Aussage aufnehmen.«

Sie hob die Hand. »Herr Wechsler, da fällt mir ein, die Frau hat wohl eine Schwester im Brandenburgischen. Hat mal erwähnt, dass sie übers Wochenende rausfahren wollte mit der Kleinen. Aber ich weiß nicht, wie sie heißt und wo sie wohnt.«

»Keine Sorge, das werden wir feststellen. Hauptsache, das Kind muss nicht ins Heim«, sagte Leo mit einem Blick auf das schlafende Mädchen. »Was glauben Sie, wie viel die Kleine gesehen hat?«

»Na ja, sie kam angelaufen und hat an meine Tür gehämmert. ›Die Mutti liegt da und rührt sich nicht‹, hat sie gesagt.« Frau Hennig schluckte und kämpfte mit den Tränen. »Ich glaube, sie hat sie gefunden, als sie schon tot war. Ich hab nämlich gefragt, wo der Vati ist, und sie sagte, sie wüsste es nicht.«

Ilse kam mit einer frischen Kanne Kamillentee herein. »Noch eine Tasse, Frau Hennig?« Leo war dankbar, dass seine Schwester so praktisch reagierte.

In diesem Moment klingelte es an der Tür.

Herbert von Malchow betrat mit zwei Kriminalassistenten die Wohnung. »Herr Kommissar.« Er nahm den Hut ab, wobei er einen akkuraten blonden Scheitel enthüllte, und sah sich fragend um. »Sie haben einen Todesfall gemeldet?«

»Der Mann ist hinten im Schlafzimmer«, sagte Leo knapp und deutete auf die Tür am Ende des Flurs.

»Welcher Mann?«

»Der Täter, Herrgott noch mal«, erwiderte Leo ungeduldig. Ausgerechnet den hatten sie ihm geschickt.

»Der Mann heißt Peter Matussek und hat allem Anschein nach seine Frau erwürgt. Ich habe Leiche und Tatort bereits inspiziert, der Mann hat die Tat praktisch gestanden. Sie brauchen ihn nur mitzunehmen. Und finden Sie heraus, wie die Schwester des Opfers heißt. Es gibt ein Kind, das dringend von hier wegmuss.« Ilse, die in der Wohnzimmertür stand, sah ihn bei diesen barschen Worten überrascht an.

»Welch exzellente Arbeit, Herr Kommissar. Sie melden einen Mord, und wenn wir kommen, ist er schon aufgeklärt. Die Arbeit kommt wohl zu Ihnen anstatt umgekehrt.« Von Malchow schaute seine Begleiter beifallheischend an, doch sie blickten betreten zu Boden.

»Herr von Malchow«, sagte Leo nachdrücklich, »Sie brauchen nur Ihre Arbeit zu tun, die Aussage der Nachbarin, die mir den Vorfall gemeldet hat, aufzunehmen und den Mann mit aufs Präsidium zu nehmen.«

»Und Sie, Herr Kommissar, brauchen mir nicht zu sagen, wie ich meine Arbeit zu tun habe.« Er warf einen beiläufigen Blick auf die modernen Drucke an den Wänden und die alten Möbel und verzog den Mund.

»Wie kommt es eigentlich, dass nicht wie üblich ein Kommissar herausgeschickt wurde?«, versetzte Leo.

Von Malchow wurde blass um den Mund, sah aber die erstaunten Blicke der Kriminalassistenten, und knurrte nur: »Zum Schlafzimmer, bitte.« Unterwegs zischte er: »Kein guter Stall, das lässt sich eben nicht leugnen.«

Leo schaute ihn verächtlich an und schloss die Tür auf. Matussek hockte vornübergebeugt auf dem Bett und rührte sich nicht von der Stelle. Leo spürte einen leichten Widerwillen, als er die kräftigen Hände auf seiner Steppdecke sah. »Stehen Sie auf, Herr Matussek.«

Doch von Malchow hatte den Mann schon am Arm gepackt und hochgerissen. Der Schuster wich unwillkürlich zurück und sah den Beamten verängstigt an. »Ick vasteh det nich, Sie sind ooch 'n Jeheimer, ick will nich mit –«

Von Malchow legte ihm Handschellen an und schob ihn in den Flur hinaus. »Heller, Broch, Sie lassen sich den Tatort zeigen, während ich die Zeugenaussage aufnehme.« Er steuerte mitsamt dem Gefangenen auf die Wohnzimmertür zu, doch Leo vertrat ihm den Weg.

»Sie können ihn nicht mit ins Wohnzimmer nehmen.«

»Warum nicht?«

»Seine Tochter ist da drin. Wenn sie wach wird, könnte sie einen Schock erleiden.«

»Unsinn. Im Übrigen ist es Ihre Pflicht, den Beamten den Tatort zu zeigen.«

Leo wich nicht von der Stelle. »Sie können die Aussage der Zeugin aufnehmen, danach zeige ich Ihnen und einem Ihrer Männer den Tatort. Der andere kann Matussek zum Wagen bringen. Das hier ist meine Wohnung, und ich dulde nicht, dass der Gefangene mein Wohnzimmer betritt.«

Von Malchows Kiefer mahlten, er überlegte kurz und stieß den Gefangenen zu Heller hinüber. »Sie passen auf.« Dann zückte er seinen Notizblock und verschwand im Wohnzimmer.

Ilse hob fragend die Augenbrauen. Die Spannung zwischen den Männern war deutlich spürbar gewesen.

Leo blieb im Raum, als von Malchow Frau Hennigs Aussage aufnahm, und ärgerte sich über die herablassende Art, mit der sein Kollege ihr begegnete. Irgendwann hörte er Stimmen und ging zur Tür. Georg stand im Flur und rieb sich schlaftrunken die Augen. »Ich hab was gehört, Vati.«

Verwundert schaute er die beiden Kriminalbeamten und Matussek an. Leo legte ihm den Arm um die Schulter und brachte ihn zurück in sein Zimmer. »Geh wieder schlafen. Ich erzähl es dir morgen. Marie soll nicht aufwachen.«

Georg nickte und rollte sich wieder unter der Decke zusammen.

Als er zurückkam, öffnete Frau Hennig gerade die Wohnungstür. »Gute Nacht, Herr Wechsler. Ich hoffe, Sie gehen bei der Arbeit freundlicher mit den Leuten um als der da.«

Nachdem Leo mit den Kollegen am Tatort gewesen war, kehrte er endlich in seine Wohnung zurück. Viertel nach drei. Doch er konnte sich noch nicht hinlegen.

Ganz leise betrat er das Kinderzimmer. Das schwache Licht der Straßenlaternen fiel durch die Gardinen und zeichnete ein zartes Gittermuster auf die Dielen. Er schlich auf Zehenspitzen über den bunten Flickenteppich und blieb vor Georgs Bett stehen. Leo lächelte. Sein Sohn war wieder fest eingeschlafen, die Decke lag quer über seinem Körper, so dass die Füße unten herausguckten. Leo bückte sich und zog die Decke zurecht, dann strich er Georg sanft übers Haar.

Er ging zu Maries kleinem Bett, blieb einen Moment stehen und kniete sich dann hin. Natürlich liebte er beide Kinder gleich, aber seine Tochter wirkte noch so klein und verletzlich, ganz dem Schlaf hingegeben, als könnte nichts ihre Ruhe stören. Er legte sein Gesicht ganz nah an ihres. Dann tat er etwas, das ihm seltsam intim erschien. Er atmete ihren Atem ein, der unschuldig roch, in dem er noch Spuren von Zahnpasta und Kakao wahrnahm. Sie rührte sich nicht, und er kam sich beinahe wie ein Eindringling vor, als er sie so im Schlaf beobachtete. Die Welt mit ihren Matusseks schien für eine Weile ganz weit weg, eine schützende Hülle umgab ihn und seine Tochter, und er wäre am liebsten die ganze Nacht so bei ihr geblieben, nah und vertraut.

Doch Ilses Schritte im Flur rissen ihn aus seiner Versunkenheit. Er küsste Marie auf die Stirn und verließ leise das Kinderzimmer.

»Ausgerechnet den haben sie dir geschickt?«, fragte Robert Walther am nächsten Morgen, nachdem Leo eine Stunde zu spät zum Dienst gekommen war und ihm von seinem nächtlichen Einsatz berichtet hatte.

»Ja.« Er seufzte. Der Tag konnte nur besser werden als die letzte Nacht, was sich bei Walthers nächsten Worten bestätigte.

»Wir haben die Frau, die aus dem Kokskeller, meine ich. Verena Moltke.«

»Und?«, fragte er, als er Walthers Blick sah.

»Üble Geschichte. Sie lebt in einem Pflegeheim. Die Familie hat sie dort untergebracht, weil sie nicht mehr weiterwusste. Das Kokain hat sie völlig zerstört.«

»Wir fahren trotzdem hin. Vielleicht erfahren wir, ob sie manchmal Besuch bekommt und von wem.«

Das Pflegeheim wirkte düster. Grau verputzte Mauern, ein Garten, der den Namen nicht verdiente, teils vergitterte Fenster.

»Sieht mir eher nach einer Irrenanstalt aus«, murmelte Leo und klingelte.

»Kriminalpolizei, ich bin Kommissar Wechsler, das ist mein Kollege Walther«, sagte Leo zu der Frau in Schwesterntracht, die ihm die Tür öffnete. »Wir möchten eine Ihrer Patientinnen sprechen.«

Sie führte die Männer in eine kühle Eingangshalle, die den Charme eines Wartesaals verströmte. »Einen Augenblick, bitte, ich hole den Oberarzt.«

Dr. Fellner, ein untersetzter Mann Mitte fünfzig, begrüßte sie herzlich. »Guten Tag, meine Herren, womit kann ich dienen? Die Schwester sagt, Sie wollen zu einer Patientin?«

Leo stellte sich und Robert erneut vor. »Wir möchten zu Fräulein Verena Moltke.«

Ein Schatten huschte über das gerötete Gesicht des Arztes. »Darf ich fragen, worum es geht?«

»Ein Mann, mit dem sie früher bekannt war, ist ermordet worden.«

Dr. Fellner sah ihn verwundert an. »Ich kann Ihnen bestätigen, dass Fräulein Moltke dieses Haus seit mehreren Monaten nicht verlassen hat. Sie befindet sich in einem bedauerlichen Zustand, es besteht wenig Hoffnung auf Besserung.«

»Wir haben keineswegs Ihre Patientin im Verdacht«, erklärte Robert. »Aber der Tote hat sie damals mit dem Rauschgift in Berührung gebracht. Möglicherweise hat ein Freund oder Verwandter sie auf diese Weise rächen wollen.«

»Das halte ich für äußerst unwahrscheinlich, aber bitte.« Er deutete auf eine Schwingtür und ging vor ihnen her.

»Da kriegt man ja eine Gänsehaut«, flüsterte Robert. »Wer soll denn hier drinnen gesund werden?«

»Scheint mir eher ein Abstellgleis für hoffnungslose Fälle zu sein«, erwiderte Leo.

Der Arzt war vor einer Zimmertür stehen geblieben. Die Wände des Flurs wirkten ebenso schmucklos wie die Außenmauern des Gebäudes, als sollte nichts die Patienten von ihrer Genesung ablenken. Oder als wollte man Geld sparen, dachte Leo.

»Ich möchte Sie bitten, die Patientin nicht unnötig aufzuregen«, sagte Dr. Fellner. »Sollte sie unruhig werden, klingeln Sie bitte nach der Schwester.« Mit diesen Worten öffnete er die Zimmertür und ließ die Männer eintreten.

Auf einem Stuhl am Fenster saß eine zusammengesunkene Gestalt in einem weißen Kleid. Sie rührte sich nicht, als die Männer näher traten, und reagierte erst, als der Arzt ihr sanft die Hand auf die Schulter legte. »Fräulein Moltke.«

Sie fuhr herum und Leo wich unwillkürlich zurück. Ihre Nase sah eingeschrumpft aus, war nur noch ein Fleischklümpchen ohne Form. Die Augen wirkten dagegen riesig, sie beherrschten das ganze Gesicht. Ihre Haut war fahl und ungepflegt, die Haare waren stumpf und lange nicht mehr frisiert.

»Wer sind Sie?«, fragte sie mit heiserer, ungeübter Stimme.

Während Leo sich vorstellte, verließ der Arzt leise das Zimmer. Robert überließ seinem Kollegen das Feld und trat ans Fenster. So etwas konnte Leo besser.

Dieser kniete sich vor den Stuhl und schaute die junge Frau an. »Haben Sie keine Angst, wir wollen Ihnen nur ein paar Fragen stellen. Kennen Sie einen Mann namens Gabriel Sartorius?«

Sie schien in ihrem zerstörten Hirn zu forschen. Vergeblich.

»Er war ein Heiler. Er wohnte in einem schönen Haus. Haben Sie ihn dort einmal besucht?«

Keine Antwort.

»Sind Sie zu ihm gegangen, weil Sie krank waren?«

Zu Leos Überraschung schüttelte sie energisch den Kopf. »Nein, das eben war der Arzt, er heilt Menschen. Ich kenne keinen anderen Heiler.«

Robert seufzte leise.

»Gabriel Sartorius ist tot.«

Verena Moltkes Gesicht blieb reglos.

»Ich glaube, er ist abends gelegentlich mit Ihnen ausgegangen. Er war ein interessanter Mann, lange dunkle Haare, exotische Kleidung. Er hat Ihnen weißes Pulver gegeben.«

Ihr Kopf schoss abrupt hoch. »Weißes Pulver.«

»Ja. Sie haben es auf einen Tisch gestreut – so«, Leo machte eine entsprechende Handbewegung, »und dann haben Sie es durch ein Röhrchen in die Nase hochgezogen.«

Sie nickte langsam. »Ja, das war schön. Ich habe mich wie im Himmel gefühlt.«

Leo legte vorsichtig eine Hand auf ihre. »Wie im Himmel?« Robert bewunderte Leos Geduld.

»Ja, ganz leicht und wolkig.«

»Sie sind zusammen mit ihm in ein Lokal gegangen. Öfter sogar. Ein dunkles Lokal, in einem Keller, voller Leute, die nicht viel sagen. Und da haben Sie das Pulver bekommen.«

Erneutes Nicken.

»Und irgendwann sind Sie allein hingegangen. Weil Sartorius nicht mehr wollte oder konnte. Und dann haben Sie sich das weiße Pulver selbst gekauft.«

»Ja, das war so schön. Wie im Himmel«, wiederholte sie.

Leo stand vorsichtig auf und machte Robert ein Zeichen, der daraufhin näher trat. »Ich glaube, es hat keinen Sinn, sie weiter zu quälen. Lass uns zu den Schwestern gehen.«

»Auf Wiedersehen, Fräulein Moltke. Danke für Ihre Hilfe.«

Doch sie hatte sich schon wieder zum Fenster gewandt und starrte in den baumlosen Garten.

»Völlig kaputt.« Robert schien froh, als sie wieder im Flur standen. »Warum machen die Rauschgiftleute diese Kokskeller nicht zu?«

»Ach, es gibt so viele, die das Zeug nehmen, notfalls auch zu Hause oder auf der Straße. Wer interessiert sich schon für Mädchen ohne Nase, solange Geld mit ihnen verdient wird?«, fragte Leo ein wenig bitter.

Er ging zum Schwesternzimmer und klopfte. Eine ältere Frau in weißer Tracht öffnete und sah sie fragend an. »Ja, bitte?«

»Kriminalpolizei. Wir waren eben bei Fräulein Moltke und würden Ihnen gern ein paar Fragen stellen.«

Die Schwester schüttelte bekümmert den Kopf. »Das ist eine ganz schlimme Geschichte. Sie ist noch so jung, aber ich habe wenig Hoffnung, dass sie wieder gesund wird. – Kommen Sie doch herein.«

Das Schwesternzimmer bot eine freundliche Abwechslung nach den kahlen Fluren. Auf dem Tisch standen eine Vase mit Blumen und eine Schale Gebäck. Die Schwester deutete auf zwei Stühle mit bunten Kissen und lächelte. »Wir versuchen, es uns hier ein wenig nett zu machen. Bei so viel Leid braucht man das auch. Ich bin übrigens Schwester Agathe.«

Leo und Walther setzten sich.

»Konnten Sie mit ihr sprechen?«

»Sie hat nicht viel gesagt. Ihr Gedächtnis scheint angegriffen zu sein«, meinte Walther.

Schwester Agathe nickte. »Manchmal hat sie klare Augenblicke, dann erzählt sie uns von früher. Aus ihrer Kindheit. Muss ein schönes Leben geführt haben, die Familie ist nicht arm. Sie wollte wohl allein in Berlin leben und ist in falsche Gesellschaft geraten. So geht das heute mit den jungen Frauen.«

»Ist dies eigentlich eine Privatklinik?«, fragte Leo.

»Ja. Es ist, wie soll ich sagen, eine Einrichtung, wo Patienten aus gutem Haus aufgenommen werden, die –«

»– man lieber versteckt«, wagte er sich vor.

»Na ja, Sie verstehen, ich arbeite hier und darf nicht schlecht über das Haus sprechen. Aber es ist kein Sanatorium im Grünen, nichts für Damen, die eine kleine Nervenkrise erlitten haben und sich bald wieder erholen. Hierher kommen Menschen wie Fräulein Moltke, unheilbare Trinker und Morphinisten, wenn ihre Familien sie nicht in einer staatlichen Anstalt wissen wollen.«

Leo nickte.

»Darf ich fragen, warum Sie hier sind?«, erkundigte sich Schwester Agathe.

»Wir wüssten gern, wer Fräulein Moltke besucht. Ob es einen Bruder oder Verlobten gibt, der ihren Verfall mit ansehen muss und sich womöglich dafür gerächt hat.«

Die Schwester sah ihn überrascht an. »Ich dachte, Sie wüssten, dass die meisten Patienten hier keinen Besuch erhalten. Zu Fräulein Moltke ist jedenfalls nie jemand gekommen.«

»Herr Direktor, hier sind die neuen Muster, die ich Ihnen bringen sollte.« Karl Lehmann legte die Pappkarten mit einer leichten Verbeugung auf den Schreibtisch.

»Danke, Herr Lehmann. Ich sage Bescheid, wenn sie wieder abgeholt werden können.«

Er nahm eine Pappkarte und lehnte sich zurück. Die Knöpfe waren wunderschön. Horn in allen Schattierungen von sattem Braungelb bis hin zu zartem Grau, genau richtig für die Damenmode des kommenden Herbstes. Er sah Viola in einem schlichten schokoladenbraunen Mantel mit passenden Hornknöpfen, großen Knöpfen, schön geschliffen, der Mantel würde gar kein weiteres Accessoire benötigen.

Auf der nächsten Karte waren Steinnussknöpfe aufgenäht. Er fuhr sanft über die vielfarbig gemaserten Scheiben, die mit besonderer Sorgfalt gefertigt wurden und deshalb recht kostspielig waren. Er stellte sich die fernen Länder vor, aus denen sie stammten. Kolumbien, Ekuador, Peru – vielleicht würden sie einmal dorthin reisen, auf einem eleganten Ozeandampfer, immer nach Süden, an grünen Küsten entlang und dann ins Landesinnere.

Dann legte er die Karten weg. Heute fehlte ihm die richtige Ruhe für die Auswahl, er hatte eine unruhige Nacht gehabt. Gut, dass Viola vorübergehend zu Verwandten an die Ostsee gereist war. Er hatte noch etwas zu erledigen.

»Wenn das mal kein nasser Fisch wird«, sagte Robert zu Leo, als sie durch die Glastür des Morddezernats traten. So hießen bei ihnen die ungelösten Fälle.

»Bisher haben wir nicht viel. Aber irgendwann kommt die Wende, du kennst das doch.« Leo blieb stehen. »Geh schon mal rein. Ich muss noch zu von Fritzsche.«

Doch Kriminalkommissar Theodor von Fritzsche war gerade in einer Besprechung, so dass Leo mit von Malchow vorlieb nehmen musste, der im Vorzimmer in einer Illustrierten blätterte.

»Ich wollte nachfragen, ob Sie die Tante der kleinen Inge Matussek ausfindig gemacht haben.«

Von Malchow legte die Illustrierte weg und vertiefte sich in den Anblick seiner manikürten Fingernägel. Leo wiederholte die Frage.

»Wir sind doch nicht die Wohlfahrt.«

Leo machte einen Schritt auf ihn zu. »Von Malchow, die Kleine kann unmöglich auf Dauer bei der Nachbarin bleiben.«

»Dann nehmen Sie sie doch bei sich auf. Hat letzte Nacht doch auch geklappt«, erwiderte von Malchow schroff.

Leos Stimme klang ebenso ruhig wie bedrohlich. »Wenn Sie nicht spuren, wende ich mich an Ihren vorgesetzten Kommissar.«

»Nur zu«, meinte von Malchow verächtlich.

In diesem Augenblick öffnete sich die Tür und Theodor von Fritzsche kam heraus. »Ach, Wechsler, die Sache Matussek war ja schnell geklärt. Wenn das nur immer so liefe. Wie ich höre, haben Sie den Fall praktisch im Pyjama gelöst.« Er fing einen Seitenblick Leos auf. »Gibt es Schwierigkeiten?«

»Ich habe den Kollegen soeben gefragt, ob man die Schwester der Toten verständigt hat. Es geht um das Kind.«

»Selbstverständlich«, sagte von Malchow mit einer leichten Verbeugung zu seinem Chef hin. »Hier ist die Anschrift. Wir haben sie bereits angerufen, sie kommt das Mädchen morgen abholen.«

»Na bitte, dann ist doch alles klar. War noch etwas, Wechsler?«

Leo schüttelte den Kopf.

»Erzählen Sie mal, von Malchow, wie war denn die Soirée bei Konsul Brückner?« Die beiden Kriminalbeamten gingen ins Chefbüro und schlossen die Tür hinter sich.

6

Das Gespräch mit Sartorius hatte etwas in ihm aufgerührt, ver-
schüttete Erinnerungen, die beinahe aus einem fremden Leben
zu stammen schienen. »Woher wollen Sie wissen, dass es nicht
jemand von früher war, der sein Wissen zu Geld machen will?«
Natürlich war es eine Ausflucht gewesen. Natürlich war Sarto-
rius schuldig gewesen. Dennoch.

Ilse schloss die Tür auf und trug den Einkaufskorb herein.
»Sieh dir das an, Leo«, sagte sie und hielt ihrem Bruder das offene Portemonnaie hin. »Alles weg. Für so wenig.« Sie deutete
auf den Korb, in dem sich ein Roggenbrot, zwei Eier und eine
Kanne Milch befanden. »Fünfzehn Mark das Kilo Roggenbrot.
Rindfleisch hab ich gar nicht erst genommen, für das Suppen-
fleisch mit Knochen wollten sie schon hundertzehn Mark haben. Die Eier sind für die Kinder.«
   Leo, der gerade die Metallschlaufen an Maries Strickliesel zu-
rechtbog, sah seine Schwester an und sagte beschwichtigend:
»Die Gehälter steigen ja mit.« Er versuchte zwar, seine Sorge über
die wachsende Geldentwertung zu verbergen, wusste aber, dass
er Ilse nicht unterschätzen durfte. Sie kaufte für die Familie ein
und hatte die Preise genau im Kopf. Ebenso wie sein Gehalt. Und
sie merkte schnell, wenn beides nicht mehr zusammenpasste.
   Die Kollegen lachten mittlerweile auch nicht mehr, wenn sie
für ein Bier am Abend neun Mark hinlegen mussten. Zwar
waren sie als Beamte besser gestellt als Arbeiter, die jeden Tag
um ihre Stelle fürchten mussten, doch die Polizei war nicht
sonderlich gut besoldet, und bei vielen wurde es allmählich eng.

»Ich fahre heute mit den Kindern zu Robert in die Laube. Er hat Erdbeeren im Garten, da können wir welche mitnehmen. Die Kinder haben bestimmt Spaß beim Pflücken. Und du kannst dir mal einen ruhigen Tag gönnen.«

Ilse nickte knapp und ging mit dem Korb in die Küche. Marie sah ihn entzückt an. »Wir fahren zu Onkel Robert in den Schrebergarten?«

»Ja, ich habe gedacht, ihr freut euch.«

»Vati, du bist so lieb«, sagte sie und gab ihm einen stürmischen Kuss auf die Nase. Dann rannte sie los und holte das Körbchen aus ihrem Zimmer, in dem sie sonst Puppenkleider aufbewahrte. »Für die Erdbeeren.«

»Gut. Sag Georg, er soll sich endlich anziehen.«

Leo freute sich auch auf die Stunden mit Robert und den Kindern. Die letzten Tage waren anstrengend gewesen. Sie hatten zusätzlich einen Raubmord übernommen, weil der zuständige Kommissar erkrankt war, und den Fall ziemlich schnell aufgeklärt, mussten aber zwei Nächte vor einer Kaschemme im Scheunenviertel auf der Lauer liegen, bis der Gesuchte dort auftauchte. Die schlaflosen Nächte steckten Leo in den Knochen, und er konnte einen faulen Samstag in Roberts Laube gut gebrauchen.

Er packte zwei Flaschen Brause, zwei Flaschen Bier, eine Tüte Kekse und zwei Zigarren, die er in einem Anflug von Leichtsinn gekauft hatte, in eine alte Aktentasche.

»Georg, Marie, es geht los.« Er verabschiedete sich von Ilse und machte sich mit den Kindern auf den Weg zur Haltestelle. Sie fuhren mit der Elektrischen hinaus nach Spandau. Leo freute sich über das fröhliche Geplapper der Kinder und dachte gleich, das müssten wir eigentlich öfter machen, nur fehlte meistens die Zeit dazu.

Sie stiegen am Brunsbütteler Damm aus, von wo aus es nur ein kleiner Fußmarsch bis zur Kolonie »Grüne Heide« war. Sie traten durch das rosenberankte Eingangstor, und Marie lief los, als sie Robert an der Gartenpforte stehen sah. »Onkel Robert!«, rief sie schon von weitem.

Robert Walther begrüßte das kleine Mädchen, gab Georg die Hand und nahm Leo die Tasche ab. »Schön, dass ihr kommt. Die Erdbeeren warten schon.«

Er gab den Kindern eine Emailleschüssel und schickte sie ins Erdbeerbeet. »Aber lasst auch ein paar für zu Hause übrig«, sagte Leo grinsend.

Robert hatte die Parzelle von seinen verstorbenen Eltern übernommen. Er hing daran, obwohl er im Beisein mancher Kollegen, die solche Einrichtungen als kleinbürgerlich betrachteten, nicht gern über seinen Schrebergarten sprach. Er genoss es, sich nach der Arbeit hierher zurückzuziehen, und gab offen zu, dass er eigentlich kein Stadtmensch war. Leo kam auch gern ab und zu her, brauchte aber den pulsierenden Lärm und die Hektik Berlins, um sich wirklich wohl zu fühlen.

Sie setzten sich an den Gartentisch unter dem Vordach der Laube.

»Bisschen früh für Bier, oder?«, fragte Robert.

»Warm schmeckt es aber nicht«, entgegnete Leo und öffnete den Bügelverschluss seiner Flasche, worauf Robert es ihm gleichtat und die Flasche hob. »Aufs Wochenende.«

Leo wollte eigentlich nicht über die Arbeit sprechen, doch etwas drängte aus ihm heraus. »Hör mal, der Fall Sartorius –«

»– macht dir Sorgen. Mir auch. Ich weiß ehrlich nicht, wo wir noch ansetzen sollen. Wir sind allen Spuren nachgegangen. Selbst die Plakate haben nichts ergeben.«

Die Kriminalpolizei klebte seit Jahren Fahndungsplakate an Litfaßsäulen und Hauswände und stellte sogar Beweismittel in Schaufenstern aus, was schon zu dem einen oder anderen Fahndungserfolg geführt hatte.

»Wie auch? Wir haben nur gefragt, ob jemand zur Tatzeit gesehen wurde, als er ins Haus hineinging oder herauskam. Keinerlei nähere Beschreibung, keine besonderen Kennzeichen, nichts. Wir wissen nicht mal, ob es ein Mann oder eine Frau war. Zu dumm, dass wir keine Patientenkartei oder Ähnliches gefunden haben.«

»Vermutlich hatte er alles hier oben drin.« Robert tippte sich an die Stirn.

Marie tauchte mit erdbeerverschmiertem Gesicht hinter einem Gebüsch auf und hielt ihrem Vater ein besonders dickes Exemplar hin. »Für dich, Vati. Hab ich dem Georg weggeschnappt.«

Leo biss lächelnd in die Erdbeere. Der Saft tropfte ihm übers Kinn. Er wischte ihn mit der Hand ab und dachte, solche Tage müsste es öfter geben. Vergessen war der Fall Sartorius, als er sich von Marie an der Hand zum Erdbeerbeet ziehen ließ. »Guck mal, Vati, so viele haben wir schon.« Stolz zeigte sie auf die Schüssel, die zwischen den Reihen stand. Sie war bereits halb voll.

»Wie habt ihr das denn geschafft?«, fragte er Georg.

»Tja, wir sind eben schnell. Da hängt aber auch 'ne Menge dran. Die würde Robert gar nicht alleine schaffen.«

Leo hockte sich hin und bestaunte einen grün schillernden Käfer, den Marie entdeckt hatte. Dann stand er auf und sah über den Zaun in die Nachbargärten. Zierpflanzen gab es nur wenige, die meisten Leute zogen Obst und Gemüse, um ihren mageren Speiseplan zu bereichern. Glücklich, wer in diesen Zeiten einen Schrebergarten besaß.

Leo sah auf die Uhr. Halb drei. Plötzlich hörte er eine laute Stimme am Gartentor und ging zur Laube zurück. Ein untersetzter Mann in verschwitztem Hemd eilte auf Robert zu und rief: »Der Rathenau ist tot!«

Keuchend blieb er vor dem Gartentisch stehen. »Heute um elfe. Auf dem Weg ins Ministerium ham se'n erschossen. Im Auto.«

»Jetzt mal langsam«, sagte Leo. »Woher wissen Sie das?«

»Hab's in der Stadt gehört, die Leute haben von nüscht anderem jeredet. Im offenen Wagen isser durch 'n Grunewald gefahrn. Dann ham se auf ihn gefeuert und 'ne Handgranate jeschmissen.« Damit eilte er weiter zum nächsten Garten.

Leo und Robert sahen sich an. Die Polizei hatte den Außenminister mehrfach vor Attentaten gewarnt, doch er hatte jeglichen Polizeischutz abgelehnt. Er war schon lange die Zielscheibe der Nationalisten, und nachdem vor zwei Monaten der Vertrag mit der Sowjetunion unterzeichnet worden war, hassten sie ihn noch mehr.

»Du kennst doch das Lied: Auch Rathenau, der Walter, erreicht kein hohes Alter, knallt ab den Walter Rathenau, die gottverdammte Judensau«, sagte Leo bitter. »Jetzt haben sie ihre Drohung wahr gemacht.«

»Meinst du, wir müssen in die Fabrik?«, fragte Robert.

»Wäre wohl besser. Aber es reicht, wenn einer von uns fährt. Bleibst du mit den Kindern hier?«

»Lass mich fahren, ich bin mit dem Rad da. Die beiden freuen sich doch, wenn sie am Wochenende mit dir zusammen sind.«

»Ich nehme das Rad und beeile mich. Rathenau war ein anständiger Mann, von denen gibt es heute viel zu wenige. Verdammt.« Wütend trat er einen Stein gegen das Tischbein.

»Leo, pass auf, was du sagst.«

Er schaute Robert überrascht an. »Wie meinst du das?«

»Na ja, es mag wohl den einen oder anderen geben, der über Rathenaus Tod nicht so traurig ist wie du.«

»Wie Recht du hast«, meinte Leo lächelnd, doch seine Augen blieben ernst. Er verabschiedete sich von Georg und Marie, die zwar ein wenig enttäuscht waren, aber abgelenkt wurden, als Robert ihnen einen Eimer zum Raupensammeln hinstellte.

»Bis nachher, Vati.«

Im Gehen hörte er noch, wie Robert seinem Sohn erklärte, dass ein wichtiger und guter Mann erschossen worden sei.

Leo fuhr so schnell, dass ihm das Hemd bald am Rücken klebte. Jetzt schwitze ich das schöne Bier wieder aus, dachte er bei sich. Eigentlich musste er immer nur geradeaus fahren, allerdings an die zwanzig Kilometer. Er rollte durch Spandau und Charlottenburg, vorbei am Schloss und bog in die Charlottenburger Chaussee ein, die beiderseits vom Tiergarten gesäumt wurde. Menschen bevölkerten den Park, von denen die meisten nicht wie Spaziergänger aussahen. Auf den Rasenflächen standen viele in Gruppen zusammen und diskutierten erregt, einer hielt ein selbstgemaltes Plakat mit der Aufschrift »Mörder« hoch. Auf einem anderen Schild war mit Wandfarbe verzeichnet: »Erst Karl und Rosa, jetzt Erzberger und Rathenau!« Unruhe lag in der Luft, und Leo sah auch einige Schupos am Rande des Parks.

Als er am Großen Stern vorbeiradelte, rief eine bekannte Stimme: »He, Leo, wo willst du denn hin?« Er hielt an und entdeckte Joachim Kern, einen Arbeiter aus dem Nachbarhaus, mit dem er gelegentlich eine Molle in der Eckkneipe trank. Leo wusste, dass Kern KPD-Mitglied war.

»Ich muss ins Präsidium, wegen dem Mord an Rathenau.«

»Darum sind wir auch hier«, rief Kern und schüttelte die erhobene Faust. Seine Freunde machten ihrem Zorn mit wütenden Ausrufen Luft.

In diesem Moment stürmte ein Trupp Männer in schwarzen Hemden auf Kerns Freunde zu und griff sie ohne Vorwarnung an. Sie trugen schwarz-weiß-rote Armbinden und prügelten mit brutaler Gewalt auf die Arbeiter ein. Kern krümmte sich nach einem Schlag in den Magen am Boden und drehte sich zu Leo, der das Rad fallen ließ und einen Ausweis aus der Tasche zog. »Kriminalpolizei, sofort aufhören.« Die Schläger stoben davon, einer brüllte noch »Scheißbolschewisten!« Ein Knüppel blieb einsam auf dem Rasen liegen.

Als Kern vornübergebeugt und keuchend vor ihm stand, sagte Leo trocken: »Gut, dass ich Georgs Büchereikarte dabeihatte.«

Kern sah ihn fassungslos an, dann grinste er mit schmerzverzerrtem Gesicht. »Danke. Morgen gibt es einen großen Demonstrationszug gegen die Rechten, Helfferich und Konsorten. Bist du dabei, Leo?«

Der schüttelte den Kopf und stieg wieder aufs Rad. »Du weißt doch, ich bin Polizeibeamter. Demonstrier lieber für mich mit.« Mit diesen Worten trat er wieder in die Pedale und schoss auf das Brandenburger Tor zu. Je näher er der Stadtmitte kam, desto dichter drängten sich die Menschen auf den Straßen. Spontane Reden wurden gehalten, Agitatoren mischten sich unter Spaziergänger, die das schöne Wetter genossen. Unter den Linden fuhr er über den Mittelstreifen, weil dort weniger Betrieb war. Automobile und Droschken verstopften die Straßen, und er wäre beinahe vom Rad gefallen, als ein Mann mit Schiebermütze knapp vor ihm mit einem Droschkenkutscher Streit anfing.

Leo wurde das Strampeln allmählich leid, als endlich der Alexanderplatz mit der Fabrik vor ihm auftauchte. Er stellte Roberts Rad in einem Keller ab und eilte ins Morddezernat. Viele Kollegen standen auf den Fluren und unterhielten sich, es schien kein anderes Thema als das Attentat zu geben. Leo rief sich Roberts Warnung ins Gedächtnis, doch als eine massige Gestalt mit ausgestreckter Hand auf ihn zukam, atmete er auf. Bei Ernst Gennat brauchte er kein Blatt vor den Mund zu nehmen. Der schwergewichtige Kommissar nahm ihn mit in sein Büro und bot ihm einen Platz auf dem Sofa an.

»Ich bin ja kein Politischer, Wechsler, hab mich immer nur um meine Arbeit gekümmert. Aber allmählich versteh ich die Welt nicht mehr. Sie etwa?«

Leo schüttelte den Kopf.

»Ein Stück Kuchen?« Gennat deutete auf eine Platte mit drei Stücken Erdbeertorte. Leo, der seit dem Frühstück nichts mehr gegessen hatte, nahm dankend an. Gennat klatschte noch einen dicken Löffel Sahne obendrauf, schob Leo den Teller hin und bediente sich ebenfalls.

»Manchmal frag ich mich, ob die Verbrecher in Moabit oder in den schnieken Salons sitzen«, sinnierte Gennat. »Der Rathenau war doch gerade erst Minister. Hat die Sache richtig angepackt. Die Herren von oben haben ihm immer wieder Polizeischutz angeboten, aber den hat er einfach nicht gewollt.«

»Die Nationalen haben den Mord geradezu herausgefordert«, meinte Leo. »Sie haben so lange mit Worten auf ihn eingedroschen, bis jemand zur Waffe gegriffen hat. Aber das werden die Menschen nicht einfach hinnehmen. Ich bin mit dem Rad über die Charlottenburger Chaussee gekommen, da versammeln sich schon Leute. Es werden bestimmt große Kundgebungen stattfinden.«

»Richtig so. Wo leben wir denn? Die ganzen Raubmorde sind schlimm genug, aber wo kommen wir in Deutschland hin, wenn es alltäglich wird, gewählte Politiker zu ermorden? Denken Sie an Erzberger und die Sache mit Scheidemann.« Ernst Gennats dralles Gesicht war noch röter als sonst.

»Wird eine Sonderkommission für die Fahndung zusammengestellt?«

Gennat nickte und kaute. »Deutschlandweit.« Dann hob er die Gabel. »Aber da werden wir nicht mitmischen. Ich habe noch die beiden Giftmorde zu bearbeiten, und Sie? Womit sind Sie doch gleich beschäftigt?«

Leo wusste, dass Gennat ständig auf eine Reform der Kripoarbeit drängte und es ungeheuerlich fand, dass die eine Mordkommission nicht wusste, was die andere gerade tat. Daher führte er gern das eine oder andere Gespräch bei Kaffee und Kuchen, um sich zu informieren. Niemand wusste, wie viele Fälle unaufgeklärt blieben, weil man nicht die möglichen Zusammenhänge zwischen einzelnen Morden berücksichtigte. Da schwammen viele nasse Fische, dachte Leo.

»Mit dem Mord an dem Heiler Sartorius. Wir kommen im Augenblick nicht weiter.« Es kostete ihn einige Überwindung, das zuzugeben, doch Gennat war für seine anständige Art bekannt und würde es nicht weitertragen.

»Sie sind ein guter Mann, Wechsler, aber zu ungeduldig«, meinte der zehn Jahre ältere Gennat bedächtig. »Polizeiarbeit ist manchmal wie Briefmarkensammeln. Sie dauert.«

»Ich weiß. Leider gehört Briefmarkensammeln nicht zu meinen Steckenpferden.«

»Das merkt man. Und Sie sollten immer klaren Kopf bewahren.« Er schaute Leo prüfend an. »Besteht die Gefahr, dass der Täter erneut zuschlägt?«

Leo überlegte. »Das kann ich nicht sagen, weil wir sein Motiv nicht kennen.«

Gennat schob seinen leer geputzten Teller beiseite und lächelte. »Sie haben doch heute keinen Dienst, oder? Dann fahren Sie mal heim zu Ihren Kindern. Falls der Chef fragt, sage ich, dass Sie da waren.«

Leo stand dankend auf und verabschiedete sich.

In der Eingangshalle traf er auf Herbert von Malchow.

»Guten Tag, Herr Kommissar«, sagte dieser ungewohnt beschwingt, und Leo fragte sich schon, wieso ein Mann, der so ungern samstags Dienst tat, derart gut gelaunt war.

»Was sagen Sie zu der Sache mit Rathenau?«, erkundigte sich von Malchow.

»Die Zeiten werden immer dunkler«, entgegnete Leo.

»Dunkler? Das würde ich nicht sagen«, versetzte von Malchow und strich sich ein Stäubchen vom makellosen Jackett. »Der Vorfall ist bedauerlich, aber wenig überraschend. Vor allem nach Rapallo. Wer die Zeichen der Zeit nicht erkennt –«

»Verstehe ich Sie richtig?«, fragte Leo. »Sie nehmen diese Verbrecher in Schutz?«

»Meine Worte zu deuten, überlasse ich Ihnen, Herr Kommissar. Sie sind doch Kriminalist, da dürfte es Ihnen nicht schwer fallen, oder?« Mit diesen Worten wollte von Malchow an ihm vorbei ins Morddezernat marschieren, doch Leo vertrat ihm den Weg.

»Auf jeden Fall fällt mir die Kriminalarbeit leichter als Ihnen. Ihr Umgang mit Zeugen lässt ebenfalls zu wünschen übrig, wie der Fall Matussek gezeigt hat. Und ich brauche auch keine verlängerten Wochenenden, um mich von der Arbeit zu erholen.«

»Sie können sich ja bei Ihrem Vorgesetzten über mich beschweren, Herr Kommissar. Fragt sich nur, wie gut Ihre Beziehungen nach oben sind. Und Sie sollten daran denken, dass Sie schon einmal unangenehm aufgefallen sind.« Er warf einen demonstrativen Blick auf Leos Narbe. »Sie mögen ja glauben, Ihre Zeit sei angebrochen, aber da wäre ich mir nicht so sicher. Heute ist die Empörung über den Mord an dem jüdischen Bolschewistenfreund noch groß, aber das wird nicht so bleiben. Guten Tag, Herr Kommissar.«

Die Frau schlenderte im Schatten der Häuser entlang. Ihr Gang verriet noch Spuren von Koketterie, die Figur war ganz passabel, doch ihr Gesicht konnte keinen Freier täuschen. Sie wirkte verbraucht und alt, zu alt für ein Gewerbe, in dem Gesicht und Körper nicht unbedingt schön, zumindest aber jung zu sein hatten. Ihre Zeit war lange vorbei.

Was sie verdiente, reichte kaum zum Leben. Wehmütig dachte sie an die plüschigen Bordelle, in denen sie früher die Männer empfangen hatte. Dann waren die billigen Absteigen gekommen, zuletzt die Straßen und Hauseinfahrten hier im ehemaligen Scheunenviertel. Der Name passte nicht mehr, nachdem man viele alte Gebäude abgerissen hatte, doch Mauern und Pflaster verströmten noch immer den Geruch von Verfall und Verbrechen. In einer Großstadt, die so viele junge Mädchen anzog, die oft keinen Beruf hatten und irgendwie überleben mussten, war sie als Hure von fünfzig Jahren überflüssig wie ein Kropf.

Nur dann und wann traf sie auf Männer, die noch Interesse an ihrem Körper hatten. Wohl kaum aus Mitleid, eher vielleicht aus dem Drang, sie zu demütigen, zu sehen, wie weit sie sie im Preis drücken konnten.

Sie hatte gemerkt, dass es kaum eine Grenze nach unten gab. Und nur wenig, was sie nicht für ein bisschen Geld getan hätte.

Sie wusste nicht, wovon sie am Ersten die Miete bezahlen und woher sie am Abend eine Suppe nehmen sollte. Sie achtete nicht auf die zusammengesackten Gestalten in den dunklen Hauseingängen, die Urinpfützen, die Kaschemmen, in denen kriminelles Gesindel den nächsten Beutezug plante.

Sie sah ihn erst, als er sie überholte und vor ihr stehen blieb.

»Ja?«

»Sind Sie ... ich würde gern ...« Er druckste herum, schien sich in seiner Haut überhaupt nicht wohl zu fühlen, schaute nach links und rechts, ob ihn auch niemand beobachtete. Die Frau ergriff die Gelegenheit, doch noch zu ihrer Suppe zu kommen.

»Sie wollen ein bisschen Unterhaltung?«

Der Mann nickte.

Also war ihr Umherstreifen doch nicht vergebens gewesen. Rasch führte sie ihn durch ein Gewirr enger Gassen, durch Torbögen und über mit Gerümpel vollgestopfte Hinterhöfe, bis sie an der Rückwand eines Hauses stehen blieb. Daran klebte wie ein Geschwür ein kleiner gemauerter Verschlag.

»Hier?«

Sie nickte und trat vor ihm ein. Der Raum roch muffig, das einzige Fenster war so schmutzig, dass selbst bei Tage kaum Licht hereingedrungen wäre.

Die Frau zündete eine Gaslampe an, stellte sie auf den Tisch und wandte sich um. Sie legte ihm eine Hand an die Wange.

Das Licht schien auf das Gesicht unter der Hutkrempe. Überrascht trat sie einen Schritt zurück.

»Ich kenn Sie doch –«

»Tatsächlich?«

»Ja, ich hab ein Gedächtnis für Gesichter. Sie waren jünger, stimmt's? Damals war ich noch nicht auf der Straße. Muss lange her sein.«

Der Mann schaute angestrengt auf seine Finger, die in eleganten Handschuhen steckten. »Ich bin nicht hier, um Konversation zu machen.«

»Natürlich, ist auch nicht weiter wichtig.«

»So würde ich es nicht betrachten. Ich denke noch oft an den Besuch bei dir.«

Sie achtete nicht auf den seltsamen Ton in seiner Stimme. Streifte die Schuhe ab, wollte mit beinahe anrührender Laszivität die Strümpfe herunterrollen. Ein Schatten fiel über ihre Schulter. Plötzlich wurde es kalt im Raum. Dann zog sich der Schal um ihren Hals zusammen.

Er streifte die leichten cognacfarbenen Wildlederhandschuhe mit den kleinen Knöpfen ab und legte sie in den Kleiderschrank. Viola würde erst morgen von ihrer Reise zurückkehren, da konnte er eine Nacht und einen Morgen das Gefühl unbedeckter Hände genießen. Gut, dass die Handschuhe unversehrt geblieben waren. Zu dumm, wenn er diese erlesenen Exemplare hätte ersetzen müssen.

Es war nicht ganz einfach gewesen, sie zu finden. Aber als er sie dann endlich stellte, hatte er förmlich in ihrer Überraschung geschwelgt. Er hatte sie in dem Glauben gelassen, er wolle ihre Dienste in Anspruch nehmen, und war ihr in das schäbige Zimmerchen gefolgt. Dabei hatte er unwillkürlich an das üppige Boudoir ihrer ersten Begegnung denken müssen. Doch mittlerweile war sie so alt, dass sie für jeden Freier, der sich zu ihr verirrte, dankbar sein musste.

Über der Stuhllehne hing ein billiger kunstseidener Schal, er musste das Tuch in seiner Tasche gar nicht benutzen. Als sie sich abwandte, um sich auszuziehen, hatte er ihr den bunten Stoff um den Hals geschlungen und festgezogen, bis sie ganz ruhig wurde.

7

Das Wetter am Sonntag war schön, und er fuhr mit der Elektrischen nach Osten, bis ihn der Menschenstrom, der zum Brandenburger Tor und weiter drängte, zum Aussteigen lockte. Er spürte die kaum verhohlene Wut der Menschen, die Empörung über den dreisten Mord auf offener Straße, den Zorn auf jene, die sich den Kaiser und die alte Ordnung zurückwünschten. Hier demonstrierten nicht nur Arbeiter. Menschen aller Gesellschaftsschichten hatten sich zusammengefunden, als hätte der Mord die Schranken zwischen ihnen vorübergehend aufgehoben. Nur die Kaisertreuen und extremen Nationalisten waren zu Hause geblieben, da sie den Mann, der einen Vertrag mit Russland geschlossen hatte, nicht betrauern konnten.

Vom Pariser Platz an wurde das Gedränge beinahe unerträglich, die Menge schob sich auf ganzer Breite Unter den Linden entlang. Die Bäume ragten wie grüne Leuchttürme aus dem Meer der Köpfe. Erstaunlich war die Ruhe, die überall herrschte und durch die sich dieser Auflauf von den Kundgebungen der Revolutionstage unterschied. Dennoch war Leo froh, als er endlich den Lustgarten erreicht hatte.

Auf dem weiten Platz vor dem Alten Museum hatte sich die größte Menschenmenge versammelt, die Leo bisher erlebt hatte. Von den Wasserspielen und Rasenflächen war nichts mehr zu sehen, nur das Reiterstandbild von Wilhelm III. ragte aus dem Meer der Hüte und Schirmmützen hervor. Überall flatterten rote und schwarz-rot-goldene Fahnen. Vor der breiten Säulenfront des Museums war eine Rednertribüne aufgebaut, von der aus jemand zu den Versammelten sprach.

»Wer redet gerade?«, erkundigte sich Leo bei einem Mann mit dichtem Schnauzbart.

»Det is eener von der USPD. Dann kommen noch welche von der SPD und der KPD. Und von der Jewerkschaft. Det kann noch dauern.«

Eigentlich brauchte man die Reden gar nicht zu hören. Das Bild des Platzes war auch so beeindruckend genug, und Leo war froh, dass er an diesem Tag hierher gekommen war.

Er hatte Georg einen Geldschein zugesteckt, damit Ilse mit den Kindern in den Zoo gehen konnte, während er sich die Lage in der Stadt ansah. Morgens hatte Marie sich nach ihrer Freundin erkundigt.

»Vati, warum ist die Inge nicht mehr da? Wir wollten doch seilhüpfen und die Puppen baden.«

Leo hatte seine Tochter seufzend auf den Schoß genommen. »Ihre Mutti ist gestorben, Marie.«

Er hatte ihr erklärt, dass sie ähnlich wie Maries eigene Mutti gestorben sei.

»Aber dann kann sie doch bei ihrem Vati wohnen und mit mir spielen, oder? Der Georg und ich wohnen doch auch bei dir.«

Leo hatte seiner Tochter sanft eine Haarsträhne aus der Stirn gestrichen. Wie einfach Kindern die Welt doch schien. Warum mussten Erwachsene diese Einfachheit ständig durchkreuzen? »Ihr Vati hat etwas Schlimmes getan. Etwas Verbotenes.«

»Ist er jetzt im Gefängnis?«

»Ja, das ist er. Und deshalb kann er sich nicht um Inge kümmern. Sie wohnt jetzt bei ihrer Tante auf dem Land, da hat sie es sicher gut.«

Marie hatte etwas traurig genickt. »Darf sie die Kühe melken? Und die Fohlen streicheln? So wie in meinem Bauernhofbuch?«

»Das kann schon sein. Ich weiß nicht, ob ihre Tante einen

Bauernhof hat, aber möglich ist es schon. Vielleicht kann ich herausfinden, wo sie wohnt, dann kannst du ein Bild malen und es ihr schicken.«

Marie hatte ihm einen Kuss gegeben und war von seinem Knie gesprungen.

Im Gehen hatte er bei Ilse eine seltsame Spannung gespürt. »Wann bist du wieder da?«, hatte sie kurz angebunden gefragt.

»Ich beeile mich. Ich bin um vier zurück.«

»Du hast ja Marlen.« Er hatte die leisen Worte, die gar nicht für ihn bestimmt zu sein schienen, sehr wohl gehört.

Er schaute hinüber zum Alexanderplatz, wobei ihm einfiel, dass er noch Unterlagen im Büro hatte, die er durchgehen wollte. Er sah auf die Uhr. Da ihm noch etwas Zeit blieb, ging er rasch zum Präsidium hinüber. Es war ihm so vertraut, dass er gar nicht mehr auf das ungeheuer wuchtige Bauwerk mit den hellroten Ziegeln und den mächtigen Türmen achtete, die das Eingangsportal und die vier Ecken zierten. Nur selten wurde er sich der schieren Kraft bewusst, die die »Fabrik« ausstrahlte.

Er setzte sich ins Wohnzimmer, zündete eine Zigarre an und hüllte sich paffend in den duftenden Rauch. Er schlug ein Musterbuch auf, in dem Fräcke und Gehröcke abgebildet waren. Verschiedene Schnitte, klassisches Schwarz und gewagtere Farben, weiße Binder und steife Krägen, elegante Zylinder in Schwarz und Ascot-Grau. Welche Schuhe? Natürlich Lack, das war klar, nur über die Form musste er noch entscheiden. Dann legte er das Buch beiseite und nahm eine schwere Mappe vom Tisch.

Die war weitaus interessanter. Die Goldprägung auf dem Einband lautete »Atelier Meiser. Elegante Damenmode aus Berlin«. Es mochte ungewöhnlich erscheinen, dass er sich um die Auswahl des Brautkleides kümmerte, doch Viola wusste,

dass er in der Mode bewandert war und einen unfehlbaren Ge-
schmack besaß. Sie würde sich ganz auf ihn verlassen.

Er blätterte zurück. Vorfreude war schön, aber zuerst kam
einmal die Verlobung. Auch dafür wollte er das Kleid aussu-
chen, so war es abgesprochen. Dunkelblau mit einem Anklang
von Violett, mit kleinem Ausschnitt und zarter Spitze, das wäre
passend. Keinen der neuen modernen Hüte, die wie ein umge-
stülpter Kochtopf aussahen. Nein, ausladend und weiblich
sollte er sein und ihr Gesicht ein wenig geheimnisvoll erschei-
nen lassen.

Zufrieden klappte er die Mappe zu. Er würde persönlich mit
Vera Meiser sprechen und Violas Verlobungskleid in Auftrag
geben.

Den Knopf und die tote Frau im Hinterhof hatte er schon
vergessen. Und spürte in seiner Euphorie auch nicht das leichte
Zucken in der rechten Hand.

Leo nahm die Aktenmappe aus der Schublade, schloss die
Bürotür ab und wollte gerade gehen, als hinter ihm eine wohl-
bekannte Stimme ertönte. »Das kann doch nicht wahr sein.
Verbringen Sie etwa das ganze Wochenende im Büro?«, fragte
Ernst Gennat. »Ich dachte, das tun nur Junggesellen wie
ich.«

»Ich habe mir die Kundgebung angesehen und noch ein paar
Unterlagen geholt.«

Der beleibte Kriminalbeamte grinste. »Pech für Sie. Wir können nämlich Verstärkung gebrauchen.«

Leo sah ihn fragend an. »Eben wurde ein Frauenmord im
Scheunenviertel gemeldet«, erklärte Gennat. »In einem Hinter-
hof an der Linienstraße. Ich wollte die Sache eigentlich von
Malchow übergeben, bis von Fritzsche wieder da ist.«

»Ich übernehme den Fall«, sagte Leo spontan.

»Sie können die Sache ebenso gut von Malchow überlassen,
das ist vermutlich irgendein schäbiger Prostituiertenmord. Är-

ger mit dem Luden, ein enttäuschter Freier, was auch immer. Sie kennen doch die Gegend.«

Leo schüttelte den Kopf. »Nein, nein, ich übernehme das. Walther soll mit dem Wagen und der Ausrüstung nachkommen.« Er ging noch einmal in sein Büro und rief zu Hause an. »Seid ihr schon zurück aus dem Zoo?«, fragte er und teilte Ilse dann mit, er könne leider doch nicht pünktlich zurück sein. »Macht euch noch einen schönen Tag.« Er wollte schon auflegen, als er die verhaltene Wut in ihrer Stimme hörte. »Tu das nie wieder, Leo.«

Mit leichtem Unbehagen hängte er den Hörer ein.

Der Weg zur Linienstraße war nicht allzu weit. Natürlich hätte er einen Wagen nehmen können, zog es aber vor, zu Fuß durch das berüchtigte Viertel zu gehen. Die meisten Kriminellen, die sich hier herumtrieben, kannten ihn nicht, weil hauptsächlich die Abteilungen Raub und Sitte dort operierten. So konnte er unterwegs in Ruhe nachdenken, ohne von ihnen behelligt zu werden.

Plötzlich fielen ihm Ilses Worte ein, als er die Wohnung verlassen hatte. »Du hast ja Marlen.« Das hatte sie wohl nicht verwunden. Er hatte Marlen vor anderthalb Jahren kennen gelernt. Sie hatten sich in einem Nachtlokal unterhalten, mehrmals getroffen, miteinander geschlafen. Erst nach einigen Wochen hatte er herausgefunden, dass sie von ihren Bekanntschaften mit wohlhabenden Männern lebte. Das hatte ihn getroffen, auch wenn sie keine Straßenhure war, die mit jedem ins Bett stieg. »Hure bleibt Hure«, hatte er ihr ins Gesicht geschrien.

»Ich habe dir doch gefallen. Im Bett habe ich dir gefallen und auch so. Und ich habe nie Geld von dir verlangt«, hatte Marlen ganz ruhig geantwortet. Ihre letzten Worte gingen im Knall der zuschlagenden Tür unter.

Doch er war wiedergekommen. Selten; bei scheußlichen Fällen, die ihm nachgingen, oder wenn es Spannungen mit Ilse gab.

Sie schliefen nicht immer miteinander. Aber wenn ihm danach war, ging er lieber mit ihr ins Bett als mit irgendeinem Mädchen von der Straße.

Als Marlen ihn einmal zu Hause anrief und Ilse an den Apparat ging, war es zur ersten richtigen Auseinandersetzung seit Dorotheas Tod gekommen. Ilse war hin- und hergerissen zwischen der Angst, jahrelang in einem Leben mit ihm und seinen Kindern eingesperrt zu sein, und der Furcht, diese immerhin vertraute Gemeinschaft zu verlieren.

In dieser Gegend war Leo immer auf der Hut und griff instinktiv nach hinten, als eine Hand über seine Manteltasche strich. Er packte sie am Gelenk und fuhr herum. Der Junge reichte ihm bis zur Schulter. Rotes Haar, blasses, hungriges Gesicht, zerlumpte Kleidung. Der kleine Dieb wollte fliehen, doch Leos Griff war eisern. Mit der anderen Hand zog er seinen Ausweis aus der Tasche. »Für einen Taschenkrebs bist du ganz schön dämlich. Aber es ist ja noch alles da.« Der Junge schaute ihn misstrauisch an. Solche Kinder hatten die Angst vor der Polizei mit der Muttermilch eingesogen. Leo schaute zum Straßenschild hinauf. Linienstraße.

»Du könntest mir vielleicht helfen. Hast du letzte Nacht irgendetwas Außergewöhnliches gehört?«

Der kleine Taschendieb sah ihn verunsichert an. »Wat denn? Ick weeß nich –«

»Hier in der Straße wurde eine Frau tot aufgefunden.«

»Damit hab ick nüscht zu tun, Herr Kommissar, det is die Erna Klante, die wohnte da drüben im Hinterhof in so 'n Kabäuschen. Die ham se allejemacht. Erdrosselt, hat der lange Erwin jesacht.«

»Hast du die Erna gekannt?«

»Na ja, anjefasst hab ick se nich. Die war mir viel zu alt«, platzte er heraus. »Aber ick hab se manchmal jesehn, wenn se nach Freiern jekiekt hat.«

»Hatte sie einen Luden?«

Der Junge zuckte die Achseln. »Weeß ick nich.«

Leo drückte ihm einen Groschen in die Hand. »Such dir lieber einen anderen Beruf.«

Die Menschenansammlung verriet ihm, wo der Eingang zum Hinterhof lag. Er zeigte seinen Ausweis, worauf die Leute eine Gasse bildeten. Auf dem Hof stand ein kräftiger Mann in Hemdsärmeln, eine Hand in die Seite gestemmt. In der anderen hielt er eine große Lampe.

Leo stellte sich vor. Der Hauswirt Gustav Seidel hatte die überfällige Miete eintreiben wollen und die Mieterin tot vorgefunden. Gesehen hatte er niemanden, aber sie brachte auch nur noch selten Freier mit nach Hause. »Da war der Lack ab«, knurrte Seidel empört, da er seine Miete vermutlich nie mehr bekommen würde.

»Wie lange wohnte sie schon hier?«

»So an die drei Jahre. Weiß gar nicht, wovon die überhaupt gelebt hat.«

Leo wies ihn an zu warten, bis sein Kollege eintreffen und die Aussage aufnehmen würde. Dann ging er zu dem kleinen Anbau, der kaum wie eine menschliche Behausung aussah. Ein schmutziges Fensterchen, rauchgeschwärzte Mauern. Er drehte sich um. »Geben Sie mir bitte mal die Lampe. Brannte noch Licht, als Sie kamen?«

Der Hauswirt schüttelte den Kopf. »Nee. Hab mir die Lampe geholt, weil es so finster war.«

Leo leuchtete in den einzigen Raum. Überraschend sauber, nur die notwendigsten Möbel. Ein eisernes Bettgestell mit dünner Matratze. Darauf die Frau, die Arme seitlich ausgestreckt, den Kopf zur Seite gedreht, ein buntes Stück Stoff deutlich sichtbar um den Hals geschlungen. Sie war vollständig bekleidet, das Kleid beinahe züchtig heruntergezogen.

Er sah sich gründlich um. Nichts deutete auf einen Kampf

oder Raubversuch hin. Leo trat mit der Lampe näher an die Frau heran. Ihr Gesicht war blau angelaufen, auf Stirn und Wangenknochen waren rote Punkte, Zeichen von Blutungen unter der Haut, zu erkennen. Tod durch Erdrosseln, dafür brauchte Leo keinen Leichendoktor. Die fehlenden Kampfspuren ließen auf ein starkes Überraschungsmoment schließen. Vielleicht war der Mörder auch von hinten an die Frau herangetreten, so dass ihre Hände bei der Abwehr ins Leere griffen. Aber das würde die Untersuchung zeigen.

Der Anblick der verlebten Frau bedrückte ihn. Vielleicht, weil der Mord so absurd wirkte. Vielleicht, weil der Mörder ihr noch den Rock glatt gezogen hatte, als sollte sie im Tod nicht entblößt daliegen. Wertgegenstände waren hier nicht zu holen, einen übeteuerten Preis würde sie für ihre Dienste auch nicht verlangt haben. Oder hatte es irgendein Erbstück gegeben, eine Kleinigkeit, die sie aus einer besseren Vergangenheit aufbewahrt hatte?

In diesem Moment trat Robert Walther durch die Tür.

»Gut, dass du kommst. Ist der Arzt auch unterwegs?«

Walther nickte. »Ich glaube, da draußen möchte jemand mit dir sprechen.«

Leo ging auf den Hof hinaus. In einer Ecke stand ein alter Mann mit silberweißem Haar, das ihm bis auf die Schultern reichte. Es umrahmte sein scharf geschnittenes Gesicht mit der Nickelbrille, die ihm das Aussehen einer weisen alten Eule verlieh. Seine Kleidung war verschlissen, aber nicht schmutzig. Er machte einen schüchternen Schritt auf Leo zu, traute sich aber nicht so recht weiter. »Policja?«, fragte er zögernd.

Leo nickte. »Sprechen Sie deutsch?«

Der Mann schüttelte den Kopf. »Proszę... bitte ...«

Leo sah sich um. Die Neugierigen hatten sich um den Hauswirt geschart, als könnten sie sich noch nicht vom Ort der Gewalt losreißen.

»Das ist der alte Zylberstein«, sagte eine Frau. »Der Lumpensammler. Redet nur Polnisch.«

Der Mann wollte allem Anschein nach eine Aussage machen. Leo legte ihm die Hand auf den Arm und sagte in ruhigem Ton: »Wir nehmen Sie gleich mit. Dann können Sie mit jemandem sprechen, der Sie versteht.«

»*Nie rozumien* ... nicht verstehe ...«

»Robert, haben wir im Präsidium jemanden, der Polnisch spricht?«

Sein Kollege trat in die Tür, in der Hand einen Fingerabdruckpinsel. »Stankowiak von der Sitte.«

Jetzt betrat Dr. Lehnbach den Hof. Leo grüßte ihn kurz und deutete auf das Kabäuschen. Dann sagte er zu Walther: »Mach weiter. Und behalte Herrn Zylberstein im Auge, damit er es sich nicht anders überlegt. Ich hole Stankowiak.«

Robert gab ihm den Schlüssel, und Leo eilte auf die Straße, wo der Dienstwagen stand. Hoffentlich war der Kollege vom Sittendezernat im Dienst.

Als er in den Hof des Präsidiums fuhr, trat Ernst Stankowiak gerade aus der Tür. Leo sprang aus dem Wagen. »Herr Kollege, tut mir leid, aber ich brauche Ihre Hilfe.«

Stankowiak, ein blasser Typ mit hellen Haaren, die mit seiner Haut zu verschmelzen schienen, verdrehte ein wenig die Augen. »Ich wollte gerade Feierabend machen. Wozu brauchen Sie denn die Sitte? Und warum gerade mich?« Der polnische Akzent schwang noch in seinem ausgezeichneten Deutsch mit.

Leo schilderte ihm kurz die Lage, worauf der Kollege bereitwillig in den Wagen stieg. »Scheunenviertel, da haben wir oft zu tun. Wer wurde ermordet?«

»Eine Prostituierte. Erna Klante.«

Stankowiak sah ihn an. »Die alte Erna?«

»Na ja, älter als fünfzig dürfte sie nicht gewesen sein.«

»Auf dem Strich ist das ein biblisches Alter. Sie ist nie unangenehm aufgefallen. Kein Alkohol, kein Rauschgift, keine Diebstähle bei Freiern. Aber wenn Frauen in die Jahre kommen, wird es schwer für sie. Die Konkurrenz ist groß und billig.«

»War sie immer schon in der Gegend? Oder wissen Sie, wo sie früher angeschafft hat? Ihr Hauswirt sagt, sie habe seit etwa drei Jahren in dem Anbau gewohnt.«

»Man munkelt, dass sie mal in einem teuren Bordell gearbeitet haben soll. Ob man sie wegen ihres Alters dort hinausgeworfen hat oder ob sie von selbst gegangen ist, weiß keiner so genau. Auf mich machte sie jedenfalls nicht den Eindruck, als hätte sie immer auf der Straße angeschafft.«

Leo steuerte den Wagen durch die engen Straßen des Scheunenviertels. Der Fall, den Gennat als Routine eingestuft hatte, begann ihn zu fesseln. Vielleicht lag der Grund für den Mord auch in Erna Klantes Vergangenheit.

Er parkte auf der Straße vor dem Innenhof und führte Stankowiak durch den Torbogen. Er machte ihn mit Herrn Zylberstein bekannt und nahm selbst Notizbuch und Stift zur Hand, um das Protokoll anzufertigen. In diesem Moment trat Dr. Lehnbach aus dem Kabäuschen und wischte sich die Hände an einem Tuch ab.

»Tod durch Erdrosseln. Dürfte achtzehn bis zwanzig Stunden her sein. Keine sichtbaren Hautreste unter den Fingernägeln, ihr Widerstand war anscheinend schnell gebrochen. Wir nehmen die Leiche jetzt mit, ausführlicher Bericht folgt.«

Leo bedankte sich und wandte sich wieder dem polnischen Lumpensammler zu, der verschreckt schien durch die Anwesenheit der beiden Kripobeamten; er zog schützend die Schultern hoch, als wollte er sich verkriechen. Stankowiak legte ihm beruhigend die Hand auf den Arm und stellte einige Fragen. Der Mann antwortete bereitwillig, als er die vertraute Sprache vernahm.

»Abraham Zylberstein, geboren 1855 in Krakau, von Beruf Lumpensammler, wohnhaft Große Hamburger Straße 12, Berlin«, diktierte Stankowiak.

»Fragen Sie ihn, welche Aussage er machen möchte.«

»Er sagt, er wolle im Mordfall Erna Klante aussagen.«

»Gut. Übersetzen Sie bitte jeweils nach zwei bis drei Sätzen, damit ich alles aufnehmen kann.«

Als Leo zu Ende geschrieben hatte, las er die Aussage vor: »Ich habe Erna Klante am Abend des 24. Juni 1922 gegen neun Uhr gesehen. Sie betrat den Innenhof des Hauses in der Linienstraße, wo sie einen kleinen Anbau bewohnte. Sie war in Begleitung eines gutgekleideten Mannes in jungen bis mittleren Jahren. Das habe ich aus seinem Gang geschlossen. Er trug einen braunen Sommermantel, gut geschnitten, den Hut hatte er tief ins Gesicht gezogen. Daher kann ich auch nicht sagen, wie er ausgesehen hat. Da ich wusste, dass Frau Klante von der Prostitution lebte, habe ich mir nichts dabei gedacht. Erst als ich heute die Leute im Hof stehen sah und dann noch die Polizei kam, dachte ich mir, dass etwas passiert sein müsse.«

Leo gab Stankowiak ein Zeichen, der Herrn Zylberstein daraufhin die Aussage auf Polnisch vorlas. Der Lumpensammler nickte zustimmend.

»Haben Sie noch Fragen, Herr Kollege?«, erkundigte sich Stankowiak.

Leo schüttelte den Kopf. »Im Moment nicht. Wir haben ja die Adresse.« Er ging zu dem Kabäuschen und schaute hinein. Robert kniete in einer Ecke und leuchtete mit einer Lampe den Boden ab. Plötzlich pfiff er leise durch die Zähne. »Was haben wir denn da?« Er zuckte zusammen, als Leo ihm von hinten über die Schulter blickte, und streckte die Hand nach oben. Ein Knopf. »Wenigstens etwas. Ansonsten haben wir nichts gefunden. Auch keine brauchbaren Fingerabdrücke. Die stammten fast ausnahmslos von der Toten.«

Leo holte ein Taschentuch heraus und nahm den Knopf vorsichtig mit zwei Fingern am Rand auf. Er war besonders schön geformt und mit einem Geflecht aus dünnen Lederstreifen überzogen. »Passt nicht zu der Frau, oder?«

»Passt überhaupt nicht zu einer Frau, würde ich sagen. Wir haben auch kein Kleidungsstück gefunden, zu dem er gehören könnte«, meinte Robert. »Den kann natürlich jeder Freier verloren haben, aber es sieht aus, als hätte sie nicht mehr allzu viele gehabt.«

»Frag vorsichtshalber auch den Hauswirt.«

Doch Gustav Seidel schüttelte den Kopf, als Walther ihm den Knopf zeigte.

»Der Knopf wird auf Abdrücke untersucht. Dürfte bei dem Flechtmuster schwierig sein, aber es lohnt einen Versuch.«

Dann wandte Leo sich wieder Herrn Zylberstein zu. »Stankowiak, fragen Sie den Zeugen bitte, ob ihm irgendetwas an Frau Klante aufgefallen ist. Ob er weiß, mit wem sie verkehrte, ob sie Feinde hatte. Ob sie in kriminelle Geschäfte verwickelt war.«

Der Mann schüttelte heftig den Kopf.

»Lassen Sie ihn unterschreiben. Vielleicht kommen wir noch einmal auf ihn zu. Und danken Sie ihm in meinem Namen.«

Stankowiak übersetzte rasch und übergab Leo das Vernehmungsprotokoll. »Ich mache mich dann auf den Weg.«

»Sollen wir Sie nicht fahren?«

»Nein, ich wohne nicht weit von hier.«

»Vielen Dank, ich revanchiere mich bei Gelegenheit«, sagte Leo und ging zu Walther. Die Leiche hatte man abtransportiert.

»Wir haben eine gewaltige Aufgabe vor uns«, erklärte Leo. »Ich habe dafür gesorgt, dass Stahnke und Berns wieder in unserer Mannschaft sind. Wir müssen sämtliche Kaschemmen im Viertel überprüfen. Es ist immerhin nicht auszuschließen, dass es ein Mord aus dem Milieu heraus gewesen ist. Am besten, wir leihen uns zusätzlich jemanden von der Sitte aus, der die Gegend besser kennt. Vielleicht Stankowiak, der hat mir gefallen.«

»Ja, der Mann ist gut«, bestätigte Robert. »Hat sich in kurzer Zeit nach oben gearbeitet. Und gerade hier können wir ihn gut gebrauchen, weil er Polnisch spricht.« Das ehemalige Scheunenviertel und die Gegend um den Schlesischen Bahnhof wurden von zahlreichen polnischen Zuwanderern bewohnt, die meist kaum Deutsch sprachen. Die Polizei hatte es bei Ermittlungen in diesem Milieu nicht leicht und war oft auf die Hilfe Außenstehender angewiesen. Daher war ein Mann wie Ernst Stankowiak ein wertvoller Zuwachs für die Kripo.

»Lass uns Schluss machen«, sagte Leo. »Wir bringen die Sachen ins Büro, dann fahre ich nach Hause.«

Leo konnte den Kindern noch gute Nacht sagen. Dann schaltete er im Kinderzimmer das Licht aus und ging zu Ilse ins Wohnzimmer. Schon beim Hereinkommen war ihm Kälte entgegengeschlagen. Seine Schwester wirkte noch immer seltsam, erregt und abweisend zugleich. Er wusste nicht recht, wie er in dieser Stimmung mit ihr umgehen sollte.

»Ich hoffe, die Kinder hatten Spaß im Zoo«, bemerkte er leichthin.

Ilse nickte nur und blickte unverwandt auf ihre Stopfarbeit.

»Du natürlich auch.«

Sie sah ihn misstrauisch an. »Warum sagst du das?«

»Aus Höflichkeit, Herrgott noch mal«, erwiderte Leo, plötzlich gereizt. »Habe ich dir etwas getan? Manchmal kann ich dein vorwurfsvolles Gesicht kaum ertragen.« Er merkte, dass er zu weit ging, konnte sich aber nicht mehr zügeln. »Ich tue meine Arbeit und versuche, mich so gut wie möglich um die Kinder zu kümmern. Reicht das nicht?«

Ilse schaute ihn verletzt an. »Fragst du dich dann und wann auch mal, was mit mir ist? Ob es noch etwas außer dir, deiner Arbeit und den Kindern gibt? Ob ich vielleicht heute noch etwas vorhatte, als du einfach alles umgeworfen und beschlossen hast, an deinem freien Tag in die Stadt zu fahren? Und dann auch noch einen Fall zu übernehmen, obwohl du gar keinen Dienst hattest? Warum warst du überhaupt im Büro?«

Leo wusste, sie hatte nicht Unrecht, und dennoch reizte ihre vorwurfsvolle Art ihn bis aufs Blut. »Was hast du denn vorgehabt? Du warst doch da, als ich angerufen habe.«

»Natürlich. Was kann ich schon vorgehabt haben außer Socken zu stopfen und mit deinen Kindern in den Zoo zu gehen?« Sie betonte das »deine«. »Was hat eine Frau wie ich denn schon vor?«

Leo sah sie betroffen an und überlegte rasch. Sie war also verabredet gewesen. Hatte sie etwa einen Freund, von dem er nichts ahnte? Hier war Vorsicht geboten.

Er versuchte sie zu beschwichtigen: »Wenn du das nächste Mal etwas vorhast, dann sag es mir bitte rechtzeitig. Natürlich nehme ich Rücksicht darauf, soweit meine Arbeit es zulässt.«

»Als wenn du mir je Bescheid gesagt hättest, wenn du zu dieser Marlen gegangen bist. Und dein beruflicher Ehrgeiz kommt immer an erster Stelle.«

Womit sie erneut ins Schwarze getroffen hatte. Er hätte den Fall Klante nicht übernehmen müssen, wollte ihn aber nicht an Herbert von Malchow abtreten. Sein Ehrgeiz und die Abneigung gegen den Kollegen waren ihm in diesem Moment wichtiger gewesen als Ilse und die Kinder. Andererseits spürte er noch die Erregung, die ihn überkommen hatte, als Robert Walther ihm den eleganten Knopf zeigte und als der alte Pole von dem Mann sprach, der Erna in den Hinterhof gefolgt war. Diese Erregung war es, die ihn von einem Fall zum nächsten lockte, die diesen Beruf zu etwas machte, das über den reinen Broterwerb hinausging. Und er war davon überzeugt, dass sich diese besondere Hingabe an seinen Beruf auch in seinen Leistungen spiegelte. Vielleicht war ihm das zu wichtig, wie er sich in seltenen Momenten eingestand.

Plötzlich hielt es ihn nicht mehr in der Wohnung. »Ich gehe noch mal weg.« Mit diesen Worten schloss er die Wohnzimmertür hinter sich, nicht laut oder abrupt, sondern als hätten sie ein freundschaftliches Gespräch geführt, das zu einem einvernehmlichen Ende gelangt war.

Er lief die Treppe hinunter, nahm zwei Stufen auf einmal, es drängte ihn, von seiner Schwester wegzukommen. Auf der Straße überlegte er kurz, dann ging er in die Kneipe an der Ecke. Otto Piene, den Wirt, kannte er schon ewig. Er stand wie immer hinter dem Tresen und polierte Gläser. Leo hielt Ottos Gläser für die saubersten in ganz Moabit. »Wenn ick poliere, kann ick jut zuhören«, pflegte der behäbige Wirt mit den Hängebacken zu sagen.

Der Boden war mit frischen Sägespänen bestreut, die Einrichtung schlicht, aber sauber. Ottos leidenschaftliches Polieren erstreckte sich auch auf Tresen und Tische. Für einen Sonntagabend war in der Kneipe viel Betrieb, Stimmengewirr und erregte Diskussionen erfüllten den kühlen Schankraum. Otto begrüßte Leo mit Handschlag und zapfte ihm ein Weißbier.

»Der Herr Kommissar am Abend«, sagte er. »Wat 'ne Ehre.«

»Voll heute«, meinte Leo. Otto brauchte nicht zu wissen, dass er es bei Ilse nicht ausgehalten hatte.

»Ja, die Leute warn bei der Kundjebung im Lustjarten. Ick konnte leider nich hin. So 'ne Sauerei mit dem Rathenau, die Mörder jehörn selber erschossen.«

Leo sah sich um. Manche Männer wirkten noch immer aufgebracht, ein KPD-Mann aus der Turmstraße hatte eine Gruppe um sich versammelt und schlug beim Reden wiederholt mit der Faust in die Handfläche. Hoffentlich hören die Politiker da oben aufs Volk, dachte er bei sich. Allzu oft waren sie taub auf dem Ohr, Republik hin oder her.

»Biste ooch dajewesen, Leo?«, fragte der Wirt.

»Ja, ich habe mir die Kundgebung angesehen. Ich kann die Leute gut verstehen. Alle haben gedacht, das Morden ist endlich vorbei, und dann geht es zu Hause weiter. Zuerst Erzberger, dann der Anschlag auf Scheidemann, jetzt Rathenau.« Leo trank sein Bier aus und stellte das Glas auf den Tresen.

»Noch eins?«, fragte der Wirt.

Leo schüttelte den Kopf.

»Schön, dat die Ilse ooch mal 'n Netten jefunden hat, wa?«, meinte Otto dann nichtsahnend.

Leo hoffte, dass ihm das Erstaunen nicht zu deutlich ins Gesicht geschrieben stand. »Hm, ja«, sagte er unverbindlich und hoffte auf eine nähere Erklärung.

Damit lag er bei dem gesprächigen Wirt genau richtig. »Hab die beiden heut Nachmittach jesehn, so um fünfe. Janz anständich, ohne Händchenhalten und Poussieren. Einfach nett. Sind 'n bisschen auf und ab spaziert.«

»Das Wetter war ja schön«, erwiderte Leo schwach, doch Otto merkte ihm anscheinend nichts an.

»Ja, ja. He, Justav, noch 'ne Molle?« Der Mann, der sein leeres Glas gehoben hatte, nickte. Leo konnte unmöglich weiterfragen, ohne seine Ahnungslosigkeit zu offenbaren. Daher legte er eine Münze auf den Tresen und verabschiedete sich von Otto.

Er ging hinaus in den kühlen Sommerabend und blieb vor der Kneipentür stehen. Dann versetzte er unvermittelt der grünen Pumpe am Straßenrand einen Fußtritt.

Sie war tatsächlich verabredet gewesen. Und hatte nicht weggekonnt, weil er den Mordfall übernommen hatte. Also musste sie mit ihrem Freund auf der Straße auf und ab gehen, während die Kinder irgendwo spielten. Leo wollte den Gedanken verdrängen, doch er bahnte sich unbeirrt seinen Weg. Wenn Ilse nun irgendwann eine eigene Familie wollte?

8

»Hier unten, siehst du – KE, das steht für Knöpfe Edel. Das ist der Hersteller.« Robert hatte Erkundigungen eingezogen. »Eine bedeutende Firma, sie beliefert Geschäfte in ganz Europa.«

Leo studierte Roberts Aufzeichnungen und sah ihn leicht gequält an. »Das heißt, der Knopf kann ebenso gut von einem Franzosen stammen, der Kunde bei einem Pariser Maßschneider ist. Oder von einem Engländer, der nach Berlin gereist ist, zufällig auf Erna Klante stieß und sie ermordet hat. Und Fingerabdrücke sind auch keine dran.« Er schlug mit der flachen Hand auf den Tisch und stand auf. »Nein, so kommen wir nicht weiter. Es führt kein Weg an den Kaschemmen vorbei. Wir gehen nachher mit Stahnke und Berns los, Stankowiak habe ich bereits dafür abstellen lassen.«

»Wir sollten der Sache trotzdem nachgehen«, meinte Robert. Er wollte den Knopf als Beweismittel nicht so rasch aufgeben. »Wir sollten bei der Firma Edel nachfragen. Vielleicht können sie uns eine Liste aller Berliner Händler und Ateliers zusammenstellen, die diese Flechtknöpfe gekauft haben.«

»Gut, fahr hin und rede mit den Leuten.« Leo stand in Gedanken versunken da. »Wenn es nicht so unwahrscheinlich wäre, würde ich sagen, die Fälle haben miteinander zu tun.«

Robert sah ihn fragend an.

»Die Hure und der Heiler, klingt wie ein Schundroman. Aber überleg doch mal: In beiden Fällen stammten die Tatwerkzeuge aus der Wohnung, der Mörder ging entweder mit hinein oder wurde anstandslos eingelassen, denn es gibt keinerlei Anzeichen eines Einbruchs und praktisch keine Spuren. Fingerabdrücke – ebenfalls Fehlanzeige. Ich bin gespannt, wie es bei Erna Klante mit dem Motiv aussieht.«

Robert überlegte. »Das alles kann purer Zufall sein, Leo. Die Milieus sind doch vollkommen unterschiedlich. Ich weiß nicht, ob die paar Ähnlichkeiten diese Annahme rechtfertigen.«

»Vermutlich hast du Recht. War nur so ein Gefühl.«

Robert warf ihm einen Seitenblick zu. Er kannte Leos Gefühle. Und wusste, dass er damit nur selten danebenlag.

In diesem Augenblick ging die Tür auf und Dr. Lehnbach trat ins Zimmer. Leo begrüßte ihn überrascht. »Seltener Besuch. Bitte nehmen Sie Platz.«

Der Arzt blieb stehen. »Ich bin in Eile, Herr Kommissar, wollte aber kurz meinen Bericht im Fall Klante ergänzen. Ich habe mir die Leiche noch einmal genau angesehen und am Hals depigmentierte Flecken entdeckt, ein sogenanntes Halsband der Venus. Ähnliche Flecken stellte ich an den vorderen Achselfalten fest.«

Leo beugte sich gespannt vor. »Und? Was heißt das?«

»Die Ursache ist eher prosaisch. Die Flecken deuten auf eine Syphiliserkrankung im zweiten Stadium hin. Sie können auch an den Genitalien oder im Mund auftreten, sind an Hals und Nacken aber am deutlichsten zu erkennen. Sie waren mir wegen der Strangulationsspuren zunächst nicht aufgefallen.«

»Heißt das, sie könnte ihre Freier angesteckt haben?«, fragte Robert.

»Nicht so hastig. Ich habe ansonsten keinerlei Anzeichen einer derartigen Erkrankung festgestellt. Die Flecken können schon Jahre alt sein. Als Prostituierte hat sie sich vermutlich behandeln lassen, es ging immerhin um ihren Broterwerb. Die Krankheit wurde dem Anschein nach fachgerecht mit Salvarsan oder Neosalvarsan therapiert. Außerdem ist sie lediglich im ersten und zweiten Stadium ansteckend.«

»Demnach wäre es wohl kein Motiv für einen Mord, oder?«,

warf Leo nachdenklich ein und verschränkte die Hände im Nacken.

Der Arzt zuckte mit den Schultern. »Vermutlich nicht. Aber für die Motive sind Sie zuständig.«

»Vielen Dank, Herr Dr. Lehnbach. Dürfte ich Sie bitten, mir den Befund schriftlich nachzureichen?«, fragte Leo.

»Natürlich, ich schicke ihn morgen hoch. Auf Wiedersehen, die Herren.« Mit einer knappen Verbeugung verließ er das Büro.

»Kurz angebunden, aber äußerst fähig«, meinte Leo anerkennend. »Wir sollten uns umhören, ob jemand von ihrer Krankheit wusste.«

Teure Viola,
ich weiß, dass Du heute in Berlin zurückerwartet wirst. Da ich ein altmodischer Mensch bin, schreibe ich Dir, bevor wir uns sehen. Ein Brief ist ein wunderbarer Weg, um einem lieben Menschen mitzuteilen, was einen im Innersten bewegt.

Deine Abwesenheit hat mich betrübt, aber da ich ständig Dein Bild vor Augen hatte, konnte ich daraus Kraft schöpfen. Ich kann es kaum erwarten, endlich Tag für Tag mit Dir zusammen zu sein. Mit Dir zu reisen. Die Welt zu sehen.

Manchmal kommt es mir vor, als hätte ich jahrelang in einem Kokon gelebt, eingesponnen in meine Einsamkeit. Als hätte ich die Welt wie durch eine Glasscheibe gesehen, die mich von den anderen Menschen trennte.

Dann kamst Du. Ich werde nie vergessen, wie ich Dich auf dem Silvesterball zum ersten Mal gesehen habe. Dein Kleid war schilfgrün, Du hast ausgesehen wie eine Wassernixe, die über das Parkett schwebt, ohne es zu berühren.

Nun ist der Kokon zerbrochen. Ich winde mich heraus, mühsam noch, mache unsichere Schritte, sehe die Welt wie ein Schlafender, der endlich die Augen öffnet. Doch mit Deiner Hilfe werde ich wieder gehen lernen. Es gibt nicht mehr viel, was mich von unserem gemeinsamen Leben trennt. Nur noch kurze Zeit, dann werden wir eine Zukunft beginnen, die sich wie ein prachtvoller Teppich vor uns entrollt.

Lass uns am Sonntag am Wannsee spazieren gehen. Dort können wir uns ungestört unterhalten, das schöne Wetter genießen und endlich einmal ganz allein sein.

In tiefer Liebe,
Dein Max

Hoffentlich hatte er sich von seinem Überschwang nicht zu sehr hinreißen lassen. Manche Formulierungen klangen ein wenig gekünstelt oder unbeholfen, aber das Gefühl, das er damit ausdrücken wollte, war echt. Es fiel ihm einfach leichter, seine Gedanken dem unberührten Papier anzuvertrauen, als sie Viola persönlich zu gestehen. Er war kein guter Redner, kein Schmeichler. Und in letzter Zeit unterliefen ihm manchmal so dumme Versprecher.

Die Kriminalassistenten Stahnke und Berns traten ein, wenig später kam auch Ernst Stankowiak.

Leo bat die drei Männer, Platz zu nehmen. Er selbst setzte sich auf die Schreibtischkante und beugte sich vor. »Sie wissen, dass wir vor einer schwierigen Aufgabe stehen. Da wir nicht ausschließen können, dass es ein Milieumord war, bei dem es um rivalisierende Luden oder kriminelle Machenschaften ging, werden wir das Viertel gründlich durchleuchten. Das heißt, alle in Frage kommenden Kaschemmen, Bordelle, Speisehallen und Geschäfte überprüfen.«

»Wir sollten zuerst mit den Wirten sprechen«, meldete sich Stankowiak zu Wort. »Die wissen eine Menge über ihre Gäste.«

Leo nickte ihm zu. »Sie kennen sich auf dem Kiez besser aus als wir, daher wollte ich Sie gern in meiner Mannschaft haben.

Und denken Sie daran, es geht heute nur um die Prostituierte Erna Klante, ihre Vergangenheit, ihre Kunden, ob sie einen Luden hatte, wie lange sie im Viertel auf den Strich ging und so weiter. Wer sie wann und wo zuletzt gesehen hat. Ob noch jemand außer dem Zeugen Zylberstein den eleganten Freier bemerkt hat. Verstanden?«

Stahnke, Berns und Stankowiak nickten.

Leo deutete auf den Stadtplan, der neben der Tür hing. »Wir fangen mit der Linienstraße an, ›Blauer Strumpf‹, ›Katakombenkeller‹ und so weiter. Die Straße ist ziemlich lang, dafür müssen wir viel Zeit einplanen. Da die Tote dort gewohnt hat, sollten wir gerade in dieser Straße mit größter Sorgfalt vorgehen. Danach kommen ›Augustkeller‹ und ›Joachimskeller‹ an die Reihe. Und vergesst nicht das ›Dalles‹.«

Er wandte sich an Stankowiak: »Können Sie mir Namen von Hautärzten besorgen, die auch Prostituierte behandeln?«

»Natürlich. Wir haben eine Liste im Dezernat. War die Frau krank?«

»Der Leichendoktor hat Anzeichen einer früheren Syphiliserkrankung festgestellt.«

Der Pole runzelte die Stirn. »Ich habe nie etwas darüber gehört. Sie hieß nur die alte Erna, es gab keinen Spitznamen, der irgendwie auf ihre Krankheit hingedeutet hätte. Aber ich höre mich mal bei den Kollegen um, die schon länger dabei sind.«

Leo nickte. »Gut. Gehen wir los.«

Im Hof des Gebäudes stiegen sie in einen der schwarzen Dienstwagen. Als Leo aus der Toreinfahrt bog, lief ihnen um ein Haar eine Frau vor den Wagen. Er hielt an und half der Frau, die gestolpert war, vom Boden auf.

Sie war noch jung, doch ihr Gesicht wirkte verkniffen vor Hunger. Die Hand, mit der sie sich an seinem Ärmel festhielt, sah aus wie eine Kralle, und er vermutete, dass sie aus Schwäche vor den Wagen getorkelt war.

»Haben Sie sich wehgetan?«

Stahnke war dazugetreten und hob ein Einkaufsnetz auf, das neben dem linken Vorderrad auf dem Gehweg lag. Es war leer. Er reichte es der Frau, die die Männer, die aus dem großen Wagen gestiegen waren, verwirrt ansah.

»Nein, ich wollte nur... es gab Brot, aber dann war schon alles weg. Sie haben mich woandershin geschickt.«

Leo schob sie sanft beiseite, stieg wieder ein und fuhr ruckartig auf die Straße hinaus.

Stahnke räusperte sich. »Das geht einem nahe, Chef, aber es sind so viele. Seit dem Krieg läuft es einfach nicht mehr rund. Bei mir im Haus hat sich letzte Woche einer erhängt, war ohne Arbeit. Hat Frau und drei Kinder, die stehen demnächst auf der Straße.«

Leo war es nicht gewöhnt, dass der Kriminalassistent so offen sprach. »Ja, wir sollten nicht jammern wegen unserer schmalen Gehälter. Immerhin sind die Stellen bei der Polizei sicher.«

»Dafür sorgen schon die da«, warf Berns ein, dem bei ernsten Unterhaltungen unbehaglich wurde, und deutete auf die rechte Straßenseite, wo ein Streifenpolizist gerade einem Mann mit Schiebermütze die Arme auf den Rücken drehte und dessen Taschen abklopfte. Eine goldene Uhr blitzte auf, die sicher nicht dem Mann mit der Mütze gehörte.

»Das war Finger-Paul«, meinte Stankowiak lakonisch. »Den lassen sie immer wieder laufen. Nächsten Monat hockt der mit seinen Kumpanen im ›Augustkeller‹ und plant was Neues.«

Leo hörte mit einem Ohr zu, während er den Wagen durch die engen Straßen des Viertels lenkte. Die Gegend übte eine unbestreitbare Faszination auf ihn aus, die vermutlich in ihren starken Gegensätzen begründet lag. Die Grenadierstraße mit ihren jüdischen Geschäften und Betstuben, Religionsschulen und kleinen Synagogen grenzte unmittelbar an die schäbigen Bordelle und Kaschemmen der Nebenstraßen, in denen sich Verbrecher jeglicher Couleur trafen. Das »Dalles«, das größte der Lokale, galt als Treffpunkt für Einbrecher, Räuber, Fälscher und Taschendiebe, die hier ihre Pläne ausheckten. Daneben gab es Läden, die billigen Tand anboten, und kleine Kinos mit den »neuesten Sensationsfilmen«. In diesem Viertel mit seinen dichtgedrängten, schmalen Häusern und eng verwinkelten Gassen lebten tiefreligiöse Menschen Tür an Tür mit kriminellem Gesindel, Luden und heruntergekommenen Huren.

Er parkte an der Ecke Rosenthaler und Linienstraße, nicht weit von dem Haus, in dessen Hinterhof der Mord geschehen war. Schon jetzt, am späten Vormittag, trieben sich hier zwielichtige Gestalten herum. An einer Ecke stand ein Leierkastenmann, der sich ständig kratzte, so dass man geradezu meinte, die Läuse über seinen Kopf wimmeln zu sehen. Grell geschminkte Frauen in leuchtend bunten Kleidern drückten sich an den Hauswänden und in Eingängen herum. Die unauffälligen Fassaden der Lokale ließen nicht ahnen, was in ihrem Inneren vorging. Ein Lumpensammler lenkte sein Fuhrwerk kollernd über das Pflaster, doch hier hatte niemand etwas zu verschenken.

»Stankowiak, Sie kommen mit mir, Stahnke und Berns, Sie fangen drüben im ›Katakombenkeller‹ an. Wir nehmen die andere Straßenseite. Fragen Sie auch in den Geschäften nach. Um fünf treffen wir uns wieder hier.«

»Mich juckt's schon, wenn ich nur aus dem Wagen steige«, knurrte Berns mit einem Blick auf den Leierkastenmann. Die beiden Kriminalassistenten zogen los.

Stankowiak zündete sich eine Zigarette an. »Sie auch, Herr Kommissar?«

»Nein danke.« Leo sah sich um. Ein paar Häuser weiter befand sich ein kleines Kolonialwarengeschäft. Die Schaufenster links und rechts der Tür waren mit Haushaltswaren vollgestopft, die offenbar seit Jahren niemand mehr berührt hatte. Mausefallen, Wischlappen, Emailleschüsseln, über allem hing der gleiche graue Staubschleier.

Im Türrahmen bemerkte Leo eine Höhlung, in der eine kleine Pergamentrolle steckte. Die Schrift über der Ladentür war hebräisch.

Stankowiak sah hoch und schüttelte bedauernd den Kopf. »Das kann ich nicht lesen. Ich bin Katholik.«

»Aber Sie können dolmetschen, falls die Leute nicht Deutsch sprechen.«

Sie traten ein, wobei die Ladenglocke über ihren Köpfen dissonant schepperte. Im Laden herrschte Halbdunkel, und von allen Seiten drangen Gerüche auf sie ein. Das Gemisch aus Zwiebeln, Äpfeln, Scheuermittel und Käse verwob sich zu einem Duftbild, das ihnen mehr über die Umgebung verriet als ihre Augen. Aus dem Hinterzimmer drang leises Rumoren, bevor ein gebeugter Mann mit schwarzem Hut, unter dessen Krempe schütteres Haar hervorlugte, herausgeschlurft kam und hinter die Theke trat.

»Guten Tag, ich bin Kommissar Leo Wechsler, Kriminalpolizei«, stellte Leo sich vor. Der alte Mann schaute ihn unsicher an, der Blick seiner tief in den Höhlen liegenden Augen schien aus weiter Ferne zu kommen. »Stankowiak?«

Sein Kollege übersetzte Leos Worte. Der alte Mann neigte leicht den Kopf. »Izaak Szylinski«, sagte er mit leiser Stimme.

Leo holte eine Photographie aus der Tasche. »Fragen Sie ihn, ob er die Frau gekannt hat.«

Stankowiak übersetzte und reichte Szylinski das Bild von Erna Klante, die man so hergerichtet hatte, dass die Strangulationsspuren am Hals nicht zu erkennen waren. Der Alte deutete mit der Hand aufs Hinterzimmer, in dem ein Fenster mehr Licht spendete, und nahm die Photographie mit. Sie hörten einen erstickten Laut, dann schlurfte er eilig zu ihnen zurück.

»*Znatem jà... Naprawd´ nie´´yje?*«, fragte er bestürzt.

»Ich habe sie gekannt... sie ist also wirklich tot?«, übersetzte Stankowiak und fügte rasch hinzu: »Hier sprechen sich Verbrechen rasch herum, das muss nichts heißen.«

»Natürlich nicht. Fragen Sie, von wem er es erfahren hat?«

»Der Hauswirt Seidel hat es ihm erzählt. Er kauft gelegentlich Zwiebeln bei Herrn Szylinski, weil es die besten im Viertel sind. Er hat einen Gemüsegarten, in dem er sie selber zieht, weil die vom Großmarkt nicht gut genug sind.« Stankowiak hörte aufmerksam zu und dolmetschte weiter: »Erna Klante ist seine Kundin gewesen und hat bei ihm anschreiben lassen. Gemüse, Graupen, Körperpuder. Aber er verzichtet auf das Geld. Die Toten solle man in Ruhe lassen.«

Der alte Mann neigte den Kopf, als hätte er die deutschen Worte verstanden.

Leo nickte. »Stankowiak, fragen Sie ihn, ob ihm am Tag des Mordes etwas aufgefallen ist.«

Der Ladenbesitzer überlegte und kratzte sich unter dem Hut am Kopf. Bei seinen nächsten Worten, die etwas unsicher klangen, sah Stankowiak Leo an. Dann übersetzte er: »Am 24. Juni, dem Tag des Mordes, war mein Geschäft wegen des Sabbat geschlossen. Abends bin ich noch etwas spazieren gegangen, weil das Wetter so schön war. In der Mulackstraße habe ich Erna Klante gesehen. Sie grüßte mich und sagte etwas verlegen, sie werde ihre Schulden bald bezahlen. Ich drehte mich noch einmal um und sah, wie ein Mann sie ansprach. Dann sind beide zusammen in Richtung Kleine Rosenthaler Straße gegangen.«

»Und die mündet in die Linienstraße. Wann war das?«, hakte Leo nach.

»Es war noch hell. Kurz vor neun, schätzt Herr Szylinski.«

»Wie sah der Mann aus?«

»Er hat ihn nur von weitem gesehen. Gut gekleidet, Hut weit ins Gesicht gezogen. Einen braunen Mantel hat er getragen.«

»Sagen Sie ihm, er soll seine Aussage bitte morgen im Präsidium zu Protokoll geben. Und dass ich ein Pfund Zwiebeln nehme.«

Stankowiak sah ihn überrascht an. Ein kleiner Beitrag zum häuslichen Frieden mit Ilse, dachte Leo.

Stahnke und Berns hatten den »Katakombenkeller« betreten, der um diese Tageszeit erstaunlich gut besucht war. Der Raum war ziemlich dämmrig, da er im Souterrain lag, in das eine ausgetretene Steintreppe hinunterführte. Zwischen den zwielichtigen Gestalten saßen einige Männer, die wie anständige Arbeiter aussahen und wohl wirklich wegen der Erbsensuppe hergekommen waren. Das Besteck war mit langen Eisenketten an den Wänden befestigt, um zu verhindern, dass der Wirt ständig eine neue Ausstattung anschaffen musste. Im ganzen Raum hing ein Dunst aus Suppe und dem Rauch billiger Zigaretten.

»Der kennt seine Pappenheimer«, meinte Stahnke mit einem Blick auf das Besteck. Berns grinste nur.

Der Mann hinter der Theke war klein und stämmig, sein Kopf glatt und rund wie eine Billardkugel. Dafür trug er einen umso größeren Schnurrbart. »Wie der gute Kaiser Wilhelm«, meinte Berns. »Guten Tag, Kriminalpolizei. Wir ermitteln im Mordfall Erna Klante. Schon davon gehört?«

Der Wirt nickte. »Det jeht schnell aufm Kiez. Kehle durch, wa?«

Berns überging die Frage. »Haben Sie sie persönlich gekannt?«

»War nur ab und an mal hier. Keen Stammjast. Hat lieber inner Bumse in der Mulackstraße verkehrt, ›Rote Hand‹, gloob ick.«

»Wissen Sie, wie es bei ihr mit der Kundschaft stand?«

»Na, die Erna war ja nich mehr taufrisch. Hat kaum noch Freier jefunden. Die hätt fast draufzahlen müssen, damit se ihr nehmen.«

»Wissen Sie, ob Sie bei irgendjemandem Schulden hatte? Ob sie getrunken hat? Mit jemandem über Kreuz war?«, bohrte Stahnke und verdrehte die Augen, weil sie ihrem Gegenüber alles einzeln aus der Nase ziehen mussten.

Der Wirt bückte sich und hob einen schmierigen Lappen vom Boden auf, mit dem er den Tresen abwischte, der danach schmutziger aussah als zuvor. »He, Fritze, komm mal her«, rief er einem älteren Mann zu, der allein an einem Tisch saß und Karten legte. Er stand auf und hinkte auf sie zu. Berns fielen sofort die langen weißen Haare auf, die ihm aus der Nase wuchsen.

»Det is der Fritze, der hat se jekannt. Die sind wegen die Erna hier. Kripo.«

Fritze hob die Achseln. »Det arme Ding. Ick hab ihr jeholfen, die Wohnung zu finden. Det Kabäuschen, mein ick, mehr war det ja nich. Wusste nich, wo se unterkommen sollte.«

»Wann ist denn das gewesen?«

»Vor drei Jahren unjefähr. Kurz nach 'm Kriech. Hat mir halt leidjetan. Stand vorm Asyl und wusst nich wohin. Ick kenn den Justav Seidel und hab ihn jefragt, ob se bei ihm unterkommen kann. Da isse dann jeblieben.«

»Hat Sie Ihnen je erzählt, wo sie vorher gewohnt hat?«

Fritze schüttelte den Kopf und linste begehrlich zu den Schnapsflaschen hinter dem Tresen. Stahnke legte eine Münze auf die Theke.

»Det weeß ick ooch nich. Hat nur jesacht, sie hätten ihr jekündigt, konnt die Miete nich berappen. Det arme Ding«, wiederholte er. »War ja 'n Klapperjestell, aber sonst nich übel.«

»Wissen Sie, ob sie schon immer auf den Strich gegangen ist?«

Fritze tat, als überlegte er. Dann hüstelte er gespielt vornehm und meinte hinter vorgehaltener Hand: »Na ja, et gab immer mal wieder Jerede von wegen, sie wär mal in 'nem feinen Haus jewesen, 'nem elejanten Bordell. Richtich ordinär war se jedenfalls nich. Wenn ick mir begucke, wat hier so rumläuft. Lauter Schlunzen, sach ick Ihnen.«

»Und wo könnte dieses Bordell gewesen sein? Hier in Berlin? Und warum hat sie dort aufgehört?«

Fritze kippte den Schnaps, den ihm der Wirt hingestellt hatte, und zuckte die Achseln. »Det weeß ick ooch nich. Jehn se doch mal in die ›Rote Hand‹ von der Wilma Denecke, det is 'ne Kneipe in der Mulackstraße. Da isse ooch schon mal hinjejangen. Weiberkram bereden und so.«

Stahnke und Berns bedankten sich und verließen den »Katakombenkeller«.

»Irgendwie hab ich das Gefühl, ich müsste mich waschen«, meinte Berns und wischte sich die Hände an der Hose ab.

»Scheißgegend«, stimmte Stahnke ihm zu.

Das rote Backsteingebäude, das mit seinen verspielten Türmchen ans Präsidium erinnerte, verströmte innen Wärme und Eleganz. Nur das dezente Schild neben der Tür ließ erahnen, dass hier Knöpfe hergestellt und vertrieben wurden. Das Treppenhaus war in honigbraunem Holz gehalten, die Stufen mit einem weinroten Teppich ausgelegt. Der Pförtner wies ihm den Weg in den ersten Stock, wo Herr Lehmann, der Verkaufsdirektor, residierte.

Der obere Flur war von Vitrinen gesäumt, in denen die Kollektionen früherer Jahre ausgestellt waren. Dazwischen hingen Porträts eleganter Damen und Herren der Gesellschaft, die wohl zu den Kunden von Knöpfe Edel gehörten, und Modezeichnungen in schlichten Rahmen. Es roch nach Bohnerwachs und Leder, und Robert genierte sich ein wenig, als er das Quietschen seiner Schuhe in der fast feierlichen Stille vernahm. Er blieb vor einer Tür auf der rechten Seite stehen und klopfte. Eine Frauenstimme bat ihn herein.

Die Vorzimmerdame saß hinter einem mächtigen Schreibtisch und schaute ihn freundlich an. »Guten Tag, ich bin Fräulein Merkert, die Sekretärin von Herrn Lehmann. Was kann ich für Sie tun?« Trotz der strengen Brille sah sie ziemlich jung und ansprechend aus. Robert zeigte seinen Ausweis vor, doch sie schaute kaum hin und ließ sich keine Überraschung angesichts dieses Besuchs anmerken. »Selbstverständlich glaube ich Ihnen, dass Sie von der Polizei sind. Kommen Sie bitte.« Sie deutete auf eine zweiflügelige Tür, klopfte an und öffnete.

»Herr Kriminalsekretär Walther.«

»Danke, Fräulein Merkert.«

Sie nahm ihm Hut und Mantel ab und zog sich ins Vorzimmer zurück.

Der Mann mit der spiegelglatten Glatze und dem ausladenden Schnurrbart war hinter seinem Schreibtisch hervorgetreten und gab Robert die Hand. »Karl Lehmann. Was kann ich für Sie tun? Wir haben nicht oft die Polizei im Haus. Nehmen Sie doch Platz.«

Robert, der es gewöhnt war, als Kriminalbeamter oft herablassend behandelt zu werden, war angenehm überrascht.

»Zunächst einmal vielen Dank, dass Sie Zeit für mich gefunden haben.«

»Ich finde Kriminalarbeit spannend«, meinte der Verkaufsdirektor lächelnd und strich sich über den Schnurrbart. »Auch wenn sie angeblich ganz anders ist als in den Romanen.«

»Ein bisschen anders ist sie schon«, sagte Robert, der nie auf die Idee gekommen wäre, Kriminalromane zu lesen. Er neigte eher zu Kreuzworträtseln und dem Sportteil der Zeitung. Dann holte er eine kleine Papiertüte aus der Jackentasche, schüttelte den Knopf heraus und reichte ihn Herrn Lehmann. »Kennen Sie diesen Knopf?«

Der Verkaufsdirektor warf einen prüfenden Blick darauf: »Ja, der ist von uns. Aus der Winterkollektion, mal überlegen, 1919/1920. Hat sich gut verkauft.«

Robert seufzte innerlich. Genau das hatte er befürchtet.

»Ich nehme an, er ist für anspruchsvolle Kunden gedacht.«

»Ja, er gehörte zu unseren teuersten Modellen«, entgegnete Herr Lehmann. »Die Herstellung des Flechtwerks ist sehr aufwendig.«

»Könnten Sie uns eine Liste der Kunden zusammenstellen, die diesen Knopf gekauft haben?«

»Gern, aber es kann einige Tage dauern. Allerdings haben wir auch Kunden im Ausland, die die Ware ebenfalls weiterverkaufen, was ich natürlich nicht mehr nachvollziehen kann.«

»Es wäre dennoch eine Hilfe, Herr Lehmann.«

Der Verkaufsdirektor beugte sich ein wenig vor. »Darf ich fragen, worum es geht?«

»Wir ermitteln in einem Mordfall. Der Knopf wurde am Tatort gefunden.« Robert sprach ungern über laufende Fälle, wollte aber nicht unhöflich erscheinen. »Er ist eine heiße Spur.«

Ein wissendes Lächeln huschte über Herrn Lehmanns Gesicht. Den Satz kannte er wohl aus seiner umfangreichen Kriminallektüre.

In diesem Augenblick trat ein hochgewachsener Mann mit streng gescheiteltem silberblondem Haar ein, den Robert auf Anfang bis Mitte dreißig schätzte. Er hatte nicht angeklopft. Musste er auch nicht, dachte Robert angesichts von Herrn Lehmanns Reaktion, denn dieser war sofort respektvoll aufgestanden. »Herr Direktor...«, setzte er an, »das ist Herr Walther von der Kriminalpolizei.«

Der Mann schaute Robert kurz an und wandte sich dann an seinen Angestellten.

»Wenn Sie hier fertig sind, kommen Sie bitte in mein Büro. Der Londoner Vertreter ist da. Wir wollen die neue Herbstware besprechen.«

Herr Lehmann nickte beflissen, schon war sein Vorgesetzter verschwunden. »Das war Herr Edel, der Eigentümer der Firma.«

»Ist es nicht ungewöhnlich, dass er persönlich hereinkommt und Sie zu sich bittet?«

»Ach nein, er ist nicht von oben herab«, meinte Herr Lehmann. »Er hat früher sehr zurückgezogen gelebt, geht erst in den letzten Jahren mehr in Gesellschaft. Er hat wohl unter seinem alten Herrn gelitten, das war vielleicht ein harter Hund.«

Robert staunte über die plötzliche Redseligkeit des Verkaufsdirektors und unterbrach ihn nicht, da er bei scheinbar belanglosen Plaudereien oft interessante Dinge erfuhr.

»Als der Alte im Jahre siebzehn starb, waren viele in der

Firma froh. Wir wussten zwar nicht, was uns bei dem Sohn erwartete, weil er sich früher selten im Betrieb gezeigt hat, aber es hätte schlimmer kommen können. Kein großer Kaufmann, aber dafür hat er ja seine Leute. Wie mich«, fügte er mit einem bescheidenen Lächeln hinzu. »Sein Geschmack in Sachen Knöpfe ist allerdings unfehlbar.« Dann sah er auf die Uhr. »Aber ich möchte Sie nicht aufhalten, Herr Walther. Ich werde Ihnen die Liste zusammenstellen. Soll ich mich melden, wenn sie fertig ist?«

»Ja, bitte. Und vielen Dank, dass Sie sich die Zeit genommen haben«, sagte Robert höflich und stand auf. Dann fiel ihm noch etwas ein. »Wie werden Knöpfe eigentlich hergestellt?«

Herr Lehmann blickte etwas erstaunt, lächelte dann aber und sagte mit einer einladenden Handbewegung zum Betrieb hin: »Sie können jederzeit wiederkommen, dann organisiere ich eine Führung für Sie.« Robert nickte und verabschiedete sich.

Etwas war merkwürdig gewesen, nur ein flüchtiger Eindruck, der ihm schon entglitt. Er verfolgte ihn auf dem Weg durchs Treppenhaus und ging ihm auch draußen auf der Straße nicht aus dem Sinn. Als er den Weg zur nächsten Straßenbahnhaltestelle einschlug, fiel sein Blick auf eine blinde Bettlerin, die den Passanten eine Blechschüssel hinstreckte. Da erinnerte er sich. Herr Edel hatte seltsame Augen gehabt.

9

Nachdem sie eine Bockwurst mit Brot gegessen hatten, zogen Leo und Stankowiak weiter die Linienstraße entlang. Außer bei Szylinski hatten sie bislang nichts erreicht. Sie waren bei sämtlichen Nachbarn der Toten gewesen, doch angeblich hatte niemand Erna Klante näher gekannt. Ganz so unwahrscheinlich war das nicht, da sie im Hof gewohnt hatte und vermutlich selten ins Vorderhaus gekommen war. Die Leute hatten gewusst, welchem Gewerbe sie nachging, was in dieser Gegend kein Grund zu sittlicher Entrüstung war, aber die Freier konnte niemand näher beschreiben. »Warn ja ooch nich so ville«, hatte eine ältere Frau erklärt.

Leo wischte sich die Stirn ab und zog entschlossen den Mantel aus. »Ganz schön warm. Geben Sie mir Ihren auch, ich lege sie in den Wagen.«

Beim Zurückkommen entdeckte er auf der gegenüberliegenden Straßenseite ein Pfandhaus. Stankowiak folgte ihm zu dem erstaunlich geräumigen und gepflegten Laden, in dessen Fenstern eine große Auswahl an Schmuck, silbernen Zigarettenetuis und anderen wertvollen Dingen angeboten wurde. Über der Tür hing ein Schild mit drei goldenen Kugeln, dem traditionellen Symbol der Pfandleiher. Das Geschäft schien in dieser Gegend zu blühen, und Leo fragte sich, ob irgendetwas in diesem Laden ehrlich erworben oder geerbt worden war. Ein Pfandleiher konnte im Scheunenviertel als Hehler durchaus auf seine Kosten kommen.

Sie betraten den Laden, eine melodische Glocke kündigte die Besucher an. An den Wänden standen Vitrinen mit weiteren

Wertstücken. Ein Mann mit streng nach hinten gekämmten schwarzen Haaren, die glatt wie Lack wirkten, spähte über seine goldgerahmte Brille, die Hände auf die Theke gestützt.

»Guten Tag, die Herren, womit kann ich dienen? Ein Schmuckstück für die werte gnädige Frau? Oder soll es für Sie selbst sein? Zigarettenetui? Lederne Aktentasche? Schildpattkamm?«

Seine Stimme klang hoch, beinahe schrill, und er rieb sich auf unangenehm raschelnde Weise die Hände, als Leo und Stankowiak näher traten. Vertraulich beugte er sich vor. »Oder etwas Nettes für die kleine Freundin?«

Leo räusperte sich. »Kriminalpolizei, ich bin Kommissar Wechsler, Morddezernat, das ist Kriminalsekretär Stankowiak vom Sittendezernat.«

Der Mann fiel sichtlich in sich zusammen. »Aber, aber, die Herren, und das an einem so schönen Tag, was habe ich denn verbrochen? Ich bin einer der wenigen ehrlichen Geschäftsleute in dieser Gegend, das müssen Sie doch wissen. Albert Krapohl mein Name.«

Leo grinste. »Bis jetzt weiß ich gar nichts über Sie, aber wenn Sie weiter so reden, fällt mir vielleicht ein, was gegen Sie vorliegen könnte. Wir sind im Mordfall Erna Klante hier. Haben Sie davon gehört?«

»Nein. Wer soll das gewesen sein?«

»Eine Prostituierte. Sie wurde am vergangenen Samstag in einem Hinterhofverschlag hier in der Linienstraße ermordet.«

»Ich bin erst heute zurückgekommen. Ein Trauerfall in der Familie, ich war einige Tage in Magdeburg. Der Name ist mir im Übrigen wirklich nicht bekannt.«

Leo holte die Photographie aus der Brieftasche und legte sie auf den Verkaufstresen. Der Pfandleiher schob die Brille auf die Nase und betrachtete das Bild der toten Prostituierten. Dann kratzte er sich am Kinn. »Augenblick, da fällt mir etwas ein.

Die Frau habe ich tatsächlich schon mal gesehen. Sie hat etwas beliehen, aber das ist schon länger her.«

Er zog ein schweres, in grünes Leder gebundenes Journal unter der Theke hervor und schlug es auf. Dann fuhr er mit einem manikürten Finger an den langen Reihen der Namen entlang, bis er bei einem Datum im vergangenen November innehielt. »Hier, Gertrud Marhenke. Das muss sie sein. Ich weiß nicht, warum sie einen falschen Namen angegeben hat.«

»Vielleicht war es ihr unangenehm«, warf Leo ein. »Was hat sie denn beliehen?«

Statt zu antworten, trat der Mann an eine Vitrine und nahm eine mit Granat besetzte Brosche in Form eines Marienkäfers heraus, die auf einem Samtkissen lag. »Brosche, 555er Gold, besetzt mit Granat und Onyx, keine Namenspunze.« Er blickte auf. »Der Wert besteht vor allem in der Goldschmiedearbeit, die Einlegearbeiten sind sehr aufwendig. Sie hat übrigens hundertfünfzig Mark dafür erhalten und das Pfand nicht ausgelöst. Seither biete ich es zum Verkauf an.«

Leo nahm den Käfer in die Hand und drehte ihn um. »Hier ist eine Gravur.« Er trat mit der Brosche ans Fenster. »Für mein Käferchen, Mai 1910, Kurt.«

Stankowiak war neben ihn getreten. »Das ist lange her.«

»Ja, aber wir müssen jedem Hinweis nachgehen. Die Brosche ist beschlagnahmt. Geben Sie mir bitte ein Blatt Papier, Herr Krapohl.«

Der Pfandleiher reichte Leo achselzuckend einen Bogen Briefpapier, auf dem dieser eine formlose Quittung ausstellte und dem Mann aushändigte.

»Wissen Sie, von wem das Schmuckstück stammen könnte?«

Der Mann schüttelte den Kopf. »Leider nicht. Es gibt viele Goldschmiede in Berlin, außerdem kann die Brosche ebenso gut aus einer anderen Gegend stammen. Zwölf Jahre sind eine lange Zeit, da kann sich die Frau ganz schön in der Weltgeschichte herumgetrieben haben.«

»Trotzdem vielen Dank.« Leo schob die Brosche, die der Pfandleiher in ein samtbezogenes Kästchen gelegt hatte, in seine Jackentasche, lüftete kurz den Hut und verließ mit seinem Kollegen das Pfandhaus.

»Ihr muss viel an der Brosche gelegen haben, wenn sie so lange mit dem Versetzen gewartet hat«, meinte Stankowiak.

»Ja, das Geld hätte sie wohl schon früher gebrauchen können.«

Die Straße war mittlerweile sehr belebt. Je näher der Abend rückte, desto mehr Menschen drängten aus den schmalen Häusern auf die Gehwege. Fliegende Händler, schäbige Prostituierte und ärmlich gekleidete Arbeiter schienen den warmen Abend nicht in den feuchten Mauern der engen Gebäude verbringen zu wollen. Zwischen ihnen bewegten sich orthodoxe Juden in schwarzen Hüten und langen Kaftanen. Ein junges Mädchen mit maskenhaft geschminktem Gesicht zupfte Leo am Ärmel. Er machte sich unwillig los. Kurz vor sechs, es war Zeit für den Feierabend.

Stahnke und Berns warteten bereits am Wagen. Berns biss gerade in eine Bulette und deutete kauend auf seinen Kollegen, der sofort den Notizblock zückte. »Wir haben etwas.«

»Wir auch. Dann war der Tag ja nicht umsonst«, meinte Leo und schloss die Wagentür auf. »Wir besprechen das noch kurz im Büro.«

»Ich dachte, du bist schon weg«, sagte Robert, der zur Tür hereinkam, als Leo gerade gehen wollte.

»Bin ich auch fast. Wie war es bei dir?«

»Soll ich es dir bei einer Molle erzählen?«, fragte Walther, dem augenscheinlich auch nach Feierabend war. Er hatte sich nach dem Gespräch in der Knopffabrik noch in verschiedenen Kurzwarengeschäften und Warenhäusern umgehört.

Sie suchten eine Kneipe in der Nähe des Präsidiums auf und setzten sich mit ihren Biergläsern in eine abgelegene Ecke.

»Ich habe mit dem Verkaufsdirektor Herrn Lehmann gesprochen. Sehr verbindlich, ein passionierter Leser von Kriminalromanen. Er wird uns eine Liste aller Kunden zusammenstellen, die diese Knöpfe gekauft haben. Die Großhändler haben sie allerdings an kleine Geschäfte weiterverkauft, diese Ware werden wir wohl nicht mehr verfolgen können.«

»Trotzdem gute Arbeit.«

»Ich habe auch kurz den Besitzer der Firma kennen gelernt, Herrn Max Edel. Er scheint der gestalterische Kopf des Unternehmens zu sein. Nachdem er im Büro gewesen war, wurde Herr Lehmann richtig gesprächig.«

»Hat er geklatscht?«, fragte Leo interessiert.

»Nichts von Bedeutung. Nur dass Herr Edel früher sehr zurückgezogen gelebt habe. Er hat die Firma vor fünf Jahren übernommen, nachdem sein Vater gestorben war.«

Leo stützte den Kopf in die Hand und zeichnete mit dem Bierglas Kreise auf den rohen Tisch. »Verdammt, man könnte glauben, die Frau hätte völlig isoliert gelebt. Ein paar flüchtige Bekannte, kaum Freier, nichts Greifbares. Aber irgendjemand muss einen Anlass gehabt haben, sie zu töten. Ein Raubmord scheidet aus. Was also ist der Grund?«

»Wir sind noch nicht durch mit den Befragungen. Oder habt ihr heute alles geschafft?«

Leo schüttelte den Kopf. »Nur die Linienstraße. Mulackstraße, Grenadierstraße, die ganze Ecke fehlt noch. Ach ja, Stahnke und Berns haben eine Freundin der Toten namens Wilma Denecke aufgetrieben. Aber auch sie wusste wenig über Erna Klantes Vergangenheit. Sie hat allerdings Dr. Lehnbachs Syphilisgeschichte bestätigt. Die Klante hat sich vor Jahren mit Salvarsan behandeln lassen, aber die Stelle im Bordell hat sie dennoch verloren. Wir müssen unbedingt herausfinden, wo sie früher angeschafft hat.«

»Du meinst, es hat etwas mit ihrer Vergangenheit zu tun?«

»Ich glaube schon. Wenn es bekannte Feindschaften im Milieu gegeben hätte, wären Stahnke und Berns bestimmt schon darauf gestoßen. So etwas spricht sich herum. Auch ihre Freundin hätte sicher davon gewusst. Aber niemand konnte einen Hinweis auf den möglichen Täter geben. Die Aussagen von Zylberstein und Szylinski sind viel zu vage.«

»Lass uns Schluss machen, Leo. Die Kinder warten auf dich.«

Er zwang sich zur Ruhe. Doch es war ein Schock gewesen, als er nichtsahnend in Lehmanns Büro gegangen war und dort einen Kriminalbeamten vorgefunden hatte. Der Name war ihm unbekannt, in den Artikeln über Sartorius hatte er ihn nie gelesen. Was mochte er gewollt haben? Es wäre ihm unangenehm gewesen, Lehmann zu fragen. Vielleicht hatte der Mann ja Schwierigkeiten. Aber er hatte völlig gelassen gewirkt.

Er zog die Handschuhe aus. Betrachtete seine Handflächen. Die weißen Flecken wirkten eigentlich nicht entstellend, eher wie die Folgen eines Unfalls oder einer Verätzung. Doch ohne Handschuhe hätte er jeden Blick als bohrende Neugier empfunden, jedes leise gesprochene Wort als Anspielung.

Er dachte ungern daran, wie seine Hände damals ausgesehen hatten. An die roten, offenen Stellen, die Wundmale, die sich immer tiefer ins Fleisch zu fressen schienen. Die Schmerzen, sobald er etwas anfasste, sich die Hände wusch, einen Mantelknopf schloss. Die Scheu, jemandem die Hand zu geben. Er war wochenlang verreist, um Fragen auszuweichen, denn er konnte keine Handschuhe über die offenen Wunden ziehen. Er war sich wie ein Gezeichneter vorgekommen.

Als die Geschwüre vernarbten, gewöhnte er sich an, nur noch mit Handschuhen in die Öffentlichkeit zu gehen. Zuerst hatte es neugierige Fragen gegeben, doch er spielte einfach die Rolle des Elegant, der sich in der Wahl seiner Kleidungsstücke ein wenig exzentrisch gibt. Bald hatte niemand mehr darauf geachtet, es wurde höchstens einmal angemerkt, wie ausgesucht schön die meisten Exemplare seien.

In ihrem Schutz hatte er sich Viola nähern, sich über ihre
Hand beugen, sie zum Tanz auffordern können. Er wusste, dass
er als eiserner Junggeselle, wenn nicht gar als verschroben galt.
Manchmal glaubte er, die Angestellten tuscheln zu hören, wenn
er mit Umsicht und Geschmack die neuen Damenknöpfe aus-
suchte. Natürlich war es Einbildung, aber er meinte hinter sei-
nem Rücken Stimmen zu hören, die sich über seine offensicht-
liche Enthaltsamkeit lustig machten. Vielleicht neigten sie auch
zu dem Glauben, er interessiere sich mehr für Männer, da er
sich nie in Gesellschaft junger Damen zeigte und so viel Wert
auf seine äußere Erscheinung legte.

Aber er würde sie alle Lügen strafen. Das Entsetzen, die
Scham, die Einsamkeit einfach hinter sich lassen. Jetzt erst wuss-
te er, wie mächtig er war. Bald würde er die Handschuhe able-
gen. Und mit seinen bloßen Händen über Violas Körper strei-
chen, ihre weichen Brüste berühren, ihren Bauch, ihre –

Leo kaufte sich am Alexanderplatz eine Zeitung und stieg in
den Bus Nr. 19, in dem um diese Uhrzeit sogar Sitzplätze zu haben waren. Er setzte sich ans Fenster. Auf der Titelseite wurde
über die Debatten zum Republikschutzgesetz berichtet, das
nach dem Mord an Walter Rathenau geplant worden war und
gegen extreme politische Gruppierungen angewendet werden
sollte. Ihm fiel ein, was sein Freund Joachim Kern gesagt hatte,
als sie über die politischen Maßnahmen nach der Ermordung
des Außenministers sprachen. »Pass auf, die da oben erlassen
Gesetze gegen Extreme und wenden die dann nur gegen uns
Linke an.« Das blieb abzuwarten, doch Joachim lag wohl nicht
so falsch mit seinen Befürchtungen. Leo überschlug das Hin
und Her im Reichstag, das Gezerre zwischen den zahlreichen
Fraktionen, und blätterte weiter. Sein Blick fiel auf einen Artikel im Gesellschaftsteil. MORD AN HEILER NOCH IMMER NICHT
AUFGEKLÄRT. POLIZEI TAPPT NACH WIE VOR IM DUNKELN. Leo
überflog den Bericht und faltete die Zeitung zusammen. Über

dem Mord an Erna Klante hatte er den Fall Sartorius beinahe vergessen und wurde nun unangenehm an diesen nassen Fisch erinnert. Er beschloss, die Akten in den nächsten Tagen noch einmal gründlich durchzuarbeiten. Manchmal entdeckte er mit zeitlichem Abstand Dinge, die ihm vorher entgangen waren.

Der Bus hielt abrupt an, wobei ihm eine ältere Frau beinahe auf den Schoß fiel. Sie sah ihn wütend an, als hätte er sie unsittlich berührt. Leo stand auf und stieg an der nächsten Haltestelle aus, die nicht mehr weit von seiner Wohnung entfernt war.

Der Zeitungsartikel ging ihm nicht aus dem Kopf. Im Grunde hatte er nichts dagegen, wenn sein Name in der Zeitung erschien, bei spektakulären Mordfällen war das üblich, doch diesmal hätte er gern darauf verzichtet. Vor allem auf den süffisanten Nachsatz, dass er den Fall Klante hoffentlich erfolgreicher lösen möge.

Er sah auf die Uhr. Es war noch nicht so spät. Er würde sein Glück versuchen. Spontan überquerte er die Straße und stieg in die nächste Bahn.

Leo stand erneut vor der Tür der Galerie Reichwein. Es brannte noch Licht. Er hätte Elisa Reichwein ebenso gut anrufen können, aber die Vorstellung, noch einmal den schönen Raum mit den faszinierenden Bildern zu betreten, hatte ihm keine Ruhe gelassen.

Ein junger Mann mit dunklem Haar und gelacktem Bärtchen öffnete die Tür. Ein wenig enttäuscht stellte Leo sich vor und erkundigte sich nach Frau Reichwein.

»Mein Name ist Melotti, ich bin ihr Assistent«, sagte er mit leichtem italienischem Akzent. »Kommen Sie bitte mit, Herr Kommissar.«

Elisa Reichwein telefonierte gerade in einer Ecke des großen gelben Raums, blickte aber lächelnd auf, als sie die Schritte der beiden Männer hörte. »Ich rufe nachher noch einmal an. Adieu, Liebes«, sagte sie und hängte den Hörer auf die Gabel. Heute trug sie ein fließendes rotes Gewand mit goldenen Ornamenten, in dem sie wie eine Geisha aussah. Auch ihre Frisur und die porzellanweiße Haut unterstrichen den japanischen Eindruck.

»Haben Sie etwa geerbt, Herr Kommissar?«, fragte sie mit einem Blick auf die Bilder.

»Leider nicht. Aber ich wollte die Gelegenheit nutzen und sie mir noch einmal ansehen«, meinte Leo. »Kommen Sie doch mit.« Langsam schlenderten sie von Bild zu Bild. Elisa Reichwein spürte genau, welche Werke ihrem Gast besonders gefielen, blieb davor stehen und gab eine kurze Erläuterung.

»Das ist anonym«, sagte sie, als Leo vor einem kleinen quadratischen Gemälde stehen blieb, das eine junge Frau auf einer Bettkante zeigte. Sie saß ganz still da, nicht sinnlich, sondern verloren und in sich gekehrt. Irgendwie rührte sie Leo an.

»Es passt nicht zu den anderen, aber es hat mir gefallen. Der Mann, der es mir gebracht hat, sagte, er habe es auf einem Dachboden gefunden. Ich habe ihm nicht so recht geglaubt. Vielleicht hatte er es selbst gemalt. Jedenfalls brauchte er dringend Geld, also habe ich es ihm abgekauft.«

»Das war großzügig von Ihnen«, meinte Leo. »Sie können sicher nicht sehr viel dafür verlangen, wenn es nicht signiert ist.«

»Stimmt, ich habe es aus einer Laune heraus gekauft. Aber«, sie sah ihn prüfend von der Seite an, »es kommt auch darauf an, wie viel es einem wert ist.«

Leo hatte den Wink verstanden. »Ich denke drüber nach. Eigentlich bin ich aber wegen einer anderen Sache hier. Mir ist noch eine Frage zum Fall Sartorius eingefallen, und es kam mir vor, als hätten Sie ihn ziemlich gut gekannt. Jedenfalls waren Ihre Aussagen besonders hilfreich.«

»Sie haben den Mörder noch nicht gefunden?«

»Nein. Vor allem deshalb nicht, weil uns das Motiv fehlt. Daher meine Frage: Wissen Sie, ob Sartorius zu Prostituierten ging?«

Elisa Reichwein sah ihn überrascht an. »Das glaube ich kaum.

Ich meine, er hatte es eigentlich nicht nötig. Die Frauen fanden ihn reizvoll, sie liefen ihm geradezu nach. Er brauchte nur zuzugreifen.«

»Und wenn er nun gewisse, hm, Praktiken bevorzugte, die Frauen gewöhnlich nicht schätzen?«, fragte Leo vorsichtig.

Elisa Reichwein, die solche Fragen nicht schrecken konnten, brach in tiefes, wohlklingendes Lachen aus. »Ich habe über Sartorius nie etwas Derartiges gehört, und Sie können mir glauben, in den Kreisen, in denen er sich bewegte, wird viel geklatscht. Darf ich fragen, wie Sie auf diese Idee gekommen sind?«

Leo überlegte kurz. »Wir bearbeiten zurzeit einen Prostituiertenmord, und ich habe das Gefühl, die Fälle könnten zusammenhängen.« Schon als er es aussprach, merkte er, wie weit hergeholt dieser Gedanke klang. Im Gespräch mit Robert war er ihm beinahe logisch erschienen, dabei wusste er genau, dass Zufälle immer möglich waren. Und die Gemeinsamkeiten zwischen den Morden konnten durchaus zufällig sein. Wenn es dieselbe Waffe gewesen wäre, wenn Zeugen ähnlich aussehende Personen am Tatort beobachtet hätten, aber so?

»Was für eine Frau war sie?«, wollte Elisa Reichwein wissen.

Leo war wütend auf sich selbst und sagte gewollt brutal: »Anfang fünfzig, abgetakelt, eine Gelegenheitshure, die kaum noch Freier fand.«

»Und mit der soll Gabriel Sartorius verkehrt haben? Nie im Leben. Er liebte schöne junge Frauen, für die er nicht bezahlen musste.«

Leo wollte plötzlich nicht mehr über die Arbeit sprechen und trat noch einmal vor das Bild mit der Frau auf der Bettkante.

»Es gefällt Ihnen, nicht wahr?«

»Ja. Er hat Talent. Ob es noch weitere Bilder von ihm gibt?«

»Das mag durchaus sein. Der Maler war gewiss kein Anfänger. Wie die dunklen Töne im Hintergrund verschmelzen, eine Art Kulisse bilden für das Mädchen. Bestimmt ist sie verlassen worden.«

»Oder sie wartet auf jemanden, hat aber Zweifel«, meinte Leo. »Vielleicht wartet sie auch vergeblich. Mir gefällt an dem Bild, dass man sich so viele Geschichten dazu ausdenken kann.«

»Für einen Polizisten sind Sie ganz schön romantisch«, stellte die Galeristin lächelnd fest.

»Nicht romantisch, höchstens phantasiebegabt«, entgegnete Leo. »Manchmal hilft es, sich eine Geschichte auszudenken, eine Situation weiterzuspinnen.« Jetzt begriff er auch, dass ihn das verschattete Zimmer auf dem Bild unbewusst an die schäbige Kammer erinnert hatte, in der sie die Leiche von Erna Klante gefunden hatten. Nicht weil die junge Frau ihr glich, sondern weil sie, obwohl lebendig, so abgesondert von ihrer Umgebung schien. »Wie viel verlangen Sie dafür, Frau Reichwein?«

Sie schaute ihn nachdenklich an, legte einen rot lackierten Fingernagel an das eckige Kinn. »Zweihundert Mark.« Sie sagte es völlig neutral, ihre Stimme verriet nicht, ob der Preis angemessen oder entgegenkommend war.

»Ich nehme es. Bezahlen kann ich es heute allerdings nicht.«

»Schon gut, ich lasse es Ihnen einpacken. Sie wissen ja, wo Sie mich finden, Herr Wechsler.«

Als Leo die Galerie verließ, das in Papier eingeschlagene und mit einer goldenen Schnur verknotete Paket in der Hand, fühlte er sich auf einmal ganz leicht. Setzte sich sogar über den Gedanken hinweg, was Ilse dazu sagen würde. Etwas zu tun, ohne lange zu überlegen, einfach weil man Gefallen daran fand, konnte ungeheuer befreiend sein.

10

Als er die Tür aufschloss, hörte er Marie husten. Es klang wie Hundegebell. Sie saß im Wohnzimmer auf dem Sofa, in eine Decke gehüllt, und sah ihn mit großen Augen an. »Papa, mir tut der Hals so weh.« Leo nahm sie auf den Schoß und strich ihr übers Haar. »Du fühlst dich ein bisschen warm an, Kleines. Wo ist Tante Ilse?«

In diesem Moment kam seine Schwester mit einer Tasse Kräutertee ins Zimmer. Sie wirkte erleichtert, als sie ihn mit Marie auf dem Sofa sitzen sah. »Ich mache mir Sorgen, Leo. Dieser Husten ist doch nicht normal. Ich glaube, das ist keine gewöhnliche Erkältung.«

»Wie lange geht das schon so?«

»Seit ein paar Stunden. Wir waren vormittags mit dem Puppenwagen im Park, da hatte sie nur ein bisschen Halsweh. So gegen zwei ging es mit dem Husten los. Und die Halsschmerzen sind schlimmer geworden, sie mochte gar nichts essen.«

»Hohes Fieber scheint sie aber nicht zu haben«, sagte Leo. »Pass mal auf, Tante Ilse holt eine Lampe, und dann schaue ich in deinen Hals.«

Marie nickte. »Aber nicht anfassen.«

»Nein, nur gucken.«

Mit schmerzverzerrtem Gesicht machte sie den Mund auf, so dass Leo hineinleuchten konnte. Der Hals war angeschwollen, auf den Mandeln waren gelblich weiße Flecken zu erkennen. Er schaltete die Lampe aus. »Du kannst den Mund wieder zumachen, Liebes.« Er setzte sie neben sich und stand auf. »Du hast wohl eine Mandelentzündung. Aber wir müssen dich im Auge behalten. Du schläfst heute Nacht am besten bei mir. Und wenn es morgen früh nicht besser ist, gehen wir zum Arzt.«

Ilse nickte. »Bring du sie ins Bett.« Ihre Feindseligkeit war der Sorge um Marie gewichen. »Soll ich ihr einen Umschlag machen?«

»Das wäre sicher gut.«

Sie gingen zusammen in die Küche, wo Ilse ein Küchenhandtuch auf dem Tisch ausbreitete und mit Quark bestrich. »Der war eigentlich für die Pellkartoffeln, aber die können wir auch mit Margarine essen«, sagte sie über die Schulter. Leo goss sich ein Glas Bier ein und trat ans Fenster. »Anstrengender Tag?«

Überrascht drehte er sich um. Sie hatte ihn schon lange nicht mehr nach seiner Arbeit gefragt. »Ja, wir sind durchs Scheunenviertel gelaufen. Viel Mühe, bei der wenig herausgekommen ist. Und morgen geht es weiter. Wir untersuchen den Mord an einer Prostituierten.«

»Ist die Gegend wirklich so ... anrüchig?«, erkundigte sich Ilse vorsichtig.

»Na ja, wohnen möchte ich dort nicht. Enge Gassen, dunkle Höfe, zwielichtige Kneipen. Aber mittendrin gibt es viel Leben, Geschäfte, Synagogen, Schulen, Kabaretts. Man kann das Viertel nicht insgesamt als kriminell abtun. Es ist ungeheuer vielfältig. So viele unterschiedliche Menschen. Das macht die Ermittlungen allerdings nicht gerade einfacher.«

Aus dem Wohnzimmer drang wieder der bellende Husten. Ilse nahm den Umschlag und ging zu Marie, die sich mit beiden Händen den Hals hielt. »Beim Husten tut es auch weh.«

»Pass auf, gleich wird es kalt.« Marie keuchte laut, als sie den kalten Quark am Hals spürte. Ilse bedeckte den Umschlag noch mit einem warmen Tuch. »Morgen geht es dir bestimmt besser. Trink deinen Tee aus, dann bringt Papa dich ins Bett.«

Leo nahm Marie wieder auf den Schoß und las ihr das Märchen von den Sterntalern vor, das Marie besonders gern mochte. Irgendwann drückte ihr Kopf schwer gegen seine Schulter, sie war eingeschlafen. Sanft schlug er die Decke auseinander und trug sie in sein Schlafzimmer, wo sie sich wie ein Igel unter dem Federbett einrollte. Er schaute noch eine Weile auf sie hinunter und ging dann ins Wohnzimmer, wo er in einer Kunstzeitschrift blätterte. Doch er konnte sich nicht auf die abgebildeten Werke oder die Berichte zu den Ausstellungen konzentrieren, weil immer wieder die blutbefleckte Buddhafigur vor seinen Augen auftauchte. Der verdammte Artikel hatte seine Unzufriedenheit aufs Neue entfacht. Schließlich ging er ins Bad, nahm den Hemdkragen ab und legte ihn auf die Fensterbank. Er fuhr sich über die kratzigen Bartstoppeln, wusch sich Gesicht und Hände, putzte sich die Zähne und ging in sein Schlafzimmer.

Leo war gerade eingeschlafen, als er von einem seltsamen Geräusch erwachte. Ein langgezogenes Keuchen, das er zunächst nicht einordnen konnte. Dann tastete er mit der Hand nach rechts und berührte einen kleinen Hügel unter der Decke. Marie. Ruckartig setzte er sich auf und schaltete die Nachttischlampe ein. Seine Tochter lag auf dem Rücken, die Augen weit geöffnet, und rang mühsam nach Luft.

Er schwitzte am ganzen Körper, sein Pyjama war feucht, die Decke lag zusammengeknüllt am Fußende des Bettes. Verstört setzte er sich auf und lehnte sich ans geschnitzte Kopfende, dessen Ornamente sich unangenehm in seinen Hinterkopf bohrten. Jetzt war er endgültig wach, zum Glück. Der Traum war so real gewesen, dass er seine Hände im Licht der Nachttischlampe betrachtete und staunte, dass sie sich nicht verändert hatten.

Er hatte bei einem festlichen Abendessen neben Viola gesessen. Gerade als er sein Chateaubriand anschneiden wollte, war die erste Wunde auf seinem linken Handrücken erschienen. Ein

*hässlicher roter Fleck, wie rohes Fleisch. Gut, dass Viola rechts
von ihm saß. Doch dann veränderte sich auch seine rechte
Hand. Und es wurden immer mehr Flecken, sie breiteten sich
über seine Handgelenke aus, krochen unter die Manschetten,
die Arme hinauf bis zu den Schultern.*

*Violas Blick brannte heiß an seiner Schläfe, er wagte nicht,
den Kopf zu drehen. Seltsam, die anderen Gäste schienen nichts
zu bemerken, sie aßen und plauderten ungerührt weiter. Sie
beide waren allein, wie auf einer Insel, während das Gelächter
ans Ufer brandete. Und als er endlich wagte, sie anzuschauen,
war auch sie mit roten Wunden übersät und sah ihn anklagend
an. »Du hast mir nichts davon gesagt.«*

*Aber, wollte er sich selbst beruhigen, das alles war Unsinn,
nach so langer Zeit war es nicht mehr ansteckend, unmöglich.
Und es war noch nichts geschehen, er hatte sie niemals so –
berührt.*

*Und doch war er erschüttert. Nie zuvor hatte er etwas Ähnli-
ches geträumt. Nicht vor Viola und auch nicht, nachdem er ihr
begegnet war. Nie war die Krankheit in seine Träume vorge-
drungen, selbst wenn sie ihn im Wachzustand unablässig beschäftigt hatte. Dort war er immer sicher vor ihr gewesen. Bis
heute. Er presste die Hände an die Schläfen, um den plötzlichen
Kopfschmerz zu vertreiben.*

Einen Augenblick war Leo wie erstarrt, dann hob er Marie auf
den Schoß und drückte sie an sich. Hohes Fieber schien sie nicht
zu haben, aber er konnte nicht bis zum Morgen warten. Rasch
trug er das Mädchen ins Wohnzimmer, zog sich an und klopfte
an Ilses Zimmertür. Sie meldete sich mit verschlafener Stimme.
»Ja, was ist?«

Er öffnete die Zimmertür und steckte den Kopf hinein. »Ich
muss mit Marie ins Krankenhaus, sie bekommt kaum noch
Luft.«

Ilse sprang aus dem Bett und warf einen Morgenrock über.

Im Licht der Dielenlampe, mit unfrisiertem Haar und verquollenen Augen, sah sie um Jahre älter aus. »Willst du nicht bis morgen früh warten?«

»Nein«, entgegnete Leo barsch. »Wir haben lange genug gewartet.« Es war deutlich herauszuhören, dass er eigentlich »du« meinte.

Ilse schluckte. »Natürlich.«

»Vielleicht wolltest du ja mit deinem Freund spazieren gehen. Seid ihr deshalb in den Park gegangen, obwohl Marie krank war?«

»Du bist ungerecht, Leo«, sagte sie mit blassem Gesicht, aber in festem Ton.

Er tat ihre Worte mit einer Handbewegung ab. »Ich rufe dich an, sobald ich etwas weiß. Hol etwas anzuziehen für Marie.«

Ilse eilte ins Kinderzimmer und kam mit einem Kleid und einer Strickjacke zurück, die sie dem verängstigten Kind rasch und geschickt überzog. Dann drückte sie Marie an sich, legte sie in die ausgestreckten Arme ihres Bruders und wickelte sie fest in eine Decke. »Sag mir ganz schnell Bescheid«, flüsterte sie und wandte sich abrupt ab.

Es war drei Uhr morgens, als Leo mit dem eingewickelten Kind auf die menschenleere Straße trat. Marie war eingenickt, doch der beängstigende Husten riss sie immer wieder aus dem Halbschlaf. Leo bog in die Turmstraße ein und merkte allmählich, dass Marie gar nicht so leicht war. Jeder Schritt wurde mühsam, das Kind in seinen Armen schien schwer wie Blei, seine Schultern schmerzten vor Anspannung. Um diese Zeit war niemand zu sehen außer einem Bäcker, der gerade die Backstube aufschloss, und einem späten Heimkehrer, der zu betrunken schien, um die eigene Haustür zu finden. Leo war froh, als zu seiner Linken endlich die weitläufige Anlage mit den roten Backsteingebäuden auftauchte. Gleichzeitig spürte er einen Druck im Magen. Das letzte Mal war er hier gewesen, um Dorotheas Sachen abzuholen. Ein kleines Häufchen persönlicher Gegenstände, seltsam verloren auf dem kalten weißen Bett.

Er verdrängte die Erinnerung und trat in das Gebäude, in dem sich die Anmeldung befand. »Notfall?«, fragte die Schwester hinter dem Tresen knapp.

»Ja. Meine Tochter bekommt keine Luft und hustet schlimm.«

Die Frau notierte seine Personalien und bat ihn, Platz zu nehmen. Die Zeit schien zäh dahinzukriechen, der Uhrzeiger auf der Stelle zu verharren, während er mit Marie auf dem harten Holzstuhl wartete.

Endlich erschien ein übernächtigt wirkender Arzt, der ihn knapp, aber freundlich begrüßte. »Seit wann geht das so?«

»Die Atemnot kam erst heute Nacht. Halsschmerzen hat sie seit ein paar Tagen.«

Der Arzt führte ihn in ein Untersuchungszimmer. Auf der Liege sah Marie klein und ängstlich aus. Leo hielt ihre kalte Hand, während der Arzt in ihren Hals leuchtete, Brust und Rücken abhörte und schließlich in ernstem Ton sagte:

»Dringender Verdacht auf Diphtherie. Der Kehlkopf ist auch befallen, daher der Husten. Wir müssen sie hier behalten.«

Um ein Haar hätte Leo nein gesagt. Nein, hier stirbt man. Doch er beherrschte sich. »Wie schlimm ist es?«

»Sie muss unbedingt unter Aufsicht bleiben. Das Gefährliche ist die innere Schwellung des Halses, die müssen wir unbedingt bekämpfen. Außerdem kann die Krankheit auf innere Organe übergreifen, was zu schweren Komplikationen führt. Sie darf in der nächsten Zeit auch keinen Besuch erhalten.«

Leo sah ihn entgeistert an. »Ich darf überhaupt nicht zu ihr?«

Der Arzt nickte bedauernd. »Die Isolation ist wegen der Ansteckungsgefahr erforderlich. Sollten Sie oder Ihre Familie in den kommenden Tagen ähnliche Symptome verspüren, müssen Sie sich umgehend bei uns vorstellen.«

Leo nickte wie betäubt. »Kann ich sie denn ... irgendwie sehen?«

»Sie dürfen durchs Fenster hineinschauen. Verabschieden Sie sich jetzt bitte, Herr Wechsler.«

Leo hob Marie von der Liege hoch. Sie sah ihn an und flüsterte: »Der Doktor hat gesagt, ich muss hier bleiben?«

Er nickte. »Damit du schnell wieder gesund wirst. Wir dürfen dich besuchen, aber nur durchs Fenster. Malst du mir dann mit Atem ein Bild an die Scheibe?«

Sie nickte, und Leo spürte, wie sie um seinetwillen ihre Angst unterdrückte. Dann drückte er sie noch einmal fest an sich und ging zur Tür, um den Abschied nicht unnötig hinauszuzögern. Bevor er die Klinke niederdrückte, hörte er ihre leise Frage: »War Mama auch hier?«

Er biss sich auf die Unterlippe und drehte sich um. »Ja. Aber sie war viel schlimmer krank als du. Große Mädchen wie du kommen bald wieder nach Hause.«

Mit diesen Worten ging er hinaus.

Seine Schwester erwartete ihn an der Wohnungstür, hinter ihr stand Georg und schaute ihn angstvoll an. Als Leo Ilse sah, keimte wieder irrationale Wut in ihm auf, für die er sich sofort schämte, doch er brachte keine Entschuldigung über die Lippen.

Ilse zog fröstelnd den Morgenmantel enger und fragte drängend: »Was hat sie? Musste sie dort bleiben?«

»Vermutlich Diphtherie.« Er zog müde den Mantel aus und hängte ihn an den Garderobenhaken.

»Ist das sehr schlimm?«, fragte Georg scheu.

»Sie kommt auf eine Isolierstation, damit sie niemanden ansteckt«, sagte Leo schleppend. »Wir dürfen sie erst mal nur durchs Fenster sehen.« Er legte Georg den Arm um die Schultern und führte ihn zurück ins Kinderzimmer. Als der Junge im Bett lag, strich Leo ihm sanft über den zerzausten Schopf und ging hinaus.

Ilse stand reglos im Flur.

»Es war furchtbar, sie dort allein zu lassen. Ich musste an Dorothea denken.« Mit diesen Worten ging er in sein Zimmer und machte die Tür hinter sich zu. Er ließ Hemd und Hose an, zog nur die Schuhe aus und legte sich hin.

Schlafen konnte er in dieser Nacht nicht mehr.

Der Traum verfolgte ihn gnadenlos, so dass er sich nicht einmal mit Arbeit ablenken konnte. Eigentlich unverständlich, da es doch schon so lange zurücklag. Auch waren die Geschwüre bei weitem nicht so schlimm gewesen wie in seinem Traum. Und die Erholungsreise nach Italien hatte verhindert, dass irgendjemand in Berlin davon erfuhr.

Dennoch kam es ihm letzthin manchmal vor, als schauten ihn die Angestellten seltsam an. Er fürchtete schon, sie könnten ihm den Traum vom Gesicht ablesen. Blickte eine Sekretärin auf seine verhüllten Hände, verbarg er sie unwillkürlich im Schoß. Diese Unsicherheit hatte er seit Jahren nicht erlebt.

Damals schon. Als er die ersten Zeichen an seinem Körper feststellte, aber nicht zu deuten wusste. In Bereichen, die so intim waren, dass er mit niemandem darüber sprechen konnte, nicht einmal mit einem Arzt. Er spürte die prüfenden Blicke seiner Mutter und zog sich immer mehr in sich zurück. Eine unsichtbare Hülle schien ihn von der Außenwelt zu trennen.

Viele Brücken gab es nicht abzubrechen. Die Freunde, die sein Vater ihm aufgedrängt hatte und durch die er in diese furchtbare Lage geraten war, waren im Krieg gefallen.

Nach einiger Zeit verschwanden die Knoten. Er schöpfte Mut, fühlte sich genesen. Als er einige Monate später an einer Art Grippe erkrankte, hatte er keinerlei Verbindung hergestellt.

Danach folgten gute Jahre, in denen er die Nachfolge seines Vaters in der Fabrik antrat. Bald darauf starb auch seine Mutter, deren Zuneigung er zuletzt mehr und mehr als Umklamme-

rung empfunden hatte. Als er Viola kennen lernte, war sein
Glück vollkommen.

Doch dann behauptete der Heiler, er sei mit dieser unaus-
sprechlichen Krankheit behaftet.

Und jetzt –

Leo packte das Bild aus. Er hatte sich entschlossen, es im Büro
aufzuhängen, denn er wollte keine neue Auseinandersetzung
mit Ilse heraufbeschwören. Die Stimmung zu Hause hatte sich
nur deshalb ein wenig beruhigt, weil Marie so krank war. Als
er das kleine Gemälde gerade auf den Schreibtisch legte, kam
Robert herein.

»Was hast du denn da?«

»Ein Bild.«

»Gute Idee. In Kunst anlegen, wenn das Geld an Wert ver-
liert«, meinte Robert mit gutmütigem Spott.

»Du kennst mich, ich würde ein Bild nicht als Wertanlage
kaufen. Es stammt von einem unbekannten Künstler, ich habe
es günstig bekommen.«

Er faltete das Packpapier auseinander und hielt das Bild unter
die Deckenlampe, da es im Büro ziemlich dunkel war. Robert
trat näher. »Einsame Frau«, meinte er knapp.

»Ja. Aber etwas daran hat mir gefallen. Ich habe überlegt,
warum sie so dasitzt, und dann ist mir aufgefallen, dass ich
selbst manchmal so dasitze. Fast ohne zu denken.«

»Von wegen. Das nehme ich dir nicht ab. Dein Gehirn steht
doch nie still.« Robert räusperte sich. »Schlechte Nachrichten,
Leo. Sie haben Stahnke abgezogen und von Malchow in unsere
Kommission gesteckt.« Er wunderte sich, dass Leo nicht reagierte, doch als er das Gesicht seines Freundes sah, fragte er besorgt: »Was ist denn mit dir los? Schlecht geschlafen?«

Leo nickte. »Ich habe Marie letzte Nacht ins Krankenhaus
gebracht. Dringender Verdacht auf Diphtherie.«

»Das tut mir leid. Willst du nicht hinfahren?«

Er schüttelte den Kopf und stand energisch auf. »Nein, ich kann ohnehin nicht zu ihr hinein. Ich darf sie nur durchs Fenster sehen. Ich besuche sie in der Mittagspause.« Er goss Wasser aus einer Kanne auf ein Taschentuch und wischte sich damit übers Gesicht, um endlich richtig wach zu werden. Robert spürte, dass Leo nicht weiter über Marie sprechen wollte.

»Warum haben sie Stahnke abgezogen?«

»Er kennt sich mit Schlössern aus. Die Kollegen bearbeiten eine Einbruchserie in Dahlem, da brauchten sie einen Fachmann. War nichts zu machen.« Er hob die Schultern. »Augen zu und durch.«

»Ich sehe mir noch einmal die Akten im Fall Sartorius an«, sagte Leo und deutete auf eine dicke Aktenmappe, die auf dem Tisch lag. »Heute Abend gehen wir ins Scheunenviertel, tagsüber kommen wir da nicht weiter.«

Robert sah ihn überrascht an. »Wieso Sartorius? Haben wir neue Erkenntnisse?«

»Das nicht. Aber die Presse vergisst nicht so schnell.« Er schob Robert den Zeitungsausschnitt vom Vortag hin.

»Den kenn ich schon.« Robert verstummte unvermittelt.

Leo blickte hoch. »Woher? Das Blatt liest du doch sonst nicht.«

»Ach, ist nicht so wichtig.«

»Robert?«

»Von Malchow hat ihn heute Morgen herumgezeigt, du kennst ihn ja. Für einen Tritt von hinten ist er sich nie zu schade. Lass die Presse doch schreiben, was sie will. Die kennen den Täter schon, bevor der Mord passiert ist. Du brauchst einfach ein dickeres Fell, Leo.«

Doch er wusste, dass Leos Ehrgeiz solche Seitenhiebe schlecht vertragen konnte, zumal es sich um ein prominentes Opfer handelte, das immer für eine Schlagzeile gut war. Und von Malchows Verhalten in Verbindung mit Leos ohnehin mäßiger Laune war kein gutes Omen für die bevorstehende Zusammenarbeit.

»Hast du schon die Liste von der Knopffabrik bekommen?«, fragte Leo unvermittelt. »Außer der Brosche ist sie unsere einzige brauchbare Spur. Sind die Aufnahmen von dem Schmuckstück schon an die Außenstellen gegangen?«

Robert nickte. »Ich rufe Herrn Lehmann an und fahre hin, wenn sie die Liste fertig haben.«

»Ich hole sie selbst ab. Vielleicht kriege ich draußen endlich einen klaren Kopf. Heute Abend um sechs gehen wir los. Du kannst zwischendurch freimachen, es wird eine lange Nacht.« Mit diesen Worten vertiefte er sich wieder in seine Akten.

Robert hatte ein ungutes Gefühl im Magen, als er Leo am Schreibtisch sitzen ließ. Er wusste, wie sehr Dorotheas Tod ihn getroffen hatte, und jetzt Marie – Robert verdrängte die Vorstellung, sie könnte ebenfalls sterben. Kinder waren voller Leben, aber auch ungeheuer verletzlich. Die Kindermorde, die er bei der Kripo bearbeitet hatte, waren seine schlimmsten Fälle gewesen.

Er räusperte sich. Leo blickte unwillig auf.

»Soll ich mal bei Marie vorbeischauen?«

»Danke. Sie wird sich freuen.«

Als Stankowiak anklopfte, hatte Leo die Akte Sartorius zum dritten Mal durchgelesen, ohne neue Erkenntnisse zu gewinnen. Er klappte sie entschlossen zu und bot Stankowiak einen Stuhl an.

»Gibt es etwas Neues?«

»Hier ist die Liste mit den Ärzten, die unseres Wissens Prostituierte behandeln. Es sind nicht gerade wenige. Bei den ganzen Geschlechtskrankheiten heutzutage dürfte es ein einträgliches Geschäft sein.« Er schob Leo eine maschinengeschriebene Liste mit den Namen von etwa vierzig Ärzten hin. »Soll ich mich darum kümmern?«

»In Ordnung. Sie wissen ja, worum es geht. Wann ist sie erkrankt, wie lange war sie krank, wie wurde sie behandelt und so weiter.«

Stankowiak stand auf. »Gehen wir heute Abend noch mal ins Scheunenviertel?«

»Ja, um sechs.«

Stankowiak lächelte. »Da bin ich gern dabei.«

Mit diesen Worten verschwand er im Vorzimmer.

Der Mann war ihm im Flur aufgefallen. Groß, dunkelhaarig, markante Narbe an der Schläfe. Er bewegte sich selbstsicher, wirkte aber nicht wie ein Geschäftspartner oder Kunde, hatte weder Aktentasche noch Musterkoffer dabei. Da er gern wusste, was in seiner Firma vorging, war er später in Lehmanns Vorzimmer gegangen und hatte sich bei Fräulein Merkert beiläufig nach dem Besuch erkundigt.

Schon wieder die Kriminalpolizei. Doch diesmal kannte er den Namen. Aus der Zeitung.

Als Leo mittags ins Krankenhaus kam, erkundigte er sich nach der Station, auf der Marie untergebracht war. Eine freundliche Schwester zeigte ihm den Weg. Beklommen folgte er ihr durch die langen Flure, bis sie vor einer Tür mit der Aufschrift ISOLIERSTATION ankamen. »Weiter dürfen Sie leider nicht. Hier geht es nach draußen auf den Balkon, Ihre Tochter liegt im dritten Zimmer auf der rechten Seite.«

Trotz der sommerlichen Wärme fröstelte ihn, als er vor der Glasscheibe stehen blieb und in das spärlich eingerichtete Zimmer spähte. Marie lag im Bett, den Kopf auf einem dicken Kissen, das ihr das Atmen erleichtern sollte. So hatte es ihm die Schwester jedenfalls erklärt. Im Arm hielt sie die Puppe Gretel, die er noch vor dem Dienst vorbeigebracht hatte. Marie wirkte klein und schmächtig.

Er klopfte vorsichtig ans Fenster. Sie drehte den Kopf und

lächelte, als sie ihn sah. Ein winzig kleines Lächeln, gar nicht wie sonst. Sie zeigte auf ihren Hals. Natürlich, er tat weh.

Ihm war, als zerfiele die Welt vor seinen Augen. Gestern noch war alles sicher und vertraut gewesen, trotz der Spannungen mit Ilse. Nach Dorotheas Tod hatte er sich in seinem neuen Leben eingerichtet. Doch als er Marie jetzt hinter der Scheibe sah, so unendlich fern, schien auf einmal nichts mehr sicher.

Leo wusste nicht, wie lange er dort gestanden hatte. Er winkte Marie noch einmal, und sie hob schwach die Hand. Beim Gehen würgte es ihn im Hals.

Auf dem Flur passte er den Arzt ab, der Marie letzte Nacht aufgenommen hatte.

»Wie steht es um sie?«, fragte er drängend.

Der Arzt führte ihn in eine Nische. »Ich bin leider sehr in Eile. So schnell ist natürlich keine Besserung zu erwarten, Herr Wechsler. Und es kann eine Weile dauern, bis das Antitoxin anschlägt. Das ist leider alles für den Moment.«

Er wollte gehen, doch Leo hielt ihn am Arm fest. Er wusste, dass er nicht vernünftig handelte, aber das war ihm egal. »Und was geschieht, wenn das Mittel nicht wirkt?«

»Ich bitte Sie, wir wollen das Beste hoffen. Sie sollten sich nicht mit diesen Fragen quälen.«

»Ich bin Polizist und daran gewöhnt, Fragen zu stellen. Und Antworten zu bekommen.«

»Es gibt nicht mehr zu sagen. Sie können sich jederzeit nach dem Zustand Ihrer Tochter erkundigen, aber jetzt müssen Sie mich entschuldigen.«

Mit diesen Worten verschwand er in einem Krankenzimmer.

Leo verfluchte seine Unbeherrschtheit und machte sich auf in Richtung Ausgang.

Er hatte Ilse seit seiner Rückkehr aus dem Krankenhaus in der Nacht nicht gesehen. Sie hatte ihm zum ersten Mal überhaupt kein Frühstück gemacht und war in ihrem Zimmer geblieben. Beim Weggehen hatte er ihr durch die geschlossene Tür mitgeteilt, er werde Marie die Puppe und frische Wäsche bringen. Sie hatte knapp erwidert, sie wolle das Kind am Vormittag besuchen. Leo kam sich ungewohnt allein vor. Er freute sich geradezu auf den Abend. Die Arbeit würde ihn wenigstens vom Grübeln abhalten.

Beim Verlassen der Wohnung kam ihm noch ein flüchtiger Gedanke: Marlen. Mit ihr konnte er reden. Vielleicht heute Nacht, nach der Aktion im Scheunenviertel.

11

Beim ausgiebigen Nachmittagstee, der für ihn, wenn er zu Hause war, ein festes Ritual darstellte, las er aufmerksam die Zeitung. Er überschlug den politischen Teil, weil er sich nach der Unruhe der letzten Tage eine entspannende Lektüre wünschte, und konzentrierte sich ganz auf Gesellschaftsberichte, Mode und Sport. Auf der letzten Seite stieß er unter der Rubrik AUS DER WELT DER KRIMINALISTIK nach längerer Zeit wieder auf den Namen Sartorius. Aufmerksam las er den Artikel durch und runzelte die Stirn. Hier wurden die Morde an Gabriel Sartorius und Erna Klante im selben Satz genannt. Und beide Fälle wurden vom selben Kommissar bearbeitet. Dem Mann, dem er wenige Stunden zuvor auf dem Flur seiner Firma begegnet war.

Die angespannte Stimmung erinnerte an einen wolkenverhangenen Himmel, der auf Regen wartet. Zum Glück hielt sich von Malchow zurück, er schien zu spüren, dass er es zu weit getrieben hatte, als er den Zeitungsartikel herumzeigte. Robert und Berns saßen mit Stankowiak im Fond und verständigten sich hinter dem Rücken ihres Chefs mit Zeichen. Ist schlecht aufgelegt, deutete Robert an. Kein Wunder, dachte er, er hatte Marie im Krankenhaus besucht und wusste, wie schlecht es ihr ging. Doch er ahnte, dass mehr hinter Leos gereizter Stimmung steckte. Vermutlich Ilse. Verdammt schwierige Sache.

Berns verzog hinter von Malchows Rücken das Gesicht und verdrehte die Augen. Robert musste grinsen. Insgeheim hofften sie wohl beide auf eine Konfrontation, die die Luft reinigen würde, wussten aber auch, dass Leo zu klug war, um gleich beim ersten Einsatz einen Streit zu riskieren.

Stankowiak saß schweigend daneben und hielt sich aus der lautlosen Unterhaltung heraus.

Leo stellte den Wagen in der Auguststraße nahe der Einmündung Oranienburger Straße ab und stieg aus. Es war ein warmer Abend, die Gehwege waren schon gedrängt voll. Aus den Kellern klang scheppernde Musik, Geigen quietschten, Klaviere klimperten. Nicht gerade die Staatsoper, dafür aber laut. Er gab noch einmal die Koordinaten durch. »Walther, Berns und von Malchow, Sie übernehmen die Auguststraße, die Große Hamburger, Gipsstraße und Sophienstraße. Stankowiak und ich gehen die untere Linienstraße, Mulackstraße und Grenadierstraße ab. Die Lokalitäten sind bekannt, ebenso die wichtigen Fragen. Und vergessen Sie bitte nicht die Vergangenheit der Toten, vor allem den Namen des Etablissements, in dem sie früher angeschafft hat. Wir treffen uns um eins wieder hier. Viel Erfolg, meine Herren.«

Als Robert zögerte, trat Leo neben ihn. »Du willst wissen, warum wir nicht zusammen gehen?«

Sein Freund nickte.

»Weil ich einen zuverlässigen Mann bei von Malchow haben möchte.«

Robert nickte wieder. »Verlass dich auf mich.«

Leo sah den drei Männern nach, die gleich das nächste Lokal ansteuerten.

»Stecknadel im Heuhaufen, was?«, fragte Stankowiak leise.

»Mm. Aber so ist die Polizeiarbeit. Wir lösen unsere Fälle nicht bei Koks oder Geigenspiel, sondern mit viel Fußarbeit.«

Als Stankowiak ihn verwundert ansah, meinte er: »Sherlock Holmes, Sie wissen schon. Los geht's.«

Auf den Straßen schwappte die Menschenmenge zwischen den Häusern hin und her. Es war noch hell, doch die engen

Straßen wirkten durch die ungewöhnlich dichte Bebauung dunkler als das übrige Berlin. Passend, denn dieses Viertel war immer ein wenig schwärzer als die anderen.

Falls die Leute sie als Polizisten erkannten, achteten sie nicht darauf. Die Polizei gehörte hier zum Alltag, und solange keine Razzia stattfand, ging alles seinen gewohnten Gang. In der Linienstraße blieb Leo kurz vor dem grauen Mietshaus stehen, in dessen Hof man die Leiche gefunden hatte. »So viele Leute, und keiner will etwas gesehen haben.«

»Bis auf den Lumpensammler.«

»Ja, aber für eine Identifizierung reicht auch das nicht aus«, sagte Leo skeptisch. »Wir gehen zuerst in das Lokal in der Mulackstraße, das Erna Klantes Freundin gehört. Die möchte ich mir gern persönlich ansehen.«

»Die Linienstraße zieht sich ganz schön«, meinte Stankowiak unterwegs. Er sah an den Häusern hoch, von denen teilweise der Putz blätterte und das darunter liegende Mauerwerk preisgab.

Leo war in Gedanken versunken und antwortete nicht. Ihm wollte nicht in den Kopf, dass auf dem Weg von der Mulackstraße, wo der Lumpensammler die Begegnung zwischen Erna und ihrem mutmaßlichen Mörder beobachtet hatte, über die Kleine Rosenthaler bis hin zur Linienstraße niemand sonst das Paar gesehen haben sollte. Zumal am Samstagabend, an dem es im Viertel von Menschen wimmelte. Hier war ein Ansatzpunkt.

Vor der »Roten Hand« blieb er stehen. Stankowiak, der schweigend neben ihm gegangen war, sah ihn fragend an.

Leo nickte.

Aus dem Lokal drang schrilles Frauenlachen, jemand malträtierte ein ungestimmtes Klavier. Als sie gerade die Tür öffnen wollten, klappte diese ruckartig auf und entließ drei Betrunkene samt Freundinnen auf die Straße. Die Gruppe taumelte johlend davon. Die beiden Polizisten zeigten dem Türsteher ihre Dienstausweise und betraten das in rotes Licht getauchte Lokal.

Auch innen an der Wand prangte ein Schild in Form einer leuchtend roten Hand. An den Tischen saßen dicht gedrängt die Paare, viele davon angetrunken, manche in ihren Intimitäten schon so weit gediehen, dass sie eigentlich ins Séparée gehört hätten.

Leo und Stankowiak drängten sich zur umlagerten Theke durch, wo Leo sich energisch Platz schuf und der Wirtin Denecke, die dem Kollegen Berns so gefallen hatte, den Ausweis unter die Nase hielt. Sie verdrehte ein wenig die Augen. »Die Herren waren doch schon hier.«

»Wir wollten Sie auch einmal persönlich kennen lernen«, sagte Leo höflich. »Dürften wir Sie um ein kurzes Gespräch bitten?«

»Da kann ich doch nicht nein sagen.« Sie warf ihrem Barmann ein Handtuch zu und deutete auf die frisch gespülten Gläser. »Bin gleich zurück.«

Sie führte die Männer ins Hinterzimmer und schloss die Tür, was den Lärm ein wenig dämpfte. »Ich habe Ihren Kollegen schon alles gesagt.«

»Ich möchte es aber noch einmal von Ihnen persönlich hören. Wissen Sie wirklich nichts über das Bordell, in dem Ihre Freundin früher gearbeitet hat?«

»Was haben Sie nur damit? Das war lange vorbei. Sie hat selten davon gesprochen, weil sie nicht dran denken wollte, wie gut es ihr mal gegangen ist. Der Verschlag war die Endstation, das wusste sie auch. Eine Hure von über fünfzig taugt nichts mehr. Ich selbst hab's rechtzeitig kapiert.« Sie deutete mit dem Daumen über die Schulter auf ihr Lokal.

»Hätten Sie ihr nicht helfen können?«

Wilma Denecke schüttelte den Kopf. »Wollte sie nicht. Hat gesagt, sie gehört nicht hinter die Theke. Was sollte ich machen? Hab ihr ab und an ausgeholfen, aber sie war fertig. Hier.« Sie tippte sich an die Brust. »Kein Mumm mehr drin.«

»Hat sich in letzter Zeit irgendjemand bei Ihnen nach Erna erkundigt?«, fragte Stankowiak.

»Nein, das hätte ich doch längst gesagt.« Sie überlegte. »Den Willy könnten Sie fragen. Der Junge macht manchmal Besorgungen für mich. Wenn jemand wusste, dass sie hier verkehrte, hat er vielleicht den Willy gefragt. Ich ruf ihn mal eben.«

Sie verließ kurz den Raum und kam mit einem etwa sechzehnjährigen Jungen wieder, der vor allem durch seine großen Ohren auffiel, die sich beim Anblick der Polizisten blutrot färbten. »Wat soll ick denn . . .?«

Sie schob ihn ins Zimmer. »Die Herren von der Polizei wollen wissen, ob mal jemand nach der Erna Klante gefragt hat.«

Der Junge sah sich nach allen Seiten um, schien nach einem Fluchtweg zu suchen. Geschickt trat Leo die Tür zu und lehnte sich dagegen. »So, mein Freund. Mir scheint, du hast uns was zu sagen. Zigarette?«

Willy nickte.

»Stankowiak, geben Sie dem Jungen bitte eine Zigarette.«

Stankowiak hielt Willy die Schachtel hin und gab ihm Feuer.

»Setz dich«, sagte Leo freundlich und deutete auf den einzigen Stuhl im Raum. »Wir beißen nicht. Du hast die Frage gehört. Also bitte.«

»Na ja, da war mal eener. So vor zwei, drei Wochen. Hat mir draußen vor der Tür anjesprochen und jefragt, ob ick die Erna kenne. Ick hab ihm erzählt, dat se manchmal herkommt. Er hat jesacht, er hätt se lang nich mehr jesehn und wie se jetzt so aussieht. Also hab ick jesacht, dat se nich mehr so janz frisch is.« Er lief erneut rot an.

»Egal, erzähl ruhig weiter.«

»Det war schon alles. Er hat mir 'ne Mark in die Hand jedrückt und is jejangen.«

»Wie hat der Mann ausgesehen?«, fragte Leo.

Der Junge zuckte die Achseln in der abgetragenen Jacke. »Weeß ick nich.«

»Wie? Er hat doch vor dir gestanden.«

»Schon, aber det war ziemlich duster. So gegen elfe. Schicke

Klamotten. Teurer Mantel, braun war der, gloob ick. Hut im Jesicht. Keen Bart. Mehr kann ick nich sagen.«

»Wie klang seine Stimme? Hatte er einen Akzent? Sprach er Berliner Dialekt?«

»Nee, janz normal, eher fein. War eben 'n Herr.«

»Vielen Dank, Willy«, sagte Leo und steckte ihm noch eine von Stankowiaks Zigaretten zu. »Falls dir noch etwas einfällt, kannst du mich im Präsidium anrufen.« Er schrieb seine Nummer auf einen Zettel und gab ihn dem Jungen, der machte, dass er aus dem Zimmer kam.

Dann verabschiedete Leo sich von der Wirtin Denecke. »Was ich dem Jungen gesagt habe, gilt auch für Sie.« Er notierte erneut seine Nummer und sah ungerührt zu, wie Wilma Denecke den Zettel provokant in ihren Ausschnitt schob.

»Jetzt verstehe ich, was Berns an ihr gereizt hat«, meinte Leo trocken, als sie auf der Straße in einem Teich aus rotem Licht standen. »Weiter im Text.«

»Was halten Sie von dem Jungen?«, erkundigte sich Stankowiak. »Wirkt glaubwürdig, aber ob er wirklich alles gesagt hat...«

»Sie meinen, er hat den Mann erkannt?«

»Weiß nicht. Er fühlte sich nicht wohl in seiner Haut.«

»Der hat vermutlich so manches auf dem Kerbholz, aber ich bezweifle, dass er mehr über Ernas Tod weiß. Und das gilt auch für die Wirtin.« Leo schob die Hände in die Taschen und ging schweigend weiter. Immerhin, die Beschreibungen von Zylberstein, Szylinski und Willy deckten sich. Es konnte sich durchaus um denselben Mann handeln. Doch solange sie keine genaueren Angaben hatten, würde es so gut wie unmöglich sein, ihn zu finden.

Robert Walther, Berns und von Malchow knöpften sich systematisch alle Kaschemmen, Spielstuben und Kellerlokale in den ihnen zugeteilten Straßen vor. Zunächst ohne Erfolg. Nur wenige hatten Erna Klante gekannt, und bei denen war Mitleid das vorherrschende Gefühl. Nicht unbedingt, weil sie ein gewaltsames Ende gefunden hatte, sondern weil man es als alte Hure einfach schwer hatte.

»Mit fuffzich biste hier alt«, meinte ein Mädchen im »Augustkeller«, dem mittlerweile achten Lokal, das sie überprüften. Sie hatte kaum die achtzehn überschritten und trug einen falschen Fuchspelz über der Schulter. »Da kannste det große Geld vergessen. Musst eben nehmen, wat kommt.« Ein Schatten huschte flüchtig über ihr Gesicht, als würde ihr in diesem Augenblick klar, dass auch sie einmal als alte Hure enden könnte.

»Mensch, Trude, überleg mal, da war doch dieser Kerl, der's nur mit Alten machte«, warf ihre blonde Freundin ein und beugte sich mit einem Glas Likör in der Hand über die Schulter der Jungen.

»Wen meinste denn, Eva?«

»Na, dieser Getreidehändler. Der Dicke mit dem Mondgesicht und der blanken Glatze, hatte immer so 'n komischen runden Hut auf. Kalle, wie hieß noch der Kerl, der sich immer die Alten ausgeguckt hat?«

Die Polizisten sahen einander verwundert an.

Kalle tauchte hinter der Theke auf und wischte sich die Hände an der karierten Schürze ab. »'n Abend, die Herrn. Sind Sie wegen der Erna hier? Armes Luder. Tja, wie hieß der noch?«, fragte er mit Blick auf die Frauen neben sich.

»Der Name passte zur Visage, das weiß ich noch. Blatzmann, nein, Blatzheim, das war's, ick hab immer Platzheim gesagt. Der Mann ist Getreidehändler. Und der hat uns, wenn er einen zu viel hatte, immer von reifen Frauen vorgeschwärmt. Dass die mehr Erfahrung haben und genau wissen, wat 'n Mann gerne hat. Und dankbar sind, wenn einer sie nimmt. War Ernas einziger Stammfreier.«

Von Malchow notierte sich den Namen. »Wann war er zuletzt hier?«

»Keine Ahnung. Vor zwei Wochen vielleicht.«

»Und bei der Gelegenheit hat er auch die Erna angesprochen?«

»Konnte man die Uhr nach stellen. Er kam rein, trank 'n paar
Mollen mit Schnaps dazu, hat politisch geredet, dann hat er
sich plötzlich umsehn und nach der Erna gefragt. Wenn die
nich da war, hat jemand sie geholt. Wir haben immer gesagt,
der kommt allein für ihre Miete auf.«

»Wissen Sie, ob er nur hier verkehrt?«, fragte Robert.

»Glaube schon. Der ist nämlich das erste Mal zusammen
mit der Erna gekommen. Muss an die zwei Jahre her sein. Ich
hab mich gewundert, weil er so schnieke aussah. Bisschen neu-
reich. Hat die Erna wohl aufgegabelt und sich hier reinschlep-
pen lassen. Danach ist er immer gekommen, um sie hier zu
treffen.«

»Den schnappen wir uns morgen«, sagte von Malchow, als
sie das Lokal verließen.

»Erst erstatten wir dem Kommissar Meldung«, warf Robert
scharf ein und hielt von Malchows Blick ungerührt stand.

Leo und Stankowiak standen in einer Kaffeebude Ecke Linienstraße und Grenadierstraße. »Ich muss ein bisschen auftan-
ken«, sagte Leo und deutete auf den Kaffee, »ich habe letzte
Nacht schlecht geschlafen.«

»Ihre Tochter?«, fragte Stankowiak ruhig.

Leo sah ihn überrascht an. »Woher wissen Sie das? Ja, ich
musste sie letzte Nacht ins Krankenhaus bringen. Diphtherie.
Immerhin war der Abend bis jetzt nicht ganz vergebens. Furchtbare Plörre.« Er stellte die Tasse hörbar auf die Theke und warf
ein paar Münzen daneben. Er wollte nicht mit Fremden über
Marie sprechen.

In diesem Augenblick ertönte Lärm auf der Straße, etwas
prallte gegen die Türscheibe, eine junge Frau rutschte von außen am Glas hinunter zu Boden und erbrach sich über ihren fal-

schen Persianer. Leo und Stankowiak eilten instinktiv nach draußen, doch schon schoss auf dem Gehweg ein Mann herbei, trat nach der Frau, riss sie an den Haaren hoch und schleifte sie ein Stück mit. Die Polizisten folgten ihm.

»He, Sie da! Polizei.« Stankowiak hielt den Mann an der Schulter fest und zeigte seinen Ausweis. »Lassen Sie die Frau los.«

»Was soll das? Die gehört mir, die läuft für mich. Wollt mir Geld unterschlagen, das Aas.«

»Is nich wahr«, nuschelte die Frau und wischte sich mit dem Handrücken Blut und Erbrochenes vom Mund. »Ick hab heut nüscht verdient. Ehrenwort.«

Der Lude stieß die Frau gegen einen Laternenpfahl. Leo riss ihn an der Schulter herum und drückte ihn gegen die Hauswand. »Es reicht. Du lässt die Frau jetzt gehen, und wenn morgen eine Meldung bei uns eingeht, dann gnade dir Gott. Kapiert?«

Der Lude nickte eingeschüchtert, und Leo ließ ihn ziehen. Der Mann tauchte in einem dunklen Hofeingang unter, während sich die Hure mühsam aufrappelte und ihr enges Kleid glatt strich. Dann hob sie den Mantel vom Boden auf. »Sauhund«, zischte sie leise und hinkte davon, ohne sich bei den Männern zu bedanken.

Leo wandte sich ab. »Manchmal finde ich diese Stadt zum Kotzen.«

Um eins fanden sich die Beamten am Wagen ein und fuhren gemeinsam ins Präsidium zurück. Von Malchow trug die Ergebnisse vor, die Leo mit einem angemessenen Lob quittierte. »Gute Arbeit, meine Herren. Der Sache Blatzheim gehen wir morgen, besser gesagt, heute nach. Und bleiben an unserem Mantelträger dran. Er muss von mehreren Leuten gesehen worden sein. Die Gegend ist belebt, es kann nicht sein, dass nur der junge Willy und Zylberstein ihn bemerkt haben sollen. Dienstbeginn ist morgen um halb zwölf. Gute Nacht.«

Er wollte jetzt nur raus aus dem Büro, weg von dem Fall. Die letzten vierundzwanzig Stunden waren mehr als anstrengend gewesen. Die Sorge um Marie hatte ständig im Hintergrund gelauert, und es tat ihm leid, dass er Ilse in dieser Nacht allein ließ. Dennoch konnte er jetzt unmöglich nach Hause fahren. Die Müdigkeit machte ihn seltsam fiebrig, ihm war nicht nach Schlafen zumute.

Dann fiel ihm wieder ein, was er sich für den Dienstschluss vorgenommen hatte.

Das Schöne an Marlen war, dass er um jede noch so ungewöhnliche Zeit bei ihr auftauchen konnte. Sie lebte nach einem völlig anderen Rhythmus als er und wunderte sich nicht, wenn er um zwei Uhr morgens vor ihrer Tür stand.

»Ich bin gerade nach Hause gekommen«, sagte sie und trat zurück, um ihn hereinzulassen. Ihr Bubikopf war silberblond gefärbt und umrahmte ihr Gesicht wie ein schimmernder Vorhang. Sie war keine Frau zum Heiraten, doch Leo kam gern zu ihr, wenn es ihm in der Emdener Straße zu eng wurde. Oder wenn er einen schlechten Tag hinter sich hatte.

»Du siehst müde aus. Nein, eher mitgenommen. Ein schlimmer Fall?«, sagte sie und hängte ihren Abendmantel, den sie achtlos auf einen Stuhl geworfen hatte, an die Garderobe. Dann nahm sie seinen Mantel.

Leo winkte ab und ging wie selbstverständlich ins Wohnzimmer, wo er sich ein Glas Kognak eingoss und in einem weichen Ledersessel Platz nahm.

»Kognak?« Sie sah ihn überrascht an, da Leo sonst nur Bier, höchstens einmal ein Glas Wein trank.

»Heute schon. Marie ist krank, sie hat Diphtherie. Muss ganz allein im Krankenhaus liegen. Und der Fall geht nicht voran. Ach, egal, ich wollte heute Nacht einfach nicht allein sein.«

Sie berührte vorsichtig seinen Arm und schaute ihn von unten her an. »Manchmal glaube ich, du kommst nur zu mir, wenn es dir schlecht geht.«

»Stimmt«, sagte er offen. »Stört dich das?«

Sie schüttelte den Kopf. »Besser als wenn du gar nicht kämst. Möchtest du was essen?«

»Du willst dich mit deinem schönen Kleid doch nicht in die Küche stellen, oder?«

»Was Kaltes hab ich immer da. Augenblick.«

Kurz darauf kam sie mit einem Teller wieder, auf dem eine Frikadelle, eine Essiggurke und ein paar Klappstullen lagen.

»Danke.«

»Und was das Alleinsein angeht – du bist doch nicht allein. Du hast eine Familie.«

Leo kaute nachdenklich. »Schon, aber es ist eben keine, wie soll ich sagen, keine richtige Familie.« Plötzlich kam er sich wie ein Schwein vor. »Ilse tut mehr für uns, als ich je wieder gutmachen kann, aber sie ist eben nicht meine Frau. Ich kann nicht mit ihr reden wie mit meiner Frau, sie nicht berühren wie meine Frau –« Er verstummte und nippte wieder an dem Kognak.

»Ich bin gleich wieder da.« Als Marlen zurückkam, hatte sie ihr silbernes Abendkleid abgelegt und einen schlichten Hausmantel aus Samt übergezogen, der ihren Körper wie eine dunkelrote Haut umschloss. Sie setzte sich auf das Sofa und zog die Füße unter sich. Dann nahm sie das Gespräch dort auf, wo Leo es abgebrochen hatte. Das mochte er an ihr, sie hörte aufmerksam zu.

»Und das kannst du deiner Schwester unmöglich sagen, weil du sie nicht verletzen willst. Und weil du sie brauchst.«

»Wie gut du mich kennst. Manchmal glaube ich glatt, wir beide, du und ich, könnten es miteinander aushalten.« Natürlich wusste er, dass das nicht stimmte, dass Marlen niemals von einem Polizistengehalt leben könnte, dass sie ihre rauschenden Feste und nächtlichen Eskapaden vermissen würde. Dennoch kannte er niemanden, der ihn besser verstand als sie.

»Komm her.« Er stand auf und ging zum Sofa. Sie streckte einen Arm nach ihm aus und zog ihn zu sich herunter. Er ließ es geschehen, obwohl er noch Spuren anderer Männer an ihr zu riechen meinte, Rasierwasser, Leder, Zigarren, Schweiß. Doch heute Nacht war ihm alles egal.

12

Der Streit entbrannte am nächsten Morgen. Er rief Ilse von Marlens Wohnung aus an, doch sie hängte ein, als sie Leos Stimme hörte. Er wusch sich, zog sich an und fuhr nach Hause, um sich frische Sachen zu holen. Marlen sah ihm von der Wohnungstür aus nach und hauchte ihm eine Kusshand zu.

Der Weg von ihrer Wohnung in Wilmersdorf bis in die Emdener Straße war nicht allzu weit, und der Dienst begann spät. Also genoss er den strammen Morgenspaziergang. Die Nacht hatte ihm gut getan. Natürlich, Marie war noch immer krank, und die Fälle Sartorius und Klante waren nicht gelöst, doch Marlens Körper hatte ihn wenigstens für ein paar Stunden abgelenkt. Obwohl sie ganz anders war als Dorothea, hatte sie ihn doch daran erinnert, wie schön es sein konnte, neben einer Frau aufzuwachen.

Er überquerte Landwehrkanal und Spree, worauf die eleganten Bürgerhäuser den einfacheren Quartieren von Moabit wichen. Noch die Turmstraße, wo er sich bei einem Bäcker zwei frische Schrippen kaufte, dann war er schon zu Hause. Die Wohnung war leer. Georg war in der Schule, und Ilse machte vermutlich Besorgungen. Leo rasierte sich, zog frische Wäsche und einen anderen Anzug an, band sorgfältig die Krawatte und verließ das Haus. Ihm blieb noch Zeit, im Krankenhaus vorbeizugehen.

Als er auf den Balkon trat, sah er Ilse vor dem Fenster stehen. Sie hielt ihre Handtasche umklammert und hatte die Stirn an die Scheibe gelegt. Leise stellte er sich neben sie. »Wie geht es ihr?«

Ganz langsam drehte sie den Kopf und sah ihn an. Ihre Augen waren wie Stein.

»Marie?«, fragte er nur.

»Den Umständen entsprechend. Nicht besser, nicht schlechter als gestern«, presste sie mühsam hervor und schaute wieder ins Zimmer.

Marie lag auf der Seite und blickte zu ihnen herüber, schien sie aber nicht richtig wahrzunehmen. Sie hatte die kleine Hand unter ihr Gesicht gelegt und atmete mit leicht geöffnetem Mund. Als sie ihren Vater sah, hob sie sacht die andere Hand und winkte.

Leo schluckte. »Ilse, es tut mir leid. Ich hätte vorher anrufen sollen, aber es war mitten in der Nacht.«

Sie trat vom Fenster zurück und lehnte sich an die Brüstung. »Ich will keine Entschuldigungen hören. Dass du bei einer Frau warst, geht nur dich etwas an. Einer Frau, von der ich im Übrigen nichts halte, aber das nur nebenbei.«

»Wie du schon sagtest, Marlen geht dich nichts an.«

»Und was ist mit meinen Bekannten?«, begehrte sie auf. »Was war mit dem Nachmittag, an dem ich verabredet war und du ins Präsidium gegangen bist, obwohl du gar keinen Dienst hattest?«

Er hatte geahnt, dass sie früher oder später noch einmal damit anfangen würde. »Es war nicht richtig, aber ich habe mich bereits dafür entschuldigt. Wie oft soll ich es noch tun?«

»Du sollst dich nicht ständig entschuldigen, sondern einfach anders verhalten, Leo.« Sie nannte ihn so selten beim Namen, dass er beinahe zusammengezuckt wäre. Er schaute unwillkürlich durchs Fenster zu Marie und hoffte, dass sie nichts von der Auseinandersetzung mitbekam. Ilse war für sie mehr als eine Tante, da Marie ihre Mutter fast nicht gekannt hatte. Ein Streit zwischen ihr und dem Vater würde sie gewiss verunsichern.

»Sie hört uns nicht. Zum Glück.«

»Was heißt hier zum Glück? Wir können gern aufhören zu

streiten«, sagte Leo, den allmählich ebenfalls die Wut überkam. Warum musste er sich ständig rechtfertigen?

»Das wäre ja so einfach, nicht?«, versetzte Ilse. »Ein paar schöne Kartoffeln, eine Tafel Schokolade, schon ist die alte Ilse ruhig. Das hast du als Kind schon so gemacht. Wenn du etwas ausgefressen hattest und ich den Kopf dafür hinhalten musste, kamst du nachher mit einem Zuckerwürfel angeschlichen. Du bist unverbesserlich.«

»Jetzt reicht es. Falls du vorhast, unsere gesamte Kindheit hervorzukramen, gehe ich lieber gleich. Ich habe auch ein Leben außerhalb der Arbeit. Ich bin vierunddreißig Jahre alt und nicht nur Polizist, nicht nur Vater.« Er hauchte Marie einen Kuss durchs Glas zu und machte auf dem Absatz kehrt, doch Ilse rief ihm noch hinterher: »Und ich bin nicht nur dein Kindermädchen und deine Haushälterin, Leo.«

Ilse hatte das letzte Wort behalten. Genau wie früher. Und das Schlimme war: Sie hatte Recht.

Er saß an der Entwicklung einer neuen Kollektion von Damenknöpfen. Jünger sollte sie sein, aber nicht gewöhnlich. Lindgrün, Zartrosa, sonniges Gelb – die graue Zeit brauchte lebhafte Farben. Das Zeichnen hatte er sich selbst beigebracht. Nicht dass er so begabt gewesen wäre wie seine Modezeichner, doch es reichte, um den Gestaltern begreiflich zu machen, was er sich vorstellte. Bei dieser Arbeit vergaß er oft alles um sich herum.

Als sein Chefgestalter Behnke nach höflichem Klopfen eintrat, schaute er kaum hoch, sondern winkte den Angestellten zu dem großen Tisch am Fenster. Unwillig rieb er sich dabei den rechten Arm, um das hartnäckige Kribbeln zu vertreiben.

Behnke sah ihn ein wenig verwundert an. »Haben Sie Beschwerden, Herr Direktor?«

»Mir ist nur der Arm eingeschlafen«, entgegnete er knapp. »Hier, ich habe eine neue Idee für eine Damenkollektion. Damit möchte ich auch jüngere Frauen ansprechen. Als Material

wollte ich Kunststoffe einsetzen, vielleicht auch Bein und Perl-
mutt.«

Als Behnke kurz darauf »Welcher Wechsel, bitte?« fragte, sah
er den Gestalter verständnislos an.

»Was reden Sie da, Behnke?«

»Verzeihung, aber Sie sagten etwas von einem Wechsel.«

»Da müssen Sie sich verhört haben«.

Abrupt wandte er sich ab, um seine Verwirrung zu verbergen.
Er spürte, wie ihm sein Ich auf einmal zu entgleiten drohte.
Eben noch hatte er sich so zuversichtlich gefühlt, und schon
meinte er, Mitleid und Unverständnis im Blick des anderen zu
lesen.

»Wie Sie meinen.« Und dann: »Ist Ihnen nicht gut? Ihre Au-
gen, Herr Direktor –«

Er schüttelte den Kopf. Mit seinen Augen war alles in Ord-
nung, er sah den feinsten Strich auf dem Papier. Nur der Arm
wollte nicht so recht, war immer noch ein wenig taub.

»Kommen Sie um eins wieder, Behnke. Ich fahre noch einmal
weg.«

Im Büro waren die Nachrichten erfreulicher. Die Kollegen in
Potsdam hatten einen Goldschmied gefunden, der sich an die
Brosche erinnerte, obwohl seit der Anfertigung so viel Zeit ver-
gangen war. »Tatsächlich in der Nähe gekauft, wie wir dach-
ten«, sagte Leo zu Robert und deutete auf den Zettel mit der
Anschrift des Juweliers. »Also unternehmen wir heute einen
Ausflug nach Potsdam.«

»Und hoffen, dass er seine Buchhaltungsunterlagen aufbewahrt hat«, fügte Robert hinzu.

Leo wandte sich an Herbert von Malchow, der im Vorzimmer
saß und seine Fingernägel betrachtete. »Von Malchow, Sie
kümmern sich bitte um den Getreidehändler Blatzheim. Bis
nachher.«

Er blieb im Taxi sitzen und schaute aus dem Fenster. Das Ge-
bäude war immens groß und besaß zahlreiche Eingänge. Eine
Straßenbahn ratterte vorbei. Drei Kinder in zerlumpter Klei-
dung klopften an die Scheibe und wurden vom Taxifahrer ver-
scheucht. Er achtete gar nicht auf sie, saß reglos da, die Hände
im Schoß, hielt den Kopf unverwandt nach links.

Der Taxifahrer spähte durch den Rückspiegel nach hinten,
schüttelte den Kopf und zündete sich eine Zigarette an. Geld
verdienen, ohne Sprit zu verbrauchen, da konnte er sich noch
eine genehmigen.

Nach einer Weile kam plötzlich Leben in den Fahrgast. Zwei
Männer traten aus dem Haupteingang und gingen in Richtung
eines Hofes, auf dem mehrere Automobile parkten. » Warten
Sie.« Er stieg aus, überquerte die Straße, betrat das Gebäude
und wandte sich an den Pförtner. » Verzeihung, ist es möglich,
dass ich gerade Herrn Kommissar Wechsler verpasst habe?«

» Ja, der hat sich eben die Wagenschlüssel geholt. Möchten Sie
ihm eine Nachricht hinterlassen?«

» Nein, danke. Ich komme noch einmal wieder.«

Er wollte gerade zu seinem Taxi zurückkehren, als ein gutge-
kleideter Mann aus der anderen Richtung kam, kurz mit dem
Pförtner sprach und das Präsidium betrat.

Im Taxi zermarterte er sich den Kopf. Undeutliche Bilder zo-
gen vorbei, schemenhafte Gestalten, verzerrte Stimmen dröhn-
ten in seinen Ohren. Er hielt den Kopf mit den Händen um-
klammert und hoffte nur, dass der Fahrer nicht nach hinten
schaute. Selbst wenn. Migräne, würde er sagen. Migräne war
gut.

Als sie zum Wagen gingen, sah Robert seinen Freund prüfend
von der Seite an. »Was ist los? Mit dir stimmt was nicht, und es
geht nicht nur um Marie.«

Leo schaute unverwandt geradeaus. Dann sagte er: »Ach, ich
war letzte Nacht bei Marlen. Hatte keine Lust, nach dem Ein-

satz nach Hause zu gehen. Ich weiß, ich hätte Ilse anrufen müssen, sie hat genug Sorgen, aber ich mochte einfach nicht. Heute Morgen bin ich ihr im Krankenhaus begegnet.«

»Und?«, hakte Robert nach. Er holte zwei Äpfel aus der Tasche und bot Leo einen an, aber der schüttelte den Kopf.

»Wir hatten Streit. Ich fürchte, sie wird irgendwann ausziehen. Wenn es ihr zu viel wird, meine ich.«

»Sie kann euch doch nicht im Stich lassen, Leo.«

»Aber sie ist sechsunddreißig. Sie hat ein Recht auf ein eigenes Leben. Abends ausgehen, Freunde, Tanztee, was weiß ich. Vielleicht auch Kinder.«

»Mag sein, aber du sorgst doch für sie«, gab Robert zu bedenken. »Sie hat keinen eigenen Beruf, oder?«

»Nein. Früher wollte sie Krankenschwester werden, aber unser Vater hielt nichts davon. Frauen brauchen keine Arbeit außer Haus, meinte er immer.«

»Dabei haben wir heutzutage sogar Frauen bei der Kripo.«

»Das hätte er nicht verstanden«, meinte Leo ein wenig bitter. »Er hat sich überhaupt wenig Mühe gegeben, andere zu verstehen.« Er schlug mit der Hand aufs Lenkrad. »Verdammt, mir gehen auf einmal so viele Dinge durch den Kopf. Wie es kommt, dass man lebt, wie man lebt, und nicht anders. Dass Dorothea gestorben ist und Ilse deshalb für uns sorgen muss. Dass Marie krank wird und in dieselbe Klinik kommt wie ihre Mutter.«

Robert legte ihm beschwichtigend die Hand auf den Arm. »Ich versteh dich ja, aber du solltest dich nicht so quälen. Marie wird wieder gesund, da bin ich sicher. Die Kleine ist ein tapferes Mädchen.«

»Danke, Robert.« Leo schaute kurz aus dem Fenster. Das Wetter war schöner geworden, und die Sonne ließ den Wannsee wie Diamanten funkeln, als sie von der Potsdamer Chaussee auf die Brücke fuhren. Bald breitete sich rechts und links der Straße die grüne Mauer des Berliner Forstes aus. Hier könnte man am

Wochenende schön spazieren gehen, überlegte Leo. Doch daran war im Augenblick nicht zu denken.

»Wie war die Adresse, Robert?«

»Brandenburger Straße, das ist mitten in der Altstadt.«

Leo parkte zwischen den roten Giebelhäusern des Holländischen Viertels und schaltete den Motor aus. »Das Wetter ist so schön. Lass uns ein bisschen zu Fuß gehen.«

Robert nickte und stieg aus. Er kannte Leo lange genug und merkte, wenn er Luft brauchte. Still gingen sie in Richtung Brandenburger Straße. Erst in der belebten Straße mit den alten Bürgerhäusern und schönen Geschäften brach Leo sein Schweigen. Er deutete auf ein Geschäft in einem eleganten, hellgelb getünchten Haus, dessen schmiedeeisernes Schild »Winckler – feine Gold- und Silberwaren« ankündigte. Im Schaufenster lagen erlesene Schmuckstücke auf dunkelblauen und weinroten Samtkissen, die den Glanz der Juwelen betonten. Preisschilder gab es keine.

Robert sah Leo an. »Nicht gerade unsere Kragenweite, was?«

»Wohl kaum.« Sie betraten das Geschäft, das auch innen überaus geschmackvoll ausgestattet war. Bequeme Sessel luden zum Verweilen ein, die Theke stand diskret im Hintergrund, geschickt beleuchtet, so dass die ausgestellten Schmuckstücke besonders gut zur Geltung kamen. An den Wänden hingen Porträts, die vermutlich frühere Geschäftsinhaber zeigten.

Eine melodische Glocke kündigte den Besuch an. Ein älterer Herr mit Kneifer trat aus einer Tür mit der Aufschrift »Werkstatt«. »Guten Tag, die Herren, womit kann ich dienen?«

Leo und Robert stellten sich vor.

»Mein Name ist August Winckler. Zugegeben, ich war sehr überrascht, als die Polizei mich anrief.«

»Das sind die meisten Menschen, die gewöhnlich nicht mit uns zu tun haben«, entgegnete Leo verbindlich. Dann holte er ein Kästchen aus der Tasche, klappte den Deckel auf und stellte es auf die Theke. »Stammt diese Brosche aus Ihrer Werkstatt?«

»Darf ich?« August Winckler nahm den Käfer vorsichtig in die Hand und hielt ihn ans Licht. »Ja, das ist meine Arbeit. Lange her, zwölf Jahre«, sagte er mit einem Blick auf die Gravur. »Ein kostspieliges Stück, die Anfertigung war sehr aufwendig.«

»Wir möchten den Namen des Käufers von Ihnen erfahren, Herr Winckler«, sagte Leo und dachte bei sich, wie gut, dass es bei Goldschmieden keine Schweigepflicht gibt. Andernfalls würde dieser ehrenwerte Herr gewiss kein Wort über seine Kunden verlieren.

Und richtig, Herr Winckler wiegte bedächtig den Kopf. »Ich spreche ungern über meine Kundschaft, Herr Kommissar.«

»Das ist verständlich, aber wir ermitteln in einem Mordfall. Da kann ich leider keine Ausnahmen machen.«

Der Goldschmied sah ihn erschrocken an. »Ein Mordfall? Und er hat mit meiner Brosche zu tun? Das ist mir überaus unangenehm. Wir sind ein alteingesessenes Haus mit Kunden aus den höchsten Kreisen. Ich hoffe, Sie behandeln die ganze Angelegenheit diskret.«

»Da können Sie sicher sein«, warf Robert ein, da er spürte, wie Leo allmählich die Geduld verlor. »Wir möchten Sie bitten, in Ihren Unterlagen nachzuschauen, wer die Brosche bei Ihnen hat anfertigen lassen. Oder können Sie sich noch an den Kunden erinnern?«

Herr Winckler schüttelte den Kopf und wandte sich rasch ab. Leo zog die Augenbrauen hoch.

Der Goldschmied kam mit einem großen Hauptbuch zurück. Eine stattliche Frau mit eisengrauem Haarknoten folgte ihm. Sie trug ein schlichtes dunkles Kleid mit einer Kamee am Hals.

»Guten Tag, ich bin Edith Winckler.« Sie schob ihren Mann, der sich nicht wehrte, sanft beiseite und blätterte im Buch. Sie fuhr mit dem Finger die Namen nach. »30. Mai 1910. Brosche in Form eines Käfers, 555er Gold, Granat und Onyx. Mit Gravur. 300 Mark.« Sie drehte das Buch um, so dass die Polizisten den Eintrag lesen konnten. In der Zeile darunter standen Name und Anschrift des Auftraggebers. »Kurt Dießing, Berlin-Zehlendorf.«

»Gute Gegend«, bemerkte Robert.

»Ein feiner Herr«, sagte Frau Winckler. »Ich fand die Idee mit dem Käfer ganz reizend. Seine Frau hat sich sicher gefreut.«

Robert hüstelte. »Er hat also erklärt, die Brosche sei ein Geschenk für seine Frau?«

»Ja, daran erinnere ich mich genau«, bestätigte auch der Goldschmied. »Er wollte sie ihr zur Silberhochzeit schenken.«

»Und eben wussten Sie nicht mehr, wie der Kunde hieß«, meinte Leo etwas bissig.

»Es ist mir gerade wieder eingefallen.«

»Unsinn, August, sag den Herren doch die Wahrheit. Herr Dießing ist noch immer ein guter Kunde von uns. Er kauft hier häufig Geschenke für seine Frau und seine Tochter.«

»Einen Moment«, warf Leo ein. »Der Name kommt mir bekannt vor.«

»Er ist Politiker, sitzt für das Zentrum im Reichstag«, erklärte Frau Winkler. »Sie kennen den Namen sicher aus der Zeitung.«

»Natürlich. Und Sie kennen Herrn Dießing schon lange?«

»Ja, er ist eine Art Stammkunde unseres Hauses. Wir fanden die Idee mit der Brosche damals ganz reizend.«

»Da haben Sie Recht«, pflichtete Robert ihr bei. »Wir bedanken uns für Ihre Hilfe. Falls wir noch Fragen haben, melden wir uns.«

»Ich hoffe, Herrn Dießing ist nichts zugestoßen«, sagte Herr Winckler besorgt. »Wegen des Mordfalls, meine ich.«

»Wir dürfen nicht über unsere Fälle sprechen, aber ich kann Sie beruhigen. Wir gehen davon aus, dass Herr Dießing bei bester Gesundheit ist. Sie haben doch sicher seine Adresse in Ihren Unterlagen?«

Frau Winckler nickte bereitwillig und holte ein schwarzes

Adressbuch. Sie notierte Adresse und Telefonnummer auf einen Zettel und reichte ihn Leo. »Ich hoffe, Herr Dießing bekommt durch uns keine Schwierigkeiten«, sagte sie verbindlich.

Draußen auf der Straße sah Robert Leo an. »Diese Hoffnung wird sich wohl nicht erfüllen.«

»Nein. Er wird uns erklären müssen, wie das Silberhochzeitsgeschenk seiner Frau in den Besitz einer heruntergekommenen Prostituierten gelangt ist. Vorausgesetzt, es war nicht von Anfang an für Erna Klante bestimmt.«

»Du meinst ... er war ihr Freier?«

»Warum nicht? Sie hatte immerhin bessere Zeiten erlebt. Warum soll er nicht Gast in ihrem Bordell gewesen sein? Er findet Gefallen an ihr, wird ihr Stammfreier, schenkt ihr das Schmuckstück. Und sie trennt sich erst davon, als ihr kein anderer Ausweg bleibt.«

»Das wird eine unangenehme Überraschung für Herrn Dießing. Zentrum, also katholisch und konservativ.«

Robert pfiff durch die Zähne. »Das passt ja.«

»Lass uns zu Dießing nach Zehlendorf fahren.«

»Um diese Zeit?«

»Selbstverständlich. Notfalls wird seine Frau schon Auskunft geben, wo wir ihn antreffen können.«

Die Villa war aus dunkelrotem Backstein, efeubewachsen, von dezenter Eleganz. Keine neumodischen Schnörkel, sondern ein Muster bürgerlichen Wohlstands. Als Leo und Robert ausstiegen, sprang ein junges Mädchen im Sportmantel die Treppe herunter, gefolgt von einem kläffenden Cockerspaniel. Sie sah die Besucher fragend an.

»Wechsler mein Name, das ist Herr Walther. Wir möchten Herrn Dießing sprechen.«

Sie schaute unschlüssig zum Haus, dann wieder zu den Polizisten. »Er ist im Arbeitszimmer, muss aber gleich zu einer dringenden Sitzung. Wenn Sie ...«

»Vielen Dank, wir finden uns schon zurecht.«

Leo ging unbekümmert in die Eingangshalle, wo ihm ein Hausmädchen mit einem Tablett entgegenkam. »Sie wünschen?«

Leo wiederholte die Prozedur.

»Der gnädige Herr möchte nicht gestört werden.«

Nun zückte er seinen Ausweis. »Kriminalpolizei. Bitte führen Sie uns zu Herrn Dießing.«

Sie stellte das Tablett ab, ging zu einer Tür am Ende der Halle und klopfte an. Nach einem kurzen Wortwechsel winkte sie Leo und Robert herbei. »Herr Dießing erwartet Sie.«

Sie knickste und verschwand.

Der Abgeordnete Kurt Dießing sah aus, wie man sich einen konservativen, wohlanständigen Politiker vorstellte. Gepflegter Spitzbart, goldene Uhrkette über der Brust, grauer Maßanzug, Gamaschen. Er begrüßte sie eilig. »Ich muss zu einer dringenden Sitzung, meine Herren. Ich hoffe auf Ihr Verständnis.«

Leo schloss sanft die Tür. »Leider müssen wir Ihre Zeit ein wenig in Anspruch nehmen, Herr Dießing. Nehmen Sie doch Platz.«

Verwundert setzte sich der Abgeordnete hinter seinen Schreibtisch und bot den Polizisten ebenfalls zwei Sessel an. »Worum geht es eigentlich? Was hat die Polizei in meinem Haus zu suchen?«

Leo packte die Brosche aus und legte sie auf den Mahagonischreibtisch. Dießing wurde blass und griff nach einem Füllfederhalter, als wollte er sich an irgendetwas festhalten. »Was ... was soll das bitte?«

»Kennen Sie das Schmuckstück? Sie können es ruhig in die Hand nehmen und die Gravur lesen.«

Dießing entschied sich anders und ging in die Offensive. »Ich brauche sie nicht zu lesen. Ich habe diese Brosche in Potsdam anfertigen lassen. Das muss vor etwa zehn, zwölf Jahren gewesen sein. Wie ist sie in Ihren Besitz gelangt?«

»Das werde ich Ihnen zu gegebener Zeit erklären, Herr Dießing. Allerdings möchte ich Sie darauf hinweisen, dass *ich* hier die Fragen stelle. Für wen war die Brosche bestimmt?«

»Ich glaube nicht, dass ich derart persönliche Fragen beantworten muss, Herr Kommissar.« Dießing hatte seine Selbstsicherheit wiedergewonnen.

»Ich glaube doch.« Leo lehnte sich gelassen in seinem Sessel zurück. »Wir untersuchen einen Mordfall. Das Opfer hat diese Brosche vor einiger Zeit in einem Pfandhaus in der Linienstraße versetzt. Wir rekonstruieren die Vergangenheit des Opfers und überprüfen dabei alle Spuren. Die Brosche genießt dabei besonderen Vorrang.«

Dießing wirkte nicht mehr ganz so selbstsicher. »Wer ist das Opfer?«

»Das sage ich Ihnen, wenn Sie mir verraten, für wen die Brosche bestimmt war. In der Goldschmiede Winckler sprach man von einem Geschenk für Ihre Frau zur Silberhochzeit.«

Dießing drehte seinen Füllfederhalter zwischen zwei Fingern und schwieg. Dann fuhr er sich nervös mit der Zunge über die Lippen und sagte: »Ich hoffe, das bleibt unter uns.«

Leo kehrte fragend die Hände nach außen.

»Diese Brosche war ein Geschenk für eine, nun ja, eine Freundin. Eine Dame, mit der ich damals näheren Umgang pflegte. Da ich sie manchmal Käferchen nannte, kam mir irgendwann der Gedanke, ihr mit einer Käferbrosche eine Freude zu bereiten.«

»Und hat sie sich gefreut?«, konnte Robert sich nicht verkneifen.

»Sehr.«

»Und wie hieß die werte Dame?«

»Ich kenne nur ihren Vornamen.«

»Auch der hilft uns weiter, Herr Dießing.«

»Sie hieß Erna.«

»Ausgezeichnet«, sagte Leo. »Und wo haben Sie Umgang mit ihr gepflegt?«

Dießing schaute nervös zur Tür. Leo fragte sich, ob er eher fürchtete, seine Sitzung zu versäumen oder von seiner Frau überrascht zu werden. Leo räusperte sich, um die Aufmerksamkeit des Politikers wieder auf die Befragung zu lenken.

»Es war in einem Etablissement in Charlottenburg. Es nannte sich Haus Elvira, ganz diskret. Ich bin früher oft dorthin gegangen, um mich zu entspannen.«

»Und dort haben Sie Erna Klante kennen gelernt?«

»Sie fiel mir gleich auf. Nicht mehr jung, aber ich konnte nie viel mit jungen Dingern anfangen. Sie hatte Erfahrung, das fand ich reizvoll. Keine Frau, der man alles erklären musste. Und als Dank für die angenehmen Stunden, die ich mit ihr verbracht habe, schenkte ich ihr die Brosche.«

»Wussten Sie, dass Erna an Syphilis erkrankt war?«

Dießings Kopf schnellte hoch. Er wischte sich mit einem Taschentuch über die Stirn. »Ich … ja, ich habe es später irgendwann erfahren. Sie war auf einmal nicht mehr anzutreffen. Also habe ich mich bei Madame Elvira nach ihr erkundigt. Sie druckste herum, schließlich war eine derartige Erkrankung keine Empfehlung für ihr Haus. Als ich davon erfuhr, habe ich mich sofort zu einem Arzt meines Vertrauens begeben. Ich hatte Glück gehabt und mich nicht angesteckt.«

»Wann genau war das?«

»Lassen Sie mich überlegen. Die Brosche habe ich ihr 1910 geschenkt. Dann war ich lange mit meiner Frau verreist, wir haben uns anlässlich der Silberhochzeit die Welt angeschaut. Irgendwann im folgenden Jahr wollte ich Erna wieder sehen und traf sie nicht mehr dort an.«

»Gut. Dann hat sie das Bordell also 1911 verlassen.«

Bei dem Wort Bordell zuckte Dießing sichtlich zusammen,

doch Leo nahm keine Rücksicht auf die wohlanständige Fassade. »Geben Sie mir bitte die Adresse, Herr Dießing. Und den Namen der Inhaberin.« Unwillig notierte dieser Namen und Anschrift auf einen Briefbogen und schob ihn Leo hin. »Ich bitte Sie um Diskretion.«

»Die kann ich Ihnen nicht garantieren.«

»Wir hatten eine Abmachung, Herr Kommissar. Ich sage Ihnen, für wen die Brosche angefertigt wurde, und Sie verraten mir den Namen des Opfers.«

Robert schaute Leo aus dem Augenwinkel an, dann wartete er gespannt auf Dießings Reaktion.

»Das Opfer heißt Erna Klante, Prostituierte, wohnhaft in einem Hinterhofverschlag im Scheunenviertel. Sie wurde erdrosselt«, antwortete Leo nüchtern. »Vermutlich handelt es sich um die ehemalige Besitzerin der Brosche. Wo waren Sie in der Nacht vom vergangenen Samstag auf Sonntag?«

Schweiß perlte von Dießings Stirn. Seine mühsam bewahrte Haltung schwand dahin. »Im Bett, ich war in meinem Bett. Aber Sie haben gewiss nicht vor, sich dies von meiner Frau bestätigen zu lassen?«

»Momentan nicht. Es ist allerdings möglich, dass wir Sie noch einmal befragen müssen. Eine letzte Frage: Haben Sie Erna Klante in den vergangenen elf Jahren noch einmal gesehen?«

Dießing schüttelte den Kopf. »Ich habe dann und wann an sie gedacht, das ist alles.« Er schluckte. »Wie hat sie gelebt?«

»Am äußersten Rand der Gesellschaft, wie es bei alternden Prostituierten häufig der Fall ist.«

»Aus welchem Grund sollte sich jemand an einer solchen Frau vergreifen?«

»Wenn wir das wüssten, wären wir vermutlich nicht hier, Herr Dießing. Aber ich danke Ihnen für Ihre Mithilfe und werde Ihre Aussage so diskret wie möglich behandeln.« Leo stand auf, Robert folgte seinem Beispiel. Sie verabschiedeten sich von Herrn Dießing. Im Hinausgehen sahen sie eine grauhaarige Frau, die den Kopf aus dem Salon steckte und ihrem Mann einen fragenden Blick zuwarf.

»Kurt, wer waren die Herren?«

»Ich habe es eilig, Liebes, ich erzähle dir heute Abend davon.« Er trat an die Garderobe, um seinen Mantel zu holen.

»Ich merke doch, dass etwas nicht stimmt. Du siehst ganz erhitzt aus. Willst du dich nicht ausruhen?«

»Das geht nicht. Gleich findet eine wichtige Abstimmung im Reichstag statt, bei der es auf jede Stimme ankommt. Wir essen heute Abend zu Hause, dann können wir uns in Ruhe unterhalten.«

Er knöpfte den Mantel zu und legte einen seidenen Schal um. »Alfred wartet sicher mit dem Wagen. Bis später.« Er wandte sich zum Gehen.

Kurz vor der Haustür machte er einen unsicheren Schritt, griff sich an die Brust. Bevor seine Frau hinzueilen konnte, war er zu Boden gesackt.

13

Unruhig schritt er im Wohnzimmer auf und ab. Fasste sich an den rechten Arm. Die Taubheit war noch immer nicht gewichen. Dann und wann bildete er sich ein, eine Besserung zu spüren, wenn er von irgendetwas abgelenkt wurde. War er allein, spürte er wieder das Kribbeln, das Gefühl, als gehöre der Arm einem anderen. Heute Abend würde er Viola auf einer Soirée in Dahlem sehen. Unwillig schüttelte er den Arm, als könnte er sich auf diese Weise von dem seltsamen Fremdheitsgefühl befreien.

Er zündete sich eine duftende Havanna an und trat ans Fenster. Das schöne Juniwetter war einem feuchten Juli gewichen. Vielleicht vertrug er die ungewöhnliche Feuchtigkeit nicht, vielleicht litt er unter einem Anfall von Rheumatismus. War da nicht ein Ziehen im Rücken? Von seiner Mutter hatte er einen leichten Hang zur Hypochondrie geerbt, mit dem er gelegentlich sogar kokettierte.

Und dann war sie da, unvermittelt und heftig traf ihn die Erkenntnis. Jetzt wusste er, woher er den Mann kannte, den er vor dem Präsidium gesehen hatte. Und auch seinen Vornamen.

Das Haus war unauffällig, ein schmales, dreistöckiges Gebäude, das sich nahtlos in die Häuserzeile fügte. Es gab kein Schild, das verraten hätte, was hinter der schlichten Holztür mit dem kleinen Buntglasfenster vorging. Leo klingelte.

»Vielleicht ist es für die Damen noch zu früh«, meinte Walther und sah auf die Uhr.

»Die kommen schon.« Und in ebendiesem Moment wurde

von innen ein Schlüssel gedreht, und eine ältere Dame öffnete ihnen die Tür. Nur die allzu kräftige Schminke, auf die Frauen ihres Alters gewöhnlich verzichteten, wies auf ihr Gewerbe hin. Kleidung und Frisur waren schlicht und dezent. »Wir öffnen erst um fünf.« Sie wollte die Tür wieder schließen, doch Leo schob den Fuß dazwischen und zeigte seinen Ausweis vor.

»Frau Elvira Blank? Kommissar Leo Wechsler, das ist Kriminalsekretär Walther. Wir möchten Ihnen einige Fragen stellen.«

Sie war erfahren genug, um sich nicht mit der Kriminalpolizei anzulegen, und trat beiseite, um die Männer hereinzulassen. Der geräumige Flur wirkte plüschiger als die unscheinbare Fassade, der rote Teppich und die vergoldeten Spiegel etwas üppiger als in einem gewöhnlichen Bürgerhaus. Das Büro, in das sie Leo und Robert führte, war hingegen nüchtern eingerichtet.

»Nehmen Sie bitte Platz.« Elvira Blank setzte sich und zündete sich eine Zigarette an, ohne auf Feuer zu warten. Sie stieß eine Rauchwolke aus und sah die Männer fragend an. »Was führt Sie her? In meinem Haus gibt es keine Skandale.«

»Wir kommen in einer Angelegenheit, die bereits länger zurückliegt. Es geht um eine Angestellte, die vor Jahren für Sie gearbeitet hat. Frau Erna Klante.«

Elvira Blank sah Leo überrascht an. »Die Erna? Das ist doch ewig her. Wir haben uns ohne Streit getrennt. Ich weiß nicht, ob Sie ... jedenfalls war sie krank, und ich habe ihr bei der Behandlung ein bisschen unter die Arme gegriffen. Natürlich konnte ich sie nicht weiterbeschäftigen, das Risiko war einfach zu groß.«

»Sie litt an Syphilis?«, fragte Robert geradeheraus und sah, wie Frau Blank ein wenig zusammenzuckte. Das Wort konnte selbst in diesen Kreisen noch immer Furcht und Schrecken hervorrufen.

»Ja. Man hatte damals gerade dieses neue Mittel entdeckt, Salvarsan oder wie das heißt. Es war nicht unumstritten, aber

Erna wollte nicht sterben. Sie hatte Angst. Da habe ich ihr Geld gegeben.«

»Und sie wurde geheilt?«

»Ich glaube schon.«

»Wann haben Sie sie zum letzten Mal gesehen?«

Frau Blank überlegte nicht lange. »Damals, 1911 muss das gewesen sein. Ich nannte ihr den Namen einer Kollegin, an die sie sich wenden sollte. Ihr Haus ist nicht so exklusiv wie meins, aber immer noch besser als die Straße. Verstehen Sie, Erna war nicht nur krank, sie war auch keine zwanzig mehr. Moment, da fällt mir etwas ein. Vor ein paar Wochen hat jemand nach ihr gefragt.«

»Wer war das?«

»Er hat am Telefon seinen Namen nicht genannt, wollte nur wissen, ob sie noch hier arbeitet. Ich sagte, dass sie schon lange nicht mehr bei mir wäre. Vermutlich ein alter Kunde.«

»Haben Sie ihm auch den Namen des anderen Bordells genannt?«

»Ja. Es ist schließlich kein Geheimnis, wo Erna von hier aus hingegangen ist. Aber ob sie noch da arbeitet –«

Leo beugte sich vor und verschränkte die Hände. »Das tut jetzt nichts zur Sache. Wissen Sie, ob sich Freier bei ihr angesteckt haben?«

Frau Blank schüttelte den Kopf. »Das kann ich nicht sagen. Gehört habe ich jedenfalls nichts dergleichen. Aber worum geht es überhaupt?« Sie stand auf und holte aus einem Schrank eine neue Schachtel türkische Zigaretten. Mit einer eleganten Bewegung nahm sie eine heraus, steckte sie an und inhalierte tief. Als sie den Rauch ausstieß, wogte er als üppig duftende Wolke um ihren Kopf.

»Erna Klante wurde ermordet. In einem Hinterhof in der Linienstraße.«

»In der Linienstraße? Wie kam sie dorthin? Hat sie etwa da gewohnt?«, fragte Frau Blank ehrlich überrascht.

»Ja. Und hat in der Gegend wohl auch ihren letzten wertvollen Besitz verpfändet.« Leo holte zum dritten Mal an diesem Tag die Brosche hervor und zeigte sie der Bordellbesitzerin.

Sie nickte. »Ja, die hat der Erna gehört. Sie war so stolz darauf. Extra für sie angefertigt, die dürfte nicht billig gewesen sein. Der Kunde hatte wohl einen Narren an ihr gefressen.«

»Kannten Sie ihn?«, fragte Robert rasch.

»Ja, aber ich spreche nicht über meine Kunden«, entgegnete die Bordellbesitzerin ebenso rasch. »Das ist Ehrensache.«

»Und wenn ich Ihnen sage, dass der Kunde Kurt Dießing hieß und heute als Abgeordneter im Reichstag sitzt?«, fragte Leo.

»Dann werde ich Sie vielsagend anschauen und schweigen.«

»Wir ermitteln in einem Mordfall und können daher keine Rücksicht nehmen«, sagte Leo betont offiziell. »Falls Sie sich namentlich an Kunden erinnern, die mit Erna Klante verkehrt haben, fordere ich Sie auf, die Namen zu nennen.«

Frau Blank schüttelte den Kopf. »Herr Kommissar, es ist lange her. Wie soll ich mich da an jeden einzelnen Kunden erinnern? Und wer welche Mädchen bevorzugt hat? Sie erwarten zu viel von mir.«

»Könnte Erna Klante einen Freier angesteckt haben?«, fragte Leo erneut. »Zwischen dem Zeitpunkt der Ansteckung und der Behandlung ist sicher eine gewisse Zeit vergangen.«

»Das mag sein. Es täte mir leid, gehört aber zu den Gefahren, die nicht ganz auszuschließen sind, wenn man ein Haus wie meins besucht. Natürlich passe ich auf meine Mädchen auf, aber ich stehe nicht neben dem Bett, wenn Sie mich verstehen.« Sie drückte energisch ihre Zigarette aus. »Ich kann Ihnen versichern, dass ich von niemandem weiß, der sich bei der Erna die Franzosenkrankheit geholt hätte. Aber es gibt eben nicht nur Stammkunden, die ich persönlich kenne und deren Wegbleiben ich bemerken würde, sondern auch flüchtige Besucher, die einmal und nie wieder kommen. Wenn sich einer von denen angesteckt hat –« Sie zuckte mit den Schultern.

Robert wollte sich nicht damit abfinden, dass sie Ernas Vergangenheit so nahe gekommen waren und doch nichts Handfestes mit nach Hause nehmen sollten. »Frau Blank, können Sie sich an irgendetwas Ungewöhnliches im Zusammenhang mit Erna Klante erinnern? Streit, Eifersüchteleien unter Frauen, Intrigen, was auch immer?«

»Irgendetwas, das aus dem normalen Ablauf herausstach und das Sie nicht vergessen haben?«, fügte Leo hinzu.

Sie überlegte, schüttelte den Kopf, zündete sich die nächste Zigarette an. Leo hob leicht die Brauen. Dann: »Ja, da war mal etwas. Aber es hat sicher nichts zu bedeuten, es war nur Kinderkram.«

»Es interessiert uns dennoch.«

»Na ja, es muss so um die Zeit gewesen sein, kurz bevor Erna bei mir aufhörte. Da kamen ein paar junge Leute vorbei, sicher aus gutem Haus, aber furchtbar albern und leichtsinnig. Sie hatten einen Freund im Schlepptau, einen schüchternen Kerl, der anscheinend noch Jungfrau war. Den haben sie zur Erna geschickt und im Voraus bezahlt. Das war vielleicht ein Johlen und Krakeelen, die hatten schon eine Menge intus. Er wollte nicht so recht rein ins Zimmer, hat sich mit Händen und Füßen gewehrt. Jedenfalls haben sie ihn irgendwie reinbugsiert. Und die Erna hat ihn in die Liebe eingeweiht. Er ist ganz schön lange geblieben, hat das Geld weidlich ausgenutzt. Die Ruhigen sind meist die Schlimmsten, haben's faustdick hinter den Ohren.«

»Ist ein solcher Vorfall in Ihrem Haus denn so ungewöhnlich?«, hakte Leo nach.

»Eigentlich nicht. Solche Geschichten kommen bei übermütigen jungen Leuten öfter vor. Ich hab auch nur daran gedacht, weil ein Stammkunde dabei war.«

Leo und Robert sahen sich an. »Ein Stammkunde?«

»Ja, der Herr von Malchow. Er kam früher oft her. Mittlerweile ist er sich wohl zu gut für mein Haus. Sie würden sich übrigens wundern, wer hier so alles verkehrt.«

»Etwa Herbert von Malchow?«

»Genau, so hieß er.«

»Sie wollen sagen, er war einer der Männer, die den Burschen zu Erna Klante geschleppt haben?«

»Ja. Ist doch kein Verbrechen, oder?«

»Erinnern Sie sich an den jungen Mann?«, fragte Leo drängend.

»Nicht daran, wie er ausgesehen hat. Er wirkte schüchtern, ein wenig unscheinbar.«

»Und Sie meinen, es könnte zu der Zeit gewesen sein, in der Erna Klante schon krank war?«

»Möglich. Es war einige Jahre vor dem Krieg, so viel steht fest. Näheres kann ich Ihnen wirklich nicht sagen.«

»Haben andere Damen etwas davon mitbekommen? Könnten sie sich vielleicht an das Aussehen oder die Namen der Männer erinnern?«

Elvira Blank lachte. »Meine Mädchen wechseln alle paar Jahre. Überlegen Sie mal, zehn oder elf Jahre sind eine lange Zeit, gerade in unserem Gewerbe. Nur die Hertha ist noch von früher da. Soll ich sie rufen?«

»Bitte.«

Sie verließ kurz das Büro, und Leo sah Robert an. »Sag jetzt nichts. Ich kann es auch nicht glauben.«

Die Tür ging auf, und eine üppige Frau mit rotem Bubikopf und fahlweißer Haut betrat das Zimmer. Sie blieb wartend stehen, bis Frau Blank die Männer vorstellte. »Das ist Hertha Weiß, meine rechte Hand. Sie war damals schon im Haus.«

Leo erkundigte sich nach dem Zwischenfall, doch Hertha konnte sich an nichts erinnern.

»Tut mir leid, davon weiß ich nichts. Und die Erna ist tot? Das arme Ding.«

»Sie haben also nichts davon mitbekommen? Niemand hat später davon gesprochen?«

»Nee. Und wissen Sie auch, warum? Weil es nicht ungewöhnlich war. Als Mutprobe ins Bordell, das machen viele junge Kerle. Darüber redet man gar nicht weiter.«

»Aber Frau Blank hat sich daran erinnert.«

»Nur weil Sie mich so nach Erna und der Zeit damals gefragt haben und weil der eine ein guter Kunde war«, warf die Bordellbesitzerin ein.

Leo und Robert standen auf. »Falls Ihnen noch etwas einfallen sollte, rufen Sie mich bitte im Präsidium an. Hier ist meine Nummer.« Er schrieb sie auf. »Und noch etwas. Ich brauche den Namen der Freundin, zu der Sie Erna geschickt haben.« Er notierte sich die Angaben und verließ mit Robert das Haus.

Im Wagen sah Robert Leo von der Seite an. »Was wirst du wegen von Malchow unternehmen?«

Leo zuckte mit den Schultern. »Mir fällt schon etwas ein.«

Robert fragte sich, ob sein Freund wirklich so gelassen war, wie er sich gab.

»Wie sieht es aus, von Malchow?«

Die gesamte Kommission saß in Leos Büro und tauschte die Ergebnisse der Ermittlungen aus. Nur dass Herbert von Malchow an der Bordellgeschichte beteiligt gewesen war, hatte Leo bislang verschwiegen.

»Blatzheim wohnt in Spandau«, sagte von Malchow. »Hier ist die Adresse.«

Leo sah ihn überrascht an. »Verstehe ich Sie richtig? Während Robert Walther und ich in Potsdam, bei Herrn Dießing in Zehlendorf und bei Frau Blank waren, haben Sie lediglich die Adresse festgestellt? Soll das ein Witz sein?« Die anderen sahen angestrengt weg. Wenn Leo in dieser Stimmung war, verhielt man sich am besten möglichst unauffällig. Leo tippte mit einem Stift gegen seine Kaffeetasse, während er auf eine Antwort wartete.

»Ich hatte nicht den Auftrag, die fragliche Person aufzusuchen.«

»Ich habe aber auch nicht gesagt, dass Sie es nicht sollen, von Malchow«, sagte Leo betont ruhig. »Von meinen Mitarbeitern erwarte ich, dass sie mitdenken. Selbständiges Handeln ist kein Verbrechen.«

Von Malchow atmete scharf ein. Leo sah auf die Uhr. »Gut, es ist spät, machen wir Schluss. Morgen früh um acht Uhr dreißig besprechen wir das weitere Vorgehen. Herr von Malchow, Sie bleiben bitte noch hier.«

Leo setzte sich bedächtig und faltete die Hände auf dem Schreibtisch.

»Sie haben mir Informationen über diesen Fall vorenthalten.«

Von Malchow zog die Augenbrauen hoch. »Tatsächlich?«

»Bei dem Gespräch mit der Bordellwirtin Blank fiel auch Ihr Name.«

Von Malchow sah ihn ehrlich überrascht an. »Da bin ich ewig nicht mehr gewesen. Außerdem ist es wohl kaum verboten, ein Freudenhaus aufzusuchen. Dann säße ja halb Berlin hinter Gittern.«

Leo unterbrach ihn unwirsch. »An moralischen Urteilen bin ich nicht interessiert, aber wenn es eine Verbindung zwischen Ihnen und unserem Fall gibt, möchte ich das gerne wissen. Wer war der junge Mann, der damals seine Unschuld verloren hat?«

Von Malchow schien etwas zu dämmern. »Ach Gott . . . diese Geschichte meinen Sie? Den kannte ich nicht. Hatte ihn nie zuvor gesehen.«

»Können Sie mir das näher erklären?«

»Lassen Sie mich nachdenken, es ist ja Jahre her. Ich war unterwegs an dem Abend und traf zufällig ein paar Bekannte, die diesen Burschen im Schlepptau hatten. Sie hatten irgendwie rausgefunden, dass er noch nie was mit einer Frau gehabt hatte, und wollten ihm eine Freude machen. Ich fand die Idee ganz amüsant und schlug Elviras Etablissement vor, in dem ich häufiger verkehrte. Das ist alles. Ich habe nicht einmal mitbekommen, wie er hieß.«

»Gut, das war die eine Sache. Anders sieht es mit Erna Klante aus. Wie konnten Sie mir Ihre Bekanntschaft mit dem Opfer in einem Mordfall verschweigen, den unsere Kommission zurzeit bearbeitet?«, fragte Leo schneidend.

Von Malchow sah ihn verständnislos an, worauf Leo die Photographien der Ermordeten aus einer Mappe nahm und sie dem Kollegen hinwarf. »Haben Sie die Akten etwa nicht aufgearbeitet, als Sie meiner Kommission zugeteilt wurden? Schauen Sie genau hin. Und stellen Sie sich vor, sie wäre zehn, elf Jahre jünger. Gepflegter.«

»Ja und?«

Leo hatte allmählich genug. »Sie sind mit Ihren Freunden bei Erna Klante gewesen, haben diesen jungen Mann mehr oder weniger gegen seinen Willen zu ihr geschleppt. Haben ihn dazu gebracht, mit einer möglicherweise an Syphilis erkrankten Prostituierten zu schlafen!« Er schlug mit der flachen Hand auf den Tisch.

»Das ist ... ich habe doch nicht gewusst, was mit ihr los war! Oder wie sie hieß! Meinen Sie etwa, ich frage eine Prostituierte nach ihrem Familiennamen? Die heißen bei den Kunden entweder Erna oder Rosa oder Dora, das merkt sich doch kein Mensch.«

»Ihr Umgang interessiert mich nur insoweit, als er mit dem vorliegenden Fall in Verbindung steht«, versetzte Leo eisig. »Ihr Verhalten hingegen zeigt mir, dass Sie mich entweder wissentlich belogen oder die Unterlagen des Falles nicht genau studiert haben. Ich werde darum bitten, dass man Sie wegen Befangenheit von diesem Fall entbindet, Herr von Malchow. Guten Tag.«

Leo stand vor dem Blumengeschäft und überlegte. Doch dann fielen ihm Ilses Worte wieder ein, dass er sich schon als Junge freigekauft hätte, wenn es Schwierigkeiten gab. Nein, Blumen waren keine gute Idee.

Zu Hause legte er den Schlüssel auf die Garderobe, zog den Mantel aus und hängte ihn an einen Haken. Ilse saß im Wohnzimmer und las.

»Guten Abend.«

Sie schaute hoch. »Guten Abend, Leo.« Es klang abwartend.

Er ging ins Kinderzimmer, um Georg gute Nacht zu sagen, holte sich aus der Küche ein Glas Wasser und setzte sich zu Ilse. Er drehte das Glas in den Händen und überlegte.

»Ich habe dir übrigens nichts mitgebracht«, sagte er schließlich.

Sie sah ihn erstaunt an. »Wie meinst du das?«

»Ich habe nichts mitgebracht, damit du nicht denkst, ich wollte mich wieder freikaufen. Es tut mir leid. Dass ich gestern nicht angerufen habe, meine ich. Ich betrachte es aber nach wie vor als mein Recht, eine Nacht bei einer Frau zu verbringen.«

Ilse sagte noch immer nichts.

»Vielleicht war es nicht der richtige Zeitpunkt, aber . . . aber ich wollte einfach mit ihr zusammen sein. Natürlich mache ich mir Sorgen um Marie, das hatte überhaupt nichts mit ihr zu tun.«

»Ich weiß. Es ist nicht leicht für dich und auch nicht für mich. Nicht verheiratet zu sein, meine ich. Geschwister sollten nicht wie Mann und Frau zusammenleben.« Sie errötete. »Du weißt schon, wie ich es meine.«

»Ja, Ilse. Aber wenigstens ist so keiner von uns allein.« Er stellte sein Glas ab. »Meinst du, ich kann um diese Zeit noch mal ins Krankenhaus?«

Sie nickte. »Ihr Zustand ist unverändert, aber sie freut sich bestimmt, wenn du zu ihr hereinschaust.«

Erleichtert machte Leo sich auf den Weg zum Krankenhaus. Ein länger schwelender Streit oder stummes Nebeneinanderleben wäre ihm unerträglich gewesen.

Marie schlief. Er klopfte leise ans Fenster, aber sie schien ihn nicht zu hören. Hoffentlich spürte sie dennoch, dass er da war. Auf dem Flur erwischte er einen Arzt und erfuhr, dass sich ihr Zustand immerhin nicht verschlechtert hatte. Die nächsten beiden Tage waren entscheidend.

Leo wollte schon nach Hause gehen, doch dann fiel ihm noch etwas ein. Er ließ sich den Weg zur Abteilung für Haut- und Geschlechtskrankheiten erklären und fragte dort nach einem Arzt, der sich mit Syphilis auskannte.

»Damit kennen sich hier alle aus«, antwortete die Schwester trocken und winkte einen Arzt herbei, der gerade den Kittel ausziehen wollte. »Herr Dr. Opitz, der Kommissar möchte etwas über Syphilis wissen.«

Der Arzt, der ziemlich müde wirkte, führte Leo in ein Besprechungszimmer und bot ihm einen Stuhl an. »Ich hoffe, Sie erwarten keine Sittengeschichte von der Entdeckung Amerikas bis zur Gegenwart, Herr Kommissar. Ich habe nämlich Feierabend. Nach sechzehn Stunden.«

»Keine Sorge, ich habe nur einige kurze Fragen. Wie wird Syphilis heute behandelt?«

»Vor allem mit Neosalvarsan. Es ist seit einigen Jahren auf dem Markt und das beste Mittel, wir haben gute Erfolge damit erzielt. Sein Vorläufer Salvarsan hatte teilweise heftige Nebenwirkungen, die man bei dem Nachfolgemedikament eindämmen konnte.«

»Wäre es denkbar, dass vor zehn, elf Jahren hier in Berlin Menschen mit diesem Mittel geheilt wurden?«

»Durchaus. Vorausgesetzt, sie hatten den Mut, das neue Mittel zu probieren. Es gab damals heftige Auseinandersetzungen, die Mediziner waren in zwei Lager gespalten, was den Patienten auch Angst gemacht hat. Aber die frühere Behandlung mit Arsen war weitaus gefährlicher und besaß kaum Aussicht auf Erfolg.«

»Und wenn man Syphilis nicht behandelt?«

»Manche Patienten genesen, doch das kommt eher selten vor. Wir teilen die Erkrankung in vier Stadien ein. Das letzte Stadium, die sogenannte Paralyse, stellt einen Befall des Gehirns dar, dessen Nervenzellen zerstört werden. Sie kann sich sehr unterschiedlich auswirken, ist letztlich aber tödlich. Sprachstörungen, Lähmungserscheinungen, Wahnsinn, all das ist in diesen Fällen denkbar. Wird hingegen das Rückenmark befallen, sprechen wir vom Tabes dorsalis. Er ist ebenfalls eine schwere Erkrankung, die jedoch meist nicht unmittelbar zum Tode führt.«

Leo machte sich Notizen. »Wie lange dauert es gewöhnlich, bis das vierte Stadium eintritt?«

Der Arzt legte die Fingerspitzen aneinander und stützte das Kinn darauf. »Auch das ist unterschiedlich. Vom Zeitpunkt der Infektion an können zehn, wenn nicht sogar zwanzig Jahre vergehen, bis der Patient das letzte Stadium erreicht.«

Er stand auf. »Kommen Sie mit.«

Der Arzt führte Leo durch einen langen, kahlen Korridor und öffnete eine Tür. »Unser kleines Archiv. Keine Angst, es sind nur Photographien. Ich habe nicht vor, Ihnen meine Patienten vorzuführen.«

Er legte eine Mappe auf den Tisch, der im Zimmer stand, entnahm ihr eine Reihe Photographien und breitete sie aus. »Ich habe zahlreiche Fälle dokumentiert.«

Leo beugte sich mit einem etwas flauen Gefühl darüber. Er hatte nie persönlich mit der Krankheit zu tun gehabt, aber ihr Ruf reichte aus, um ihm Unbehagen zu bereiten. Er sah Aufnahmen von Hautstellen, die mit Geschwüren und roten Flecken übersät waren. Von Geschwüren zerfressene Hände. Ganzkörperaufnahmen von Menschen, die blicklos in die Kamera starrten, mit schräg gelegtem Kopf und gekrümmtem Rücken. Großaufnahmen von Augen mit ungewöhnlich weiten oder engen oder auch unterschiedlich großen Pupillen. Bettlägerige, die reglos vor sich hin starrten.

»Diese Geschwüre«, der Arzt deutete auf die betreffenden

Aufnahmen, »zeigen das dritte Stadium. Die Erscheinungen auf der Haut sind nicht immer so extrem. Die Syphilis ist eine Krankheit mit vielen Gesichtern, das macht einen Teil ihrer Gefahr aus. Trotz der Heilmittel, die in den letzten Jahren entwickelt wurden, ist es noch immer eine schwere Erkrankung. Ein Tabu. Man spricht nicht darüber, und die Erkrankten fühlen sich auch heute noch oft wie Aussätzige. Wir haben viel erreicht, aber der Weg ist noch lang.«

Leo atmete tief durch. »Danke, Herr Dr. Opitz, das war sehr aufschlussreich. Eine Frage noch: Könnte ein Mensch diese Erkrankung verheimlichen?«

»Eine gewisse Zeit schon. Das Endstadium aber raubt dem Kranken nach und nach die Kontrolle über seinen Körper, so etwas lässt sich nicht verbergen.«

Leo bedankte sich noch einmal und verabschiedete sich von dem Arzt. Auf dem Heimweg konnte er sich des Gefühls nicht erwehren, dass er soeben ein entscheidendes Gespräch geführt hatte.

Er verstand nichts mehr, die Welt um ihn herum schien sich aufzulösen. Die Rückfahrt im Taxi war entsetzlich gewesen. Regen prasselte gegen die Scheiben, ein Gewittersturm rüttelte den Wagen förmlich durch. Er hielt den Haltegriff umkrampft, als fürchtete er, aus dem Wagen geschleudert zu werden. Nur nach Hause. In die vertraute Umgebung. Allein sein.

Er fuhr sich durch das regenfeuchte Haar, wollte sich an den Abend erinnern, doch sobald er sich auf Einzelheiten konzentrierte, verschwamm alles. Dann, als hätte jemand einen Schalter betätigt, fügten sich die Bilder zusammen und wurden scharf.

Zu Beginn war alles wie immer gewesen. Elegant gekleidete Herren im Smoking, Damen in den neuesten Abendroben, dezente Musik, Kerzen in silbernen Kandelabern, gepflegtes Geplauder. Ungeduldig hatte er immer wieder zur Tür geschaut, auf Viola gewartet. Dann und wann strich er sich unwillkürlich über den Arm, der sich immer noch ein wenig leblos anfühlte.

Als sie eintrat, war sie nicht allein. Überrascht wollte er auf sie zugehen, doch irgendetwas hielt ihn zurück. Die Vertrautheit, mit der sie den jungen Mann an ihrer Seite ansah, die Selbstverständlichkeit, mit der dieser ihren Arm nahm und sie in den Salon führte. Hatte er sich geirrt, lag eine Verwechslung vor? Aber nein, er kannte doch seine Viola.

Er folgte ihr in den Salon, und als sie ihn endlich sah, kam sie völlig ungezwungen auf ihn zu und schüttelte ihm die Hand. »Wie schön, Sie zu sehen. Darf ich Ihnen einen guten Bekannten vorstellen, Herrn Peter Cornelissen?«

Ihr Begleiter verbeugte sich.

Er selbst stellte sich auch vor, streckte die Rechte im weißen Glacéhandschuh aus. »Angenehm.« Als Cornelissen beiseite trat, um zwei Gläser Champagner von einem Tablett zu nehmen, ergriff er die Gelegenheit.

»Viola, Sie denken doch an unsere Verabredung? Wir wollten morgen am Wannsee spazieren gehen.«

Sie sah ihn verwundert an. »Davon ist mir nichts bekannt. Außerdem ist Herr Cornelissen aus Hamburg zu Besuch gekommen, ich werde ihn in den nächsten Tagen durch Berlin führen und kann daher keine anderen Verabredungen wahrnehmen.«

»Aber mein Brief ...«

»Welcher Brief? Ich habe keinen Brief von Ihnen erhalten.« Sie schaute sich ein wenig hilfesuchend nach ihrem Begleiter um. »Da muss ein Missverständnis vorliegen.«

»Nein, ich habe, ich wollte –« Er war auf sie zugetreten und hatte die Hand auf ihren Arm gelegt. Sie zuckte ein wenig zurück. Er griff fester zu. Sie wich nach hinten aus und prallte gegen Herrn Cornelissen.

»Was ist denn, Liebes?« Er schaute auf Violas Arm. »Mein Herr, würden Sie Fräulein Cramer bitte loslassen!«

Daraufhin drehte er sich abrupt um und verließ beinahe im

Laufschritt den Salon. Zum Glück brauchte er nicht lange auf ein Taxi zu warten.

Er zermarterte sich den Kopf. Schaute in die Briefablage auf dem Schreibtisch, ging die Unterlagen darin dreimal durch, nichts. Also hatte er ihn abgeschickt. Also hatte sie ihn belogen, weil sie lieber diesen Cornelissen traf. Er ballte die Faust. Schließlich gab er sich die Blöße und erkundigte sich bei seiner Haushälterin.

»Sie wissen doch, ich nehme die Briefe aus der Schale auf dem Tisch und gebe sie Hannes, der sie zur Post bringt. Ich würde mir nie erlauben, die Adressen zu lesen.«

Das hatte man nun von loyalen Dienstboten. Es kam ihm vor wie ein Albtraum. Er erinnerte sich genau an den Wortlaut des Briefes, seine schöne Schrift in schwarzer Tinte, das feine graue Büttenpapier mit dem Wellenrand.

Er setzte sich an den Schreibtisch und stützte den Kopf in die Hände. Sein Leben entglitt ihm, das spürte er. Plötzlich geschahen Dinge, die er sich nicht erklären konnte. Der taube Arm. Der verschwundene Brief. Eine Macht, der er sich nicht widersetzen konnte, schien von außen auf ihn einzuwirken. Er lehnte sich zurück. Zog noch einmal die Schreibtischschubladen auf, die er schon mehrmals geöffnet hatte.

Und entdeckte beim Blick in die unterste Schublade den Brief.

14

Als Leo am nächsten Morgen ins Präsidium kam, eilte Robert ihm schon an der Glastür entgegen und nahm ihn beiseite.

»Hast du Zeitung gelesen?«

»Nein, wieso?«

»Komm mit ins Büro.«

Er schloss die Tür hinter sich, zog eine Zeitung aus der Tasche und deutete auf eine Überschrift auf Seite drei. ZENTRUMSABGEORDNETER IM BORDELL – HERZANFALL!

Fassungslos las Leo die kurze Meldung:

Gestern erhielt der Reichstagsabgeordnete Kurt D. Besuch von der Kriminalpolizei. Unseren Informationen zufolge ging es dabei um länger zurückliegende Bordellbesuche. Herr D. wurde als Stammkunde des Etablissements in Tiergarten bezeichnet. Da es sich um Beamte der Mordkommission handelte, ist davon auszugehen, dass die Befragung im Zusammenhang mit der Aufklärung eines Kapitalverbrechens erfolgte.

Bedauerlicherweise erlitt Herr D., der auf dem Wege zu einer wichtigen Abstimmung im Reichstag war, noch im eigenen Haus einen Herzanfall und wurde in die Charité gebracht.

»Woher –«, setzte Leo an, doch die Frage war überflüssig. Die Information konnte nur aus einer Quelle stammen. »Da darf ich mir gleich etwas anhören.« Und als hätte er es geahnt, klopfte es in diesem Augenblick an die Tür. Fräulein Meinelt steckte den Kopf herein. »Sie sollen zum Chef kommen, Herr Kommissar, und zwar schnellstens. Das hat er wörtlich so gesagt.«

Oberregierungsrat Konrad von Gatow, der Leiter der Kriminalpolizei, bot ihm mit bemühter Höflichkeit einen Platz an. Auch auf seinem Schreibtisch lag die bewusste Zeitung. Er musterte Leo unfreundlich durch sein Monokel.

»Wechsler, ich habe heute Morgen bereits fünf Anrufe von aufgebrachten Zentrumsabgeordneten erhalten. Und vom Polizeipräsidenten höchstpersönlich. Wie zum Teufel konnte diese Nachricht in die Presse gelangen?«

Leo schaute angestrengt auf seine Hände. »Das kann ich Ihnen auch nicht sagen, Herr Oberregierungsrat.«

»Und Sie meinen, damit wäre es getan? Das ist eine unerhörte Indiskretion, die dem Ruf unserer Behörde sehr schaden kann. Und was glauben Sie, wie sich die arme Frau Dießing jetzt fühlt? Der abgekürzte Familienname ist doch ein Witz, das durchschaut ganz Berlin. Im Reichstag reden sie über nichts anderes. Und Frau Dießing hat von der Affäre erst aus der Zeitung erfahren, weil ihr Mann den Herzanfall erlitten hat, bevor er mit ihr über die polizeiliche Befragung sprechen konnte.«

»Das tut mir außerordentlich leid. Ich habe Herrn Dießing darauf hingewiesen, dass ich so diskret wie möglich vorgehen werde, die Ermittlungen aber Vorrang vor dem Schutz seiner Privatsphäre genießen.«

»Das verstehen Sie unter diskret?«, fragte von Gatow aufgebracht und deutete empört auf die Zeitung.

»Ich kann Ihnen versichern, dass ich diese Informationen nicht an die Presse weitergegeben habe.«

»Unsinn! Sie tragen die Verantwortung für Ihre Leute. Wenn jemand gegen Geld mit der Presse plaudert, ist das absolut inakzeptabel. Sie sollten Ihre Männer besser im Griff haben, Wechsler.«

Leo biss die Zähne zusammen. Er befand sich in einer Zwangslage, konnte aber unmöglich Namen nennen, solange er keine Beweise für seine Vermutung hatte. In einem war er jedoch sicher: Geld war nicht der Grund für diese Indiskretion gewesen.

»Sie werden den Fall mit der bisherigen Kommission weiterbearbeiten. Aber nehmen Sie sich in Acht, ich behalte Sie im Auge. Noch so ein Fauxpas, und Sie können Streife laufen.«

Leo erhob sich. »Darf ich jetzt gehen? Ich habe zu tun.«

Von Gatow sah ihm nach, als hätte er ihn am liebsten auf der Stelle gefeuert.

Robert warf Leo verstohlene Blicke zu und wunderte sich über dessen Gelassenheit.

»Wir wissen nach wie vor nicht, wer der elegante Herr ist, den man am Abend des 24. Juni mit Erna Klante gesehen hat. Wir haben allerdings zwei Aussagen, die sich decken. Dass es sich um Kurt Dießing handelt, ist unwahrscheinlich. Es gibt keinerlei Anhaltspunkte dafür, dass er nach 1910 noch Kontakt zu der Toten gepflegt hat. Somit hat die Brosche als Beweisstück an Bedeutung verloren, und wir müssen uns wieder auf den Knopf konzentrieren. Robert, du gehst gleich die Liste durch.«

Walther nickte.

»Und ich werde nachher Herrn Blatzheim befragen. Sein Umgang mit der Toten kann als erwiesen gelten, vielleicht bekommen wir von ihm noch einen Hinweis. Wie sieht es mit der Liste der Ärzte aus?«

Stankowiak legte einige geheftete Blätter auf den Tisch. »Dr. Ernst Wollschläger. Ich hatte Glück, er war gleich der Dritte auf der Liste. Es gibt nur wenige Ärzte, die damals schon mit dem Medikament gearbeitet haben. Im Übrigen behandelt er nicht nur Prostituierte, ist aber bekannt für seine Erfahrungen bei der Behandlung der Syphilis. Er hat Erna Klante im Jahre 1910 erfolgreich mit Salvarsan behandelt. Sie wies bei den späteren

Kontrolluntersuchungen keine Symptome der Erkrankung mehr auf. Bezahlt wurde per Überweisung vom Konto einer gewissen Elvira Blank.«

»Sehr gut. Damit können wir also eine Gefährdung der Freier ab dieser Zeit ausschließen. Sollte es sich um einen Fall von Rache handeln, wäre es eine mehr als verspätete Reaktion. Von Malchow, Berns und Stankowiak, Sie klappern noch einmal sämtliche Geschäfte, Kneipen und so weiter zwischen Mulackstraße, Kleiner Rosenthaler und Linienstraße ab. Vielleicht hat doch jemand den Mann gesehen, von dem Zylberstein, Szylinski und der Junge gesprochen haben. Robert, hast du bei der anderen Bordellwirtin nachgefragt, ob sie ebenfalls einen Anruf wegen Erna Klante erhalten hat?«

Robert nickte. »Ja, es war genau wie bei der Blank. Ein Mann rief an, der seinen Namen nicht nannte und wissen wollte, ob sie noch dort arbeitet. Aber die Frau wusste nicht, wo Erna in den letzten Jahren gewohnt hat.«

»Wir kommen der Sache näher. Ich bin mir sicher, dass es sich bei dem Anrufer und dem Mann, den man im Scheunenviertel mit ihr gesehen hat, um ein und denselben handelt. Und auch bei dem eleganten Herrn, der den Jungen vor der ›Roten Hand‹ angesprochen hat. Dieses Phantom müssen wir aufscheuchen. An die Arbeit, meine Herren.«

Als von Malchow, Berns und Stankowiak aufstanden, rief Leo sie noch einmal zurück und hob die Zeitung in die Höhe. »Eines noch: Sollte ich Beweise dafür finden, wer das hier an die Presse gegeben hat, kann sich derjenige eine neue Stelle suchen.«

Der Getreidehändler war nicht allzu betroffen, als er von Erna Klantes Tod hörte. Da er selten Zeitung las, hatte er noch nicht von dem Verbrechen erfahren. »Noch Kaffee, Herr Kommissar?«

Leo nickte. Guter Kaffee war heutzutage schwer zu bekommen, und es traf ja keinen Armen. Gustav Blatzheims Wohnung war teuer, wenn auch mit wenig Geschmack eingerichtet. Er hatte Leo in ein Privatbüro geführt, in dem sich schwere Mahagonimöbel mit glänzenden Messingbeschlägen drängten. Der ganze Raum wirkte ein wenig beengt, aber Leo musste ja nicht darin arbeiten. Er ließ den Blick über die Bilder an den Wänden wandern. Landschaft mit Hirsch, stiller Waldsee, das übliche Zeug. Er nahm einen Schluck Kaffee.

»Wann haben Sie Erna Klante zuletzt gesehen?«

»Moment, das war...« Blatzheim schlug in einem Tischkalender nach, »vor etwa drei Wochen. Danach war ich längere Zeit auf Geschäftsreise.«

»Waren Sie am 24. Juni in Berlin?«

»Nein, ich hatte in Dresden zu tun. Verdächtigen Sie mich etwa?« Entweder war seine Ruhe perfekt gespielt oder echt. Leo vermutete Letzteres. Sein Gefühl sagte ihm, dass der Getreidehändler nichts mit dem Fall zu tun hatte.

»Warum hätte ich dem armen Ding etwas antun sollen? Die war doch froh, dass sie mich hatte, und ich bin immer gern zu ihr gegangen. Reife Frauen, die tun, was man sich wünscht, Sie wissen schon.«

Auf das plump vertrauliche Lächeln hätte Leo gern verzichtet, aber es war angenehm, mit jemandem zu sprechen, der keine falsche Prüderie an den Tag legte und bereitwillig Auskunft gab. »Kannten Sie auch andere Kunden von Erna Klante? Hat sie Ihnen gegenüber je von anderen Freiern gesprochen?«

»Stammfreier hat sie keine außer mir gehabt, da bin ich mir sicher. Sonst hätte sie nicht so armselig gewohnt. Was ich ihr gegeben habe, dürfte gerade für die Miete gereicht haben. Zum Essen ist ihr wohl nicht viel geblieben.«

»Wurden Sie jemals auf Erna angesprochen? Im ›Augustkeller‹ oder einer anderen Kneipe? Ist Ihnen mal jemand aufgefallen, als Sie mit ihr in die Linienstraße gegangen sind?«

Blatzheim schüttelte den Kopf und grinste anzüglich. »Wenn

ich mit der Erna zusammen war, hab ich nicht mehr mit dem Kopf gedacht.« Er zwinkerte Leo zu. »Da hätte 'ne Blaskapelle neben uns marschieren können, ich hätt's nicht gemerkt. Schade um das alte Mädchen, wirklich schade. Aber so ist das eben, die leben gefährlich. Wissen nie, wen sie mit nach Hause nehmen. Berufsrisiko.«

Blatzheim schien Erna nicht anders zu bewerten als einen Sack Weizen oder Gerste. Aber das machte ihn noch lange nicht zum Mörder.

»Sollte Ihnen noch etwas einfallen, Herr Blatzheim, melden Sie sich bitte auf dem Präsidium.«

»Muss ich nicht beweisen, wo ich wann gewesen bin?«, fragte der Getreidehändler überrascht.

Leo schüttelte den Kopf. »Nur wenn wir einen begründeten Verdacht gegen Sie haben, Herr Blatzheim.«

Mittags ging er ins Krankenhaus. Als er Marie auf ein Kissen gestützt im Bett sitzen sah, traten ihm die Tränen in die Augen. Vorsichtig klopfte er an die Scheibe. Sie sah zu ihm herüber und winkte. Kein schwaches Heben der Hand, sie winkte richtig. Er hauchte ihr einen Kuss zu. Marie griff neben sich und hielt ein Buch hoch. Leo hob fragend die Achseln. Marie machte ihm ein Zeichen, er solle in den Flur gehen.

Eine junge Krankenschwester trat an die Glastür der Isolierstation und öffnete eine Sprechanlage. »Ihre Tochter möchte gern neue Bücher haben. Ich habe ihr gesagt, dass es noch etwas dauert, bis sie die Isolierstation verlassen kann, aber sie meint, Sie sollten schon mal welche besorgen. In der Leihbücherei, Tante Ilse wüsste schon Bescheid.« Sie lächelte. »Ein niedliches Mädchen. Schön, dass es ihr besser geht.«

»Ist es wirklich so?« Leo hätte die trennende Tür am liebsten aufgerissen. »Hat sie das Schlimmste überstanden?«

»Ich glaube schon. Der behandelnde Arzt ist im Augenblick nicht da, aber es steht besser als in den letzten Tagen. Sie hat

auch ein bisschen Grießbrei gegessen. Aber ich muss weiter.«
Sie schloss die Sprechanlage und ging davon.

Für einen Moment waren Leo alle Fälle dieser Welt egal.
Wenn nur Marie wieder gesund wurde.

Auf dem Weg ins Büro überfiel ihn dann wieder das Bewusst-
sein seiner verfahrenen Lage. Der Artikel über Dießing, der er-
folglose Besuch bei Blatzheim, die ungelöste Situation mit Ilse.
Wütend trat er gegen einen Kieselstein, der in den Rinnstein
kollerte. Am liebsten hätte er ein Messer genommen und all die
Fesseln durchtrennt, die ihn gefangen hielten.

Bei einem trüben Kaffee schlug Leo plötzlich mit der Hand auf
den Tisch. »Verdammt. Robert«, rief er ins Vorzimmer, »komm
mal her.« Er lehnte sich auf seinem Stuhl zurück. »Ich brauche
noch einmal alle Unterlagen zum Fall Sartorius. Das hatte ich
schon seit Tagen vor, bin aber nicht dazu gekommen.«

»Aber der Fall Klante –«

»Weißt du noch, wie ich gesagt habe, dass die Fälle meines
Erachtens miteinander verbunden sind?«

»Ja, aber wir haben keinerlei Anhaltspunkte dafür.«

»Aber auch nichts, was dagegen spricht. Überleg mal, zwei
Morde so kurz hintereinander, bei denen alle Spuren ins Leere
laufen. Der Knopf, die Brosche, der Getreidehändler. Die Über-
prüfung der Liste von Lehmann hat auch nichts ergeben, oder?«

Robert schüttelte den Kopf. »Wir können unmöglich sämtliche Kunden überprüfen. Ohne nähere Anhaltspunkte wie Fingerabdrücke oder Zeugenaussagen kommen wir nicht weiter.«

Leo stand auf. »Ich gönne mir heute einen Nachmittag zu
Hause. Mit sämtlichen Akten des Falles Sartorius. Ich möchte
von Malchow nicht mehr über den Weg laufen, sonst vergesse
ich mich.«

»Ich kann's verstehen. Wobei ich nicht geglaubt hätte, dass er
so weit geht und mit der Presse redet. Er weiß doch, dass man
ihn dafür entlassen kann.«

»Sofern der Präsident erfährt, wer geplaudert hat«, gab Leo zu bedenken.

Robert suchte im Vorzimmer die Akten des unaufgeklärten Mordes an dem Heiler zusammen und überreichte Leo den ganzen Stoß. »Die passen nicht in deine Aktentasche.«

»Macht nichts, ich klemme sie unter den Arm. Bis morgen, Robert.«

Er ging schnell zu Hause vorbei, um die Akten loszuwerden, und fragte Ilse nach der Bücherei. »Die Krankenschwester sagte, du wüsstest Bescheid. Gibt es hier überhaupt eine Leihbibliothek außer der vom alten Blum in der Beusselstraße?«

»Nein, das ist die einzige, die ich kenne. Die wird sie wohl gemeint haben. Wir sind schon lange nicht mehr da gewesen, weil der Mann immer so unfreundlich ist. Aber Marie würde sich sicher über ein paar Bilderbücher freuen«, antwortete seine Schwester.

Da es noch früh am Nachmittag war, ging Leo in Ruhe die belebte Turmstraße entlang. Das schöne Wetter und das geschäftige Treiben konnten beinahe über die elende Lage der meisten Menschen hinwegtäuschen, doch wenn man genau hinsah, entdeckte man auch hier Bettler, Kriegskrüppel und Kinder mit Hungerbäuchen.

Die Leihbücherei besaß nur ein großes Fenster, das immer von einer Schmutzschicht bedeckt war. Leo kam selten dort vorbei und hatte nie das Bedürfnis verspürt, hineinzugehen. Nur einmal hatte er etwas für die Kinder ausgeliehen, den Inhaber aber so mürrisch gefunden, dass er sich danach lieber bei Ausverkäufen und Antiquariaten umgesehen hatte. Auch war es so finster im Laden gewesen, dass man kaum die Titel entziffern konnte.

Schon von weitem sah er, dass ein neues Schild über dem Eingang hing. Nicht mehr LEIHBIBLIOTHEK, sondern BÜCHER BLEIBTREU stand in Goldbuchstaben darauf. Ob der Besitzer gewechselt hatte? Er blieb vor dem Schaufenster stehen, das frisch geputzt aussah und innen mit einem sauberen, dunklen Tuch ausgelegt war, von dem sich die Bücher vorteilhaft abhoben. Eine bunte Mischung: in einer Ecke Liebesromane, Kriminalgeschichten, Märchenbücher; daneben einige liebevoll angeordnete Werke: ›Buddenbrooks‹, ›Der Untertan‹, Gedichtbände von Stefan George, Else Lasker-Schüler und Rilkes ›Die Aufzeichnungen des Malte Laurids Brigge‹, dazu eine geschmackvoll gebundene Shakespeare-Gesamtausgabe. Neugierig stieg er die drei Stufen hoch und drückte gegen die Tür, die sich mit einem leisen Klingeln öffnete.

Der Laden wirkte viel heller als früher. Der Raum war nicht allzu groß, aber sehr hoch, und der Besitzer hatte den vorhandenen Platz geschickt ausgenutzt und die Regale bis unter die Decke gezogen. Für mutige Leser stand eine Trittleiter mit Rollen bereit.

Leo sah sich um. Was nicht mehr in die Regale passte, stapelte sich ordentlich auf einigen Tischen. Die wenigen freien Stellen an den Wänden waren mit gerahmten Schriftstellerporträts geschmückt. Er wollte gerade nach Heinrich Manns ›Der Untertan‹ greifen, als eine Frau aus dem Hinterzimmer trat.

»Eine gute Wahl«, sagte sie lächelnd. »Was kann ich für Sie tun?«

»Ich wollte ein paar Bücher für meine Tochter ausleihen. Sie liegt im Krankenhaus und langweilt sich.«

»Das kann ich verstehen. Was hat sie denn?«

»Diphtherie, aber das Schlimmste ist wohl überstanden«, sagte Leo mit unverhohlener Erleichterung.

Die Frau deutete auf das Hinterzimmer, aus dem sie eben getreten war. »Sie sind heute mein erster Kunde – möchten Sie vielleicht eine Tasse Tee, während Sie sich etwas aussuchen? Ich trinke lieber billigen Tee als ungenießbaren Kaffee.«

Leo zögerte kurz, dann nahm er das Angebot dankend an. Sie ging vor ihm her, glitt zwischen den Bücherstapeln hindurch, als hätte sie sich nie woanders bewegt, ihr wadenlanger Rock streifte im Vorübergehen die Bücherstapel.

Das Hinterzimmer war winzig, an der Wand Regale, ein Schreibtisch, der von weiteren Bücherstapeln überquoll, und mittendrin zwei abgewetzte Sessel. In einer Ecke stand ein russischer Samowar auf einem Hocker. Sie bot ihm einen Platz an, holte zwei Tassen vom Schreibtisch und hantierte am Samowar. »Mit Zucker ist der Tee so gerade genießbar. Clara Bleibtreu.« Sie gab ihm die Hand.

»Leo Wechsler. Seit wann gehört Ihnen die Bücherei? Beim letzten Mal empfing mich ein brummiger, nicht allzu sauberer Alter, und man konnte kaum die Hand vor Augen sehen.«

Clara Bleibtreu lachte. »Der hat sich zur Ruhe gesetzt. Ich habe die Bücherei vor zwei Monaten übernommen und vollständig renoviert. Das war eine Menge Arbeit. Vor allem, wenn man sich das Streichen und Tapezieren erst beibringen muss.«

»Haben Sie das etwa alles selbst gemacht?«

»Das meiste jedenfalls. Ich musste sparen.«

Als Leo sich gesetzt und den ersten Schluck Tee getrunken hatte, nahm er sich Zeit, seine Gastgeberin zu betrachten. Ende zwanzig, schätzte er, modisch kurzes Haar, dunkelbraun mit einem leichten Rotschimmer, blaue Augen, ein kluges Gesicht, nicht streng, aber entschlossen.

»Schön haben Sie es hier.«

»Meinen Sie das ernst? Ein bisschen eng ist es schon.«

Er stellte die Tasse ab und sah Frau Bleibtreu offen an. »Natürlich meine ich es ernst.« Dann schaute er auf die Uhr und meinte bedauernd: »Zeigen Sie mir die Kinderbücher? Ich habe leider noch Arbeit zu Hause.«

»Aha. Und darf ich fragen, worin Ihre Arbeit besteht?«

»Ich bin bei der Kriminalpolizei.« Er sah Clara Bleibtreu prüfend an. »Viele Leute erschrecken, wenn sie von meinem Beruf erfahren.«

»Ich habe nichts zu verbergen, Herr Wechsler«, erwiderte sie lächelnd. »Außerdem sind Sie ja nicht dienstlich hier.«

Sie führte ihn in eine Ecke der Bücherei, wo ein ganzes Regal mit Kinderbüchern stand, davor noch eine Kiste mit Bilderbüchern. »Was mag Ihre Tochter denn?«

»Märchen. Vor manchen hat sie Angst, die muss ich ihr dann erklären. Bei Schneewittchen mag sie nicht die Stelle, wo der Jäger das Herz herausschneiden soll.«

»Die hat mir auch nie gefallen. Wie alt ist sie denn?«

»Vier.«

»Wie wäre es hiermit?« Sie reichte ihm ein Buch mit dem Titel ›Kinder aus aller Welt‹. Auf dem Einband fassten sich Kinder aus vielen Ländern an den Händen und bildeten einen Kreis. »Da kann sie sehen und erfahren, wie Kinder in China oder Indien leben. Ich finde das Buch sehr schön.«

Leo blätterte darin. »Das nehme ich mit. Was bekommen Sie von mir?«

»Eine Woche kostet zehn Pfennig.«

»Damit können Sie aber auch nicht reich werden«, platzte er heraus. »Verzeihung.«

»Sie haben schon Recht. Deshalb versuche ich, auch Bücher zu verkaufen. Eine richtige Buchhandlung wäre mein Traum, aber die konnte ich mir nicht leisten.«

»Verkaufen Sie auch Kinderbücher?«

Sie nickte und zeigte auf eine Kiste. Leo kniete sich hin und suchte ein Märchenbuch mit schönen Illustrationen aus. »Das nehme ich auch.«

Sie packte die Bücher in Papier ein und reichte sie ihm über die Theke. »Dann bekomme ich zwei Mark zehn. Und schauen Sie mal wieder rein.«

Das werde ich, dachte Leo, als er mit seinem Päckchen draußen stand, ganz bestimmt.

15

Er breitete die Akten auf dem Wohnzimmertisch aus und holte sich eine Kanne Tee aus der Küche. Ilse war bereits in ihr Zimmer gegangen. Obwohl sie wieder miteinander sprachen, war die Stimmung nicht entspannt genug, um einen gemeinsamen Abend im Wohnzimmer zu verbringen. Doch Leo war in Gedanken ohnehin ganz woanders.

Natürlich hätte er sich auch in den Fall Klante vertiefen können, aber der Mord an Sartorius ließ ihm keine Ruhe. Den Bericht kannte er beinahe auswendig, doch er ahnte, dass neue Anhaltspunkte nur aus den Unterlagen des Heilers zu gewinnen waren. Die er im Übrigen auch schon mehr als einmal gelesen hatte.

Er schlug den Terminkalender auf, dessen Eintragungen am 3. Februar 1917 begannen. Sorgfältig ging er alle mit Bleistift ausgefüllten Spalten durch: Datum, Uhrzeit, Name. Angaben zum Grund der Konsultation hatte Sartorius nicht gemacht. Manche Patienten waren mit ihren Initialen, andere mit vollem Namen vermerkt. Sie hatten sämtliche Patienten überprüft, deren volle Namen angegeben waren. Bei den Initialen waren sie jedoch nicht weitergekommen und hatten diese Richtung der Ermittlung aufgegeben, da die Patienten, die Sartorius am Tag des Mordes aufgesucht hatten, alle namentlich genannt waren. Wenn nun aber...

Leo nahm ein Blatt und listete alle Initialen auf. Es waren gar nicht so viele, er kam insgesamt auf zehn Namen, von denen sich manche wiederholten. K. B., V. M., V. D., L. L., P. W., S. W., E. P., N. W., A. M., M. E. Er stand auf und lief umher, als könnte er dabei besser nachdenken. Dann blieb er abrupt stehen. V. M. – er schlug in der Akte nach. Verena Moltke. So hatte die junge Frau geheißen, die Sartorius in den Genuss von Kokain eingeführt hatte. Die Spur hatte nichts ergeben, doch warum war sie nur mit ihren Initialen vermerkt? Vielleicht gerade wegen des Kokains. Womöglich standen die Initialen für Patienten, bei denen es Schwierigkeiten gegeben hatte. Doch wie hatte Sartorius voraussehen können, dass der Kokainkonsum bei Verena Moltke in einer derartigen Katastrophe enden würde?

Dann kam ihm eine Idee. Er nahm eine Lupe aus dem Wohnzimmerschrank, beugte sich über den Terminkalender und schaute sich die Namen genauer an. Bei den ersten Terminen von Verena Moltke entdeckte er Radierspuren. Denkbar, dass sie Sartorius zweimal aufgesucht hatte und unter vollem Namen eingetragen worden war, bevor dem Heiler die Sache zu brenzlig wurde. Also hatte er den Namen durch die Initialen ersetzt.

Er prüfte die übrigen Initialen und stieß auf drei weitere Namen, bei denen radiert worden war: V. D., P. W. und M. E. Er ging die Dankesschreiben durch, fand aber keine passenden Absender. Aber er war nah dran, das spürte er.

Er würde Viola nicht einfach aufgeben. Natürlich war die Angelegenheit mit dem Brief ein peinliches Missverständnis gewesen, das gewiss auf seine Vergesslichkeit zurückzuführen war, und der Besuch von Herrn Cornelissen nichts als eine freundschaftliche Aufwartung. All das änderte nichts an dem kostbaren Band, das zwischen ihnen bestand.

Er kleidete sich mit besonderer Sorgfalt an. Rehbrauner Anzug mit weißem Hemd und Seidenkrawatte mit braunem Briefmarkenmuster, englische Maßschuhe und natürlich exquisite Handschuhe. Heute würde er den Delage nehmen, da er den Fahrer ungern vor dem Haus der Cramers warten lassen wollte. Dieser besondere Tag gehörte ihm allein.

»Sie sind heute ausnehmend elegant, Herr Edel«, bemerkte seine Haushälterin, als er den Hut von der Garderobe nahm und das Haus verließ.

Er ging in die geräumige Garage und sagte seinem Chauffeur Ludwig Bescheid, der gerade den Delage polierte. Ludwig hob den Kopf und rückte die Schirmmütze zurecht. »Ich bin gleich fertig, Herr Edel.«

Er fuhr beinahe zärtlich mit der Hand über die Motorhaube des bordeauxrot und cremefarbenen Wagens. »Es hat keine Eile, er soll heute besonders schön aussehen. Ein Tag zum Selberfahren. Der Daimler müsste übrigens auch poliert werden.«

Als Ludwig fertig war, verbeugte er sich leicht und ließ den Chef einsteigen. Edel lehnte sich zurück in die Polster, die angenehm nach Leder rochen wie am ersten Tag.

Er war nur einmal bei den Cramers gewesen, an jenem ersten Tag, als er Viola kennen lernte. Sie war die Treppe heruntergeschwebt, so kam es ihm jedenfalls vor, und hatte ihn mit ihrer natürlichen Anmut verzaubert. Aber sein heutiger Besuch würde, dessen war er gewiss, den Beginn einer wunderbaren Zukunft bedeuten, in der er in der gelben Villa ein und aus gehen würde.

Vor dem hübschen Anwesen hielt er an und parkte mit besonderer Sorgfalt, da ihm der schnittige Delage mehr am Herzen lag als die große Limousine, mit der ihn Ludwig jeden Tag in die Firma chauffierte. Sie sollten ruhig sehen, dass er selber fuhr, er kam sich dabei ausgesprochen sportlich vor.

Er stieg aus, warf einen Blick auf die Blumenranken, die am Haus emporwuchsen, und betätigte den Türklopfer, der sich glatt in seine Hand schmiegte.

Frau Cramer öffnete selbst. Sie sah ihn überrascht an, schien kurz zu überlegen und ließ ihn dann eintreten.

Bedächtig ging Leo noch einmal alle Unterlagen durch. Er blätterte den Terminkalender, der etwa bis zur Hälfte voll geschrieben war, bis hinten durch. Fand nichts. Wollte ihn zuklappen, als etwas unter seinen Händen knisterte. Er trat unter die Lampe und strich noch einmal über den hinteren Innendeckel. Wieder ein Knistern. Da entdeckte er den fast unsichtbaren Einschnitt ganz oben in dem Papier, mit dem der Deckel beklebt war. Vorsichtig schob er einen flachen Brieföffner hinein und zog ein Blatt Papier heraus. Hauchdünn, wie Durchschlagpapier. Und beidseitig beschrieben.

Gespannt schob er alles beiseite und legte das Blatt vor sich hin. Leider war die Schrift schwer zu erkennen, der Bleistift war ziemlich blass und das Papier so dünn, dass die Schrift auf der Rückseite durchschimmerte. Diese Aufzeichnungen waren gewiss nur für Sartorius persönlich bestimmt gewesen.

Leo spürte ein Kribbeln im Rücken. Solche Augenblicke waren alles andere wert, die mühseligen Nachforschungen, die Laufarbeit, die langwierigen Befragungen verstockter oder allzu gesprächiger Zeugen.

Er nahm sich das erste Blatt vor, legte einen Notizblock daneben und fing an, das Geschriebene mühsam zu entziffern und auf den Block zu übertragen.

V. D. – sxl. aa., mas. Ng., Pt., exz. Wg., 6 Bhdl.,

Dann folgten mehrere Daten, die vermutlich für die Behandlungstermine standen. Er schlug im Terminkalender nach. Sie stimmten mit den Tagen überein, an denen V. D. als Patient eingetragen war.

Nicht nur, dass Sartorius die Aufzeichnungen versteckt hatte, sie waren auch noch durch Abkürzungen kodiert. Er schob sich die Haare aus der Stirn und stützte das Kinn in die Hand. *Sxl.* stand vermutlich für sexuell, aber was bedeutete *aa*? Und *mas. Ng.*? Er lehnte sich zurück und klopfte mit dem Stift gegen die

Zähne. Eines stand fest: Auf diesen Blättern hatte Sartorius Informationen über Patienten gesammelt, die nicht öffentlich werden sollten. Oder die er für irgendwelche Zwecke benötigte. Erpressung? Nicht ausgeschlossen.

Welches Wort, das zwei a enthielt, passte zu sexuell? Dann fiel es ihm ein: abartig, sexuell abartig. Das kam hin. Aber welche abartige sexuelle Spielart war gemeint? *Mas. Ng.*, Neigung, das war es, und *mas.* – wie hieß gleich der Begriff, den der Psychiater Krafft-Ebing geprägt hatte? Leo hatte einmal einen kriminalwissenschaftlichen Vortrag über sexuelle Perversionen gehört – ja, masochistisch, so lautete der Ausdruck. Dieser Patient ließ sich also quälen.

Dann stand *Pt.* wohl für Peitsche und *exz. Wg.* – das war schwieriger. Exzentrisch, exzessiv, das könnte stimmen. Und *Wg.*? Würgen? Gab es so etwas? Denkbar war alles. Warum war V. D. zu Sartorius gegangen? Um sich von seinen, oder ihren, verhängnisvollen Neigungen kurieren zu lassen? Wenn Sartorius das gekonnt hatte, musste er in der Tat ein Wundertäter gewesen sein. Doch wenn sich jemand mit einer derartigen Neigung Sartorius anvertraut und dieser das Geständnis womöglich finanziell ausgenutzt hatte, bedeutete dies eine ganz neue Richtung für ihre Ermittlungen.

Verdammt, und dabei ging der Fall Klante nicht voran. Er würde Berns, Stankowiak und von Malchow dafür abstellen müssen und mit Robert die Sartorius-Sache wieder aufrollen.

Weiter zu P. W. Diesmal war Sartorius vom bisherigen Kode abgewichen. Ob er ihn zu durchschaubar gefunden hatte? Hier standen nur wirre Buchstabenreihen. Gleiches galt für die Aufzeichnungen zu M. E. Ein Kode. Doch irgendwo musste ein Schlüssel existieren. Und er würde ihn finden.

»Herr Edel? Das ist aber eine Überraschung. Unser Mädchen ist gerade im Küchengarten, deshalb öffne ich selbst die Tür. Bitte kommen Sie in den Salon.«

Frau Cramer blickte ein wenig verwundert über die Schulter, als sie den unerwarteten Besucher in den Salon führte. Sie hatte ihn nur einmal bei sich empfangen und danach zwei- oder dreimal bei gesellschaftlichen Anlässen getroffen. Warum erschien er jetzt ohne Vorankündigung in ihrem Haus?

Sie bot ihm einen Platz an und ging kurz in die Küche, um Tee zu bestellen. In der Eingangshalle begegnete sie Viola, die gerade mit Peter Cornelissen von einem Spaziergang heimkam.

»Wir haben Besuch, Viola«, sagte sie mit einem Schulterzucken und einer Kopfbewegung hin zum Salon. »Herrn Max Edel, den Fabrikanten.«

Viola legte ihren leichten Sommermantel auf einen Stuhl und schaute ihren Begleiter an. »Was will der denn hier?«

»Das weiß ich noch nicht. Ihr könnt gleich zu uns hereinkommen und ihn begrüßen.«

Mit diesen Worten kehrte sie zu Max Edel zurück, der sich in einem Sessel niedergelassen und die Beine übereinander geschlagen hatte.

»Meine Tochter wird Sie gleich begrüßen, Herr Edel.« Sie setzte sich auf die Sofakante, als wollte sie jeden Moment wieder aufstehen. »Darf ich fragen, was Sie so unverhofft zu uns führt?«

Er räusperte sich. »Eigentlich hätte ich gern mit Ihnen und Ihrem Mann gemeinsam gesprochen.« Er schaute sie fragend an.

»Bedaure, aber mein Mann ist auf Geschäftsreise. Sie müssen mit mir vorlieb nehmen.«

»Gut. Sie als Mutter – ich meine, es ist sicher auch erlaubt, mit Ihnen als Mutter von Fräulein Viola zu sprechen.«

Seine umständliche, altmodische Ausdrucksweise verwirrte sie, und sie blickte unwillkürlich zur Tür, da sie hoffte, Viola möge sich zu ihnen gesellen. Aber ihre Tochter ließ auf sich warten.

»Es ist Ihnen sicher nicht entgangen, dass Fräulein Viola und ich einander näher kennen gelernt haben.« Nun, da er einmal im Fluss war, sprach er weiter, ohne auf Ellen Cramers verwunderten Gesichtsausdruck zu achten. Das Taubheitsgefühl im Arm war fast verschwunden, er fühlte sich kraftvoll und entschlossen. »Und wir haben eine, wie soll ich sagen, gegenseitige Zuneigung festgestellt. Eine Art Seelenverwandtschaft. Viola ist ein so reizendes Mädchen, nicht wie diese modernen Dinger mit ihren kurzen Röcken und Frisuren, die immer laut und schamlos daherreden.«

Auch jetzt bemerkte er nicht Frau Cramers entgeisterten Blick.

»Daher habe ich Sie heute aufgesucht, um offiziell Ihre Zustimmung zu unserer Verlobung zu erbitten.«

Ein leiser Aufschrei an der Tür ließ ihn hochfahren. Viola stand dort und sah ihn fassungslos an. »Was erlauben Sie sich? Wie können Sie einfach herkommen und –?«

Ihre Mutter erhob sich und schaute ihre Tochter an. »Viola, sag mir bitte, was zwischen dir und diesem Herrn vorgefallen ist.«

»Nichts, Mama, gar nichts«, rief Viola Cramer entrüstet. »Wir haben uns auf eurem Silvesterball kennen gelernt und danach ein paar Mal auf Gesellschaften unterhalten und miteinander getanzt, das ist alles. Letztens hat dieser Herr sogar behauptet, er habe mir einen Brief geschrieben und sich zu einem Spaziergang mit mir verabredet. Was ebenfalls nicht der Wahrheit entsprach.«

»Das hast du mir gar nicht erzählt, Liebes.«

»Weil es mir nicht wichtig schien, Mama.«

Er war aufgestanden. »Viola, ich bitte Sie, so dürfen Sie nicht sprechen. Was ist mit unseren gemeinsamen Gedanken, den Vorstellungen, die wir teilen, dem Gleichklang unserer Wesen?«

»Sie reden wie ein Buch!«, rief Viola spöttisch. Dann wurde sie wieder ernst. »Ich möchte gern verstehen, was hier geschieht, aber –«

In diesem Moment trat Peter Cornelissen in den Raum. »Verzeihung, Ellen, ich wollte mich nicht in eure Familienangelegenheit einmischen, aber es bedarf in diesem Falle wohl einer festeren Hand.« Er ergriff Max Edels Arm. »Ich glaube, Sie fühlen sich nicht gut. Darf ich Ihnen einen Wagen rufen?«

Unwillig machte er sich los. Was bildete sich dieser Grünschnabel ein? »Sie sind nicht befugt, für die Familie zu sprechen, oder? Ich führe ein Gespräch mit Frau Cramer und werde Ihre Einmischung nicht akzeptieren. Versuchen Sie bitte nicht, sich in eine bestehende Verbindung zu drängen.«

Viola war vorgetreten. »Was für eine bestehende Verbindung? Ich habe wirklich nie mit ihm zu tun gehabt, es waren alles flüchtige Begegnungen in Gesellschaft. Wenn ich alle Männer heiraten sollte, für die das gilt, würde ich aus dem Heiraten nicht mehr herauskommen.«

»Viola, bitte«, rief ihre Mutter streng. »Du siehst doch, dass Herr Edel sich nicht wohl fühlt. Ich kann sein Verhalten nur auf eine starke emotionale Verwirrung zurückführen. Sind Sie mit dem Wagen da? Peter, geh doch bitte hinaus und sag dem Chauffeur Bescheid, dass Herr Edel gleich seiner Dienste bedarf.«

Cornelissen wollte schon gehen, als ihn Edel unvermittelt am Arm packte, zurückzog und grob in einen Sessel stieß. »Sie halten sich da raus, verstanden?«

Er legte Viola vertraulich die Hand auf die Schulter, worauf sie zurückwich. »Hören Sie mich an. Sie sind mein Leben. Seit Monaten denke ich nur an Sie. Ich habe vieles auf mich genommen, um Ihrer wert zu sein. Um Ihnen ein wunderbares Leben an meiner Seite bieten zu können. Ich . . . ich habe alles abgelegt, was schlecht war, alle Fesseln abgestreift.« Ellen, Viola und Peter hörten schweigend zu, fasziniert und abgestoßen zugleich. »Ich bin ein neuer Mensch geworden. Ich bin nicht mehr der, der ich war. Ich habe schwere Entscheidungen getroffen. Einsame Entscheidungen. Aber es musste sein. Ich habe alles nur für Sie getan.« Er zog sie an sich, wollte seine Lippen auf ihren Mund drücken.

»Verlassen Sie mein Haus«, schrie Ellen Cramer und lief zu ihm hin. »Und lassen Sie meine Tochter los. Sie werden Sie nie mehr wiedersehen, Sie sind ja krank im Kopf.«

Bei diesen Worten ließ er Viola los und fuhr heftig herum, wobei er Ellen versehentlich mit dem Ellbogen im Gesicht traf. Mit einem Schmerzenslaut drückte sie den Handrücken gegen die blutende Lippe.

Cornelissen schoss vor. Er packte Edel, riss ihn von Ellen Cramer weg und stieß ihn zur Salontür hinaus, während Viola ihrer Mutter besorgt ein Taschentuch reichte. Er zerrte Edel aus dem Haus, durch den Vorgarten und bis auf den Gehweg, wo er ihn unsanft gegen den Wagen lehnte. Kein Chauffeur in Sicht.

»Sie sollten nach Hause fahren. Die Damen sind ziemlich aufgebracht.«

»Mir ist . . .« Er fuhr sich mit der Hand über die Stirn.

»Soll ich Ihnen ein Taxi rufen?«, fragte Cornelissen entnervt. Er winkte ab und öffnete mit unsicherer Hand die Tür.

»Dann fahren Sie bitte.«

Mit diesen Worten schob Cornelissen ihn in den offenen Wagenschlag und stapfte davon.

Er legte den Kopf aufs Lenkrad und lockerte mit einer Hand den Kragen. Er wünschte, Ludwig wäre statt seiner gefahren. Seine Hände zitterten. Er lehnte sich zurück und schloss die Augen. Einige Minuten später hatte er sich so weit in der Gewalt, dass er den Motor anlassen und nach Hause fahren konnte.

Doch seine Ruhe war nur äußerlich. In ihm arbeitete es fieberhaft, Pläne formten sich und zerfielen wieder. Egal wie, Viola musste begreifen, dass er ein neuer Mensch geworden, dass seine Liebe mehr wert war als die Schmeicheleien eines Cornelissen. Dass er alles nur für sie getan hatte. In ihm bro-

delte es, Bilder von Sartorius und der Frau auf dem Hinterhof überlagerten sich, zuletzt schob sich die Gestalt des Mannes davor, dem er vor dem Präsidium begegnet war. Er noch, dann würde er endlich frei sein..

16

Robert hörte die Erregung in Leos Stimme, als dieser ihn abends im Präsidium anrief. »Gut, dass du noch da bist, Robert. Ich glaube, ich bin da auf etwas wirklich Brauchbares gestoßen.«

Rasch berichtete er von dem Fund im Terminkalender. »Stell bitte die Adresse von Verena Moltkes Angehörigen fest und fahr gleich morgen früh hin. Frag nach, ob Gabriel Sartorius irgendwann versucht hat, Verena oder ihre Familie zu erpressen.«

»Wie bist du bloß darauf gekommen, Leo?«

»Reiner Zufall«, gestand er. »Ich wollte schon aufgeben, als ich das Papier im Einband knistern hörte. Mach Feierabend, wir sehen uns morgen.«

Er legte auf und räumte zufrieden die Unterlagen weg. Endlich etwas Neues, das sie vielleicht voranbringen würde. Bei V. D. hatte Sartorius noch mit Abkürzungen gespielt, erst danach war er zu dem Kode übergegangen. Sie mussten unbedingt die Identität von V. D. feststellen. Jeder Name auf der Liste stand für einen potentiellen Täter. Als er das Licht im Wohnzimmer ausschalten wollte, kam ihm noch eine Idee. Er sah auf die Uhr. Fast zehn. Egal, Künstler und Menschen, die mit ihnen verkehrten, gingen gewiss nicht so früh zu Bett.

Er hob den Hörer ab und wählte Elisa Reichweins Nummer. Sie meldete sich nach zweimaligem Klingeln. »Galerie Reichwein.«

»Hier ist Leo Wechsler. Ich hoffe, ich störe nicht, so spät am Abend.«

»Sie sind mir immer willkommen, Herr Kommissar, auch

wenn ich Ihnen am Telefon keine Bilder zeigen kann. Wo haben Sie es aufgehängt?«

»In meinem Büro.«

»Schön, dass die Kunst auch in einer derart prosaischen Umgebung Einzug hält. Was kann ich für Sie tun?« Ihre Stimme klang wie immer warm und dunkel, eine wirklich angenehme Stimme, die sogar durchs Telefon bezauberte.

»Ich habe eine Frage. Kennen Sie jemanden mit den Initialen V. D.?«

Sie ließ sich Zeit. Er hörte, wie sie den Rauch ihrer Zigarette ausstieß und etwas trank. »Meinen Sie einen Künstler? Oder Kokainisten? Oder eher die bürgerliche Sorte?«

»Ich weiß nicht einmal, ob es sich um einen Mann oder eine Frau handelt, tippe aber auf einen Mann. Und er dürfte in einer Gesellschaftsschicht zu suchen sein, deren Angehörige erpressbar werden, wenn sie, wie soll ich sagen, sexuell ein wenig aus der Art schlagen.«

»Das haben Sie nett gesagt. Und es klingt richtig spannend. Hat die Person, die Sie suchen, mit Gabriel Sartorius zu tun gehabt?«

»Sie müssen einander jedenfalls gekannt haben.«

»Lassen Sie mich überlegen.« Ihr Schweigen schien unendlich lange zu dauern. »V als Anfangsbuchstabe eines Vornamens ist bei Männern eher selten, da fällt mir eigentlich nur Viktor ein. Ja, Viktor von Dreesen, der könnte es gewesen sein.«

»Gewesen sein?«

»Er hat vor einem Jahr Selbstmord begangen. Hat sich im Landwehrkanal ertränkt. Fiel wohl nicht in Ihre Zuständigkeit. Er war Besitzer eines großen Warenhauses und gehörte eigentlich zur guten Gesellschaft, aber er umgab sich gern mit Künstlervolk. Und mit schillernden Gestalten wie Sartorius.«

»Kannten Sie ihn persönlich?«

»Nur flüchtig.«

»Wissen Sie, warum er sich das Leben genommen hat?«

»Nicht genau. Natürlich wurde viel geklatscht, nach seinem Tod hieß es auch, er habe eigenartige sexuelle Neigungen gehegt. Aber Näheres wurde nie bekannt.«

»War er verheiratet?«

»Ich glaube schon. Irgendjemand sagte damals beiläufig zu mir, wie furchtbar es für seine Frau und die Kinder sein müsse.«

Leo schaute auf seinen Zettel. »Und was ist mit P. W. und M. E.? Können Sie sich vorstellen, wer sich dahinter verbirgt?«

»Soll das ein Ratespiel sein?«, fragte sie lachend. Dann herrschte Schweigen am anderen Ende, bis sie sich wieder mit ihrer tiefen Stimme meldete: »Tut mir leid, Herr Kommissar, da kann ich Ihnen nicht weiterhelfen. Falls mir noch etwas einfällt, rufe ich Sie an.«

»Frau Reichwein, ich bin Ihnen wie immer ungeheuer dankbar.«

»Sie können mir danken, indem Sie mich gelegentlich noch einmal besuchen, Herr Kommissar. Ich bin gespannt, was ich demnächst in der Zeitung über den Fall Sartorius lesen werde. *Au revoir.*«

Er hängte ein. Es passte, auf einmal passte es tatsächlich zusammen. Bestimmt hatte Sartorius von Dreesen erpresst und gedroht, seiner Familie oder sogar einer breiten Öffentlichkeit die masochistischen Rituale zu offenbaren, denen er anhing. Also war er doch nicht nur der Heiler ohne Fehl und Tadel gewesen, der gute Mensch, als den ihn seine Haushälterin empfunden hatte, sondern hatte die intimen Gespräche mit seinen Patienten genutzt, um zu entscheiden, bei wem sich ein Erpressungsversuch lohnte.

Dann überkamen ihn wieder Zweifel. Natürlich lieferte die verschlüsselte Aufstellung für sich noch kein Mordmotiv. Verena Moltkes Familie zeigte wenig Interesse an ihrem Schicksal, daher war es fraglich, ob ein Erpressungsversuch bei ihren Angehörigen überhaupt Sinn gehabt und damit Anlass zu der Tat gegeben hätte.

Bei Familie von Dreesen schien das Motiv zwar klarer, dafür lag der Tod des Mannes bereits ein ganzes Jahr zurück. Eine Kurzschlusshandlung kam somit nicht in Frage. Dennoch, er würde die Familie aufsuchen müssen, selbst wenn er damit schmerzliche Erinnerungen aufrührte.

Er stellte den Stuhl an den Tisch, machte sich im Bad fertig, schaute noch einmal bei Georg hinein, der sich im Kinderzimmer zunehmend allein fühlte und seine Schwester herbeisehnte, und ging zu Bett.

Er hatte sich in seinem Schlafzimmer eingeschlossen, einen Stuhl vor die Tür geschoben, damit ihn niemand überraschte, und war dabei, seine Handschuhe zu zerschneiden. Die ganze kostbare Sammlung. Wildleder, Glacé, feinster Stoff, alles fiel der Schere zum Opfer. Sein innerer Aufruhr stand im Gegensatz zu der Präzision, mit der er sein Zerstörungswerk vollbrachte. Alles, alles musste weg.

Er suchte nach den Katalogen der Maßateliers, zerriss Zeichnungen von Fräcken, Zylindern, weißen Hemden und Bindern, Brautkleidern, Schleiern und Haarkränzen, trat darauf herum, als wollte er sie zu Brei zermalmen. Sein Atem ging schwer, sein Arm pochte taub, das Gefühl der Fremdheit zog sich bis in die Schulter hinauf. Egal. Es musste weg. Alles.

Als er wieder zu sich kam, räumte er auf. Stopfte die Fetzen der Handschuhe in einen Kleidersack, dazu das zerrissene Papier, und trug alles in den Keller. Keuchend lehnte er sich gegen die Tür. Hoffentlich begegnete er auf dem Weg nach oben keinem Dienstboten.

Er kehrte ins Schlafzimmer zurück und sank aufs Bett.

Martin Moltke bot Robert einen Platz an. Er hatte sich bereit erklärt, ihn in seiner Kanzlei zu empfangen, obwohl es ihm sichtbar unangenehm war, dass die Kriminalpolizei ihn befragen wollte. Nervös wirkte er allerdings nicht, sondern gab sich kühl bis in die Fingerspitzen. Er galt als ausgezeichneter Wirtschaftsanwalt, wie Robert erfahren hatte, und vertrat hauptsächlich Banken und große Firmen. Sein grauer Maßanzug und das vorzeitig ergraute Haar verströmten ebenfalls kühle Zurückhaltung. Der einzige Makel war der Schmiss, der sich schräg über die rechte Wange zog.

»Nun, was führt Sie zu mir?«

»Ich komme gleich zur Sache. Es geht um Ihre Schwester Verena.«

Ein Schatten huschte über Moltkes Gesicht. »Ich pflege keinen Umgang mehr mit ihr.«

»Das ist mir bereits bekannt. Wir haben sie vor einer Weile in der Klinik aufgesucht. Man sagte uns dort, dass sie nie Besuch erhält.« Das klang vorwurfsvoller, als er beabsichtigt hatte.

»Warum waren Sie dort? Sie sind doch nicht von der Fürsorge«, versetzte Moltke ein wenig pikiert. »Ich wüsste nicht, dass die Kriminalpolizei kontrolliert, wer kranke Verwandte besucht und wer nicht.«

»So war es nicht gemeint«, versicherte Robert schnell. »Wir waren bei Ihrer Schwester, da wir im Mordfall Sartorius ermitteln und herausfanden, dass Ihre Schwester ihn näher gekannt hat. Vermutlich hat er sie erstmals mit Kokain in Berührung gebracht. Allerdings fanden wir sie nicht vernehmungsfähig vor. Jetzt haben wir neue Erkenntnisse, und in diesem Zusammenhang wüsste ich gern, ob man in der Vergangenheit versucht hat, Sie oder Ihre Schwester zu erpressen.«

Moltke zündete sich gelassen eine Zigarette an und blies das Streichholz aus. »Wie kommen Sie darauf?«

»Uns liegen entsprechende Hinweise vor«, entgegnete Robert betont vage, da er es mit einem gewieften Juristen zu tun hatte, der unerwünschten Fragen geschickt auszuweichen wusste. »Können Sie bestätigen, dass Verena Herrn Gabriel Sartorius kannte?«

»Diesen Wunderheiler?«, fragte Moltke spöttisch und inhalierte tief. »Natürlich, sie hat ständig von ihm geredet. Sie rannte dauernd hin, um sich mit irgendwelchem Hokuspokus behandeln zu lassen. Edelsteine, Pendel, Geistheilung, was auch immer. Mich hat das damals schon nicht interessiert.«

»Sie wissen aber, dass er ermordet wurde?«

»Es stand ja in allen Zeitungen.«

Die aalglatte Fassade ging Robert allmählich auf die Nerven. »Wie gesagt, uns liegen Hinweise vor, dass Sartorius einige Patienten oder deren Familien erpresst hat. Oder dass er dies zumindest plante. War das auch bei Ihnen der Fall?«

»Ich habe den Herrn überhaupt nicht gekannt. Bin ihm nie begegnet«, meinte Moltke und klopfte die Zigarettenasche in einer eleganten Silberschale ab.

»Damit ist meine Frage nicht beantwortet«, insistierte Robert. »Es wäre ja denkbar, dass es einen derartigen Versuch gab, ohne dass Sie wussten, wer dahinter steckt.«

»Wenn Sie es unbedingt wissen müssen: Man hat es tatsächlich einmal versucht. Und der Erpresser ist damit gegen eine Wand gelaufen«, erklärte Martin Moltke befriedigt. »Ich lasse mich nicht erpressen, das habe ich meinen Eltern auch gesagt. Sollen die Zeitungen doch darüber berichten. Meiner Kanzlei schadet es nicht, wenn meine Schwester sich um den Verstand kokst. Das tun heutzutage viele.«

Robert konnte sich angesichts dieser lieblosen Bemerkung nur mühsam beherrschen. »Und was haben Ihre Eltern dazu gesagt?«

»Sie waren nicht erfreut, verlassen sich aber gewöhnlich auf meinen Rat. So auch in diesem Fall.«

»Wie genau lief dieser Fall denn ab, Herr Moltke?«

»Vor einiger Zeit erhielt ich einen anonymen Brief, den ein Straßenjunge in der Kanzlei abgab. Es war kurz nachdem Verena in die Klinik gekommen war. Der Brief war auf gutem Papier mit der Maschine getippt und in korrektem Deutsch abgefasst. Keine orthographischen Fehler und so weiter.«

»Erinnern Sie sich an den Wortlaut?«

»In etwa: Wenn Ihnen daran gelegen ist, dass niemand von der misslichen Lage Ihrer Schwester erfährt, sollte Ihnen das schon etwas wert sein. Ich denke an einen Betrag von 5000 Mark. Überlegen Sie es sich gut, ich melde mich wieder bei Ihnen.«

Wie unverfroren, dachte Robert, er hatte sie zum Rauschgiftgenuss verführt, in die Sucht getrieben und dann ihre Familie damit zu erpressen versucht. »Und weiter?«

»Ich habe nicht darauf reagiert. Eine Woche später erhielt ich einen Anruf. Eine Männerstimme, die seltsam gedämpft klang, fragte mich ganz diskret, ob ich Post erhalten hätte. Er hatte wohl ein Tuch um den Hörer gewickelt. Ich erklärte ihm, meine Familie werde nicht zahlen, da Verena für mich nicht länger zur Familie gehöre. Danach hat er sich nicht mehr bei mir gemeldet.«

»Vermutlich hat er es nicht nur bei Ihnen probiert.«

»Über andere Fälle ist mir nichts bekannt. Das Telefongespräch war der einzige persönliche Kontakt zwischen mir und diesem Herrn. Um Ihrer Frage zuvorzukommen, ich bin nicht zur Polizei gegangen, da er mich danach in Ruhe gelassen hat.«

Robert überlegte, wie er die selbstzufriedene Fassade durchbrechen könnte. Gewiss, der Mann hatte Sartorius allem Anschein nach nicht angerührt, doch es machte ihn zornig, dass er so gleichgültig über das Schicksal seiner Schwester sprach. Ein Schicksal, dem Robert selbst nur knapp entgangen war.

Er stand auf und ging zur Tür, ohne Moltke die Hand zu geben. Dann drehte er sich noch einmal um. »Vielen Dank für Ihre Aussage. Aber eins möchte ich nicht verschweigen: Nicht nur der Erpressungsversuch ist unmoralisch, sondern auch Ihr eigenes Verhalten. Ihre gleichgültige Haltung gegenüber Ihrer Schwester, für die Sie bezahlen, ohne sich je um sie zu kümmern.«

Mit diesen Worten trat er ins Vorzimmer und schlug die Tür

hinter sich zu. Draußen verfluchte er sich. Als Polizeibeamter war er gehalten, sachlich und nüchtern aufzutreten und keine unangebrachten Gefühlsregungen zu zeigen. Leo hätte ihn bestimmt darauf hingewiesen, obwohl auch er nicht gegen persönliche Empfindungen gefeit war.

Andererseits hatte er erfahren, was er erfahren wollte. Moltke kam als Täter nicht in Frage, da war er sicher. Aber er ahnte dennoch, dass Leo auf einer ungeheuer wichtigen Spur war.

Rudolf Cramer, der erst sehr spät nach Hause gekommen war, als Frau und Tochter bereits schliefen, erfuhr beim Frühstück von dem eigenartigen Besuch. Nachdem er zu Ende gegessen hatte, betupfte er sich den Mund mit der Serviette, lehnte sich zurück und schaute abwechselnd von Ellen zu Viola.

»Ihr wollt mir also weismachen, dass der angesehene Knopffabrikant Max Edel ohne Ankündigung hier aufgetaucht ist und mir nichts, dir nichts um Violas Hand angehalten hat?«

Seine Frau nickte. »Ja, dabei kennen wir ihn kaum. Er aber tat, als kenne er Viola schon ewig. Als hätten sie regelmäßigen Umgang gepflegt.«

Er schaute seine Tochter prüfend an. »Und du sagst, es sei nichts daran?«

Entrüstet wollte sie aufstehen. »Papa, wenn ich es dir doch sage. Wir haben uns hier auf dem Silvesterball kennen gelernt. Danach sind wir uns gelegentlich begegnet, das war alles. Von Spaziergängen oder anderen Verabredungen war nie die Rede. Glaubst du mir etwa nicht? Sieh dir Mamas Lippe an.« Ellen Cramers Mund war noch immer leicht geschwollen.

Rudolf legte ihr beschwichtigend die Hand auf den Arm. »Bleib sitzen, Liebes, natürlich glaube ich dir. Aber Max Edel ist ein unbescholtener Mann, der nur in den besten Kreisen verkehrt. Warum sollte er sich einen derartigen Auftritt leisten?«

»Das gestern war nicht alles, Papa«, warf Viola ein. Auf seinen erstaunten Blick hin berichtete sie von dem Zwischenfall bei der Soirée, als Edel von einem Spaziergang gesprochen hatte, von dem sie nichts wusste, und einem Brief, den sie nie erhalten hatte.

»Ist der Mann denn von Sinnen?«, rief Rudolf ungehalten. »Ich werde ihn zur Rede stellen, falls er uns weiter belästigt.«

Ellen biss sich auf die Lippe, schien dann einen plötzlichen Entschluss zu fassen. »Viola, würdest du uns bitte allein lassen?«

Ihre Tochter sah sie verwundert an, stand dann aber auf und verließ das Speisezimmer.

»Rudolf, ich muss dir etwas gestehen. Erinnerst du dich an die beiden Herren, die irgendwann im Juni hier waren? Du kanntest sie nicht, sie verließen gerade das Haus, als du kamst.«

»Ja und? Ich glaube, du sagtest etwas von einem Wohltätigkeitsverein, der für Kindererholungsheime sammelt.«

Ellen spielte mit ihrem Kaffeelöffel und wich seinem Blick aus. »Das war gelogen. Es waren zwei Kriminalbeamte, die in einem Mordfall ermitteln.«

»Wie bitte?«

»Ja, es ging um den Mord an dem Heiler Gabriel Sartorius, es stand doch groß in allen Zeitungen.«

»Natürlich, aber was hast du damit zu tun?«

»Ich war bei ihm.«

»Was soll das heißen?«

»Ich habe mich von ihm behandeln lassen, gegen die Migräne.«

»Du warst doch immer bei Dr. Stauss.«

»Aber er konnte mir nicht helfen. Seine Medikamente haben überhaupt nichts bewirkt. Ich wusste keinen Rat mehr, und als ich es gegenüber Elisa beiläufig erwähnte, hat sie gesagt ...«

»Elisa Reichwein? Na wunderbar.« Er schob seine Kaffeetasse so energisch beiseite, dass sie überschwappte. »Künstlervolk, Bohemiens mit losen Sitten und gottlosen Ansichten.«

»Rudolf, ich wusste, dass du so reagieren würdest, deshalb habe ich dir auch nichts davon gesagt. Aber du solltest mir jetzt unbedingt zuhören. Ich war an dem Tag, als Sartorius getötet wurde, bei ihm.«

»Bei ihm zu Hause?«, fragte Rudolf fassungslos.

»Ja, er empfing alle Patienten zu Hause.« Gut, dass ihr Mann die exotische Wohnungseinrichtung nie zu Gesicht bekommen hatte.

»War die Polizei deshalb bei dir?«

Ellen nickte. »Sie wollten nur meine Zeugenaussage. Ob mir etwas aufgefallen sei, ob etwas anders war als sonst, ob ich jemanden im Haus gesehen hätte. Aber ich habe nichts Ungewöhnliches bemerkt.«

»Soll das heißen, du hättest dem Mörder dort in die Arme laufen können?«

»Ich konnte doch nicht ahnen, dass jemand Sartorius töten würde, gleich nachdem ich seine Wohnung verlassen hatte.«

»Und was hat das alles nun mit Max Edel zu tun?«

»Als er gestern diese unglaubliche Szene machte, fiel mir plötzlich etwas ein.« Sie spürte, wie sie allmählich seine volle Aufmerksamkeit gewann. »Ich habe ihn in der Nähe von Sartorius' Wohnung gesehen. Am Tag des Mordes. Er stieg an der Ecke Nussbaumallee aus seinem Wagen, ich habe ihn erkannt, er hat einen ganz eleganten Wagen in Weinrot und Creme.«

Rudolf runzelte die Stirn. »Das muss noch nichts bedeuten. Er kann dort alles Mögliche gewollt haben.«

»Natürlich. Es ist auch nur so ein Gefühl. Aber die Kriminalbeamten sagten, ich solle mich melden, falls mir noch etwas einfiele. Damals dachte ich gar nicht mehr an Herrn Edel, weil ich ihn nur flüchtig kannte und als ruhigen, vornehmen Herrn erlebt hatte. Aber du hättest ihn gestern sehen sollen. Als er hereinkam, wirkte er völlig gelassen und schien Herr seiner Sinne. Aber dann – wie soll ich es sagen – hat er plötzlich jeden Bezug zur Wirklichkeit verloren. Phantasierte sich wirres Zeug über

Viola zusammen, dann wurde er auch noch handgreiflich. Peter musste ihn praktisch vor die Tür setzen. Ich habe mich richtig vor ihm gefürchtet. Seine Augen sahen auch ganz komisch aus, irgendwie starr.«

Rudolf Cramer seufzte. »Du solltest vorsichtig sein. Solange wir nicht wissen, was ihn zu diesem Verhalten getrieben hat, kannst du ihn nicht denunzieren, nur weil er sich zu einer bestimmten Zeit in einer bestimmten Gegend aufgehalten hat.«

»Mit Denunzieren hat das nichts zu tun. Es heißt immer, bei einem Verbrechen sei jeder noch so kleine Hinweis wichtig. Und Gabriel Sartorius war ein guter Mensch, der einem brutalen Verbrechen zum Opfer gefallen ist. Ich gehe zur Polizei.« Sie stand entschlossen auf. »Und Viola nehme ich mit.«

17

Als Leo am nächsten Morgen seinen Sohn am Frühstückstisch erblickte, zuckte er zusammen. »Was ist denn mit dir passiert, Georg?«

Georgs rechtes Auge war blutunterlaufen, über die Wange zog sich ein blutiger Kratzer. »Na, sag schon, hast du dich geprügelt? Das kommt vor, ist mir auch passiert.«

Doch sein Sohn schüttelte den Kopf und blickte in seine Schüssel mit Grießbrei. »Hab mich nicht geprügelt. Das war der Scheller, Vati.«

»Wie bitte? Warum –?«

»Wir hatten Streit. Da hat er mir eine Ohrfeige verpasst.« Er deutete auf den Kratzer. »Der ist von seinem Siegelring.«

Leo schwante Übles. Da er in den letzten Wochen nichts mehr gehört hatte, war er davon ausgegangen, dass der Waffenstillstand zwischen Georg und dem Lehrer hielt. Ein Irrtum, wie sich nun herausstellte.

»Hatte es wieder mit Schellers Sohn zu tun?«, fragte Leo knapp, um sich seine Wut nicht anmerken zu lassen.

»Nee, der Erich hatte diesmal nichts damit zu tun. Es war so: Der Scheller hat vor der ganzen Klasse den Fritz Salomon runtergemacht, und da ist mir so was rausgerutscht und da –«

»Jetzt mal langsam, Georg. Wer ist Fritz Salomon?«

»Der Sohn vom Gemischtwarenhändler aus der Beusselstraße. Ein ganz ruhiger Kerl, tut keiner Fliege was zuleide. Er hat nur dagesessen und in die Luft geschaut, und da hat der Scheller ihn gefragt, was er gerade gesagt hat. Und der Fritz konnte es Wort für Wort wiederholen. Da ist der Scheller natürlich sauer geworden und hat was gemurmelt von wegen jüdischer List und man könnte denen nicht über den Weg trauen und so. Der Fritz hat nur ruhig gefragt: ›Wäre es Ihnen lieber, wenn ich nicht zugehört hätte?‹ Da ist der Scheller an die Decke gegangen. Mann, war der wütend. Hat angefangen von wegen, die Juden sind an allem schuld, hocken auf ihrem Gold, wollen das Land kaputtmachen, ich hab das gar nicht richtig kapiert. Irgendwann wurde es mir einfach zu dumm und ich hab leise vor mich hin gesagt: ›Müssen das aber reiche Gemischtwarenhändler sein.‹ Und schon hat er mir eine runtergehauen.«

Leo legte ihm die Hand auf den Arm. »Nicht gerade klug, aber Recht hattest du schon. Was Scheller sagt, ist falsch und dumm. Aber du musst aufpassen, was du tust, sonst wirst du es noch schwerer bei ihm haben.«

»Hab ich auch so.«

»Trotzdem, das mit der Ohrfeige kann ich nicht dulden. Ich gehe gleich mit zur Schule und rede mit ihm.«

Georg sah ihn ein wenig zweifelnd an. »Und wenn es dadurch noch schlimmer wird?«

»Das wird es hoffentlich nicht.« Er war sich allerdings ganz und gar nicht sicher.

Das Gespräch verlief kurz und unerfreulich. Ludwig Scheller sah ihn von oben herab an, soweit das möglich war, da Leo ihn weit überragte. Er kehrte gern den Akademiker heraus, indem er lateinische Zitate in seine Rede einstreute, wenngleich er genau wusste, dass sein Gegenüber sie nicht verstand.

»*Quae nocent, docent*, Herr Wechsler. Ich dulde keine frechen Bemerkungen in meinem Unterricht, schon gar nicht, wenn sie als Kritik an meinen Äußerungen zu verstehen sind. Wer sich nicht an diese Maxime hält, bekommt es zu spüren.«

»Und ich wünsche nicht, dass mein Sohn aussieht, als hätte er sich auf der Straße geprügelt, wenn er aus Ihrem Unterricht kommt, Herr Scheller. Ich weiß, dass Sie ihm keine Sympathie entgegenbringen, aber ich verlange eine gerechte Behandlung. Von Ihren Äußerungen über den Schüler Salomon ganz zu schweigen.«

»Aha, der Herr Sohn erzählt zu Hause also gern, was im Unterricht vorgeht. Hoffentlich weiß er auch über den Lehrstoff so genau Bescheid.«

Leo wusste, dass man ihn dringend im Präsidium erwartete, und kürzte das Gespräch daher ab. »Nur eins: Wenn ich noch einmal höre, dass Sie Ihre Schüler derart schikanieren, wende ich mich an Ihren Rektor.« Der wiederum ein alter Freund von Ernst Gennat war. Was Scheller auch wusste.

Ellen und Viola Cramer standen vor dem ehrfurchtgebietenden Gebäude und schauten an der roten Fassade hinauf.

»Meinst du wirklich, wir sollen da reingehen, Mama?«, fragte Viola etwas unschlüssig. Ihr war nicht ganz wohl bei der Sache. Andererseits war sie ins Grübeln gekommen, als ihre Mutter berichtete, dass sie Max Edel kurz vor dem Mord in der Nähe von Sartorius' Wohnung gesehen hatte.

»Ja, es lässt mir sonst keine Ruhe. Bringen wir es hinter uns.«

Sie betraten die Eingangshalle und erkundigten sich beim Pförtner nach der Mordkommission, die den Fall Gabriel Sartorius bearbeitete. Der Mann meldete sie an und schickte sie durch eine Glastür ins Morddezernat, wo sie zögernd einen hohen, kahlen Flur entlanggingen, bis eine Tür geöffnet wurde und ein gepflegter Herr den Kopf herausstreckte. »Frau Cramer und Fräulein Cramer?«, fragte er und ließ sie eintreten. »Mein Name ist Herbert von Malchow, Kriminalbezirkssekretär. Ich bin mit diesem Fall betraut. Nehmen Sie bitte Platz.«

Er führte sie ins Vorzimmer. Wechsler war zwar nicht da, aber es schien doch zu riskant, sie einfach in dessen eigenem Büro zu befragen.

Ellen Cramer war beeindruckt von dem freundlichen Empfang, sie hatte sich das Präsidium sehr viel abweisender vorgestellt. »Ist Kommissar Wechsler nicht da? Ich glaube, so hieß der Beamte, der mich vor einer Weile aufgesucht hat.«

»Bedauere, der Kommissar ist noch nicht im Hause. Sie können aber mit mir über alles sprechen, ich werde es umgehend an ihn weiterleiten, Frau Cramer.« Er nahm einen Notizblock und einen Stift zur Hand und schaute die Frauen erwartungsvoll an.

Ellen Cramer räusperte sich nervös. Auf einmal erschien ihr die ganze Angelegenheit ziemlich verrückt. Dann berichtete sie kurz, wie seltsam Edel sich in ihrem Haus verhalten hatte und wie ihr dann mit einiger Verspätung eingefallen war, dass sie ihn in der Nähe der Sartoriusschen Wohnung gesehen hatte. Von Malchow schrieb alles mit. Als sie zu Ende gesprochen hatte, stellte er einige Fragen.

»Wo genau haben Sie Herrn Edel damals gesehen?«

»An der Ecke Nussbaumallee und Spandauer Damm«, erklärte Ellen Cramer. »Ich hatte mir gerade ein Taxi gerufen und wollte einsteigen, da sah ich diesen schönen Wagen anhalten. Ich war neugierig und habe gewartet, wer da wohl aussteigt. Da sah ich, dass es Herr Edel war.«

»Hat er Sie auch bemerkt? Haben Sie miteinander gesprochen?«

»Nein. Wir haben nur gesellschaftlich miteinander verkehrt, bisher jedenfalls«, setzte sie ein wenig betreten hinzu. »Es wäre mir unangenehm gewesen, über die Straße zu rufen. Ich habe mir auch gar nichts dabei gedacht.«

»Natürlich nicht«, meinte von Malchow beflissen. »Haben Sie gesehen, wohin er gegangen ist?«

»Nein, ich bin ins Taxi gestiegen und nach Hause gefahren. Ich habe überhaupt nicht mehr daran gedacht, bis er dann gestern bei uns erschien und sich so eigenartig verhielt. Ich kann mir nicht vorstellen, dass es eine Verbindung gibt, aber trotzdem ... wollte ich sichergehen.«

»Das war richtig, Frau Cramer.« Von Malchow wandte sich

an Viola. »Möchten Sie die Aussage Ihrer Mutter ergänzen, Fräulein Cramer?«

Viola sah ihn ein wenig erschreckt an. »Komm, Liebes, erzähle von dem Vorfall in Dahlem«, sagte Ellen und legte ihr die Hand auf den Arm.

»Ich war vor einigen Tagen zu einer Soirée im Hause Weber eingeladen.« Sie fuhr sich mit der Hand über die Stirn. »Es kam mir alles nur wie ein Missverständnis vor.«

Von Malchow hob die Hand, bemüht, seine Ungeduld nicht zu zeigen. Im Grunde hatte er Wichtigeres zu tun, als sich anzuhören, wann diese beiden Damen welchen Bekannten an welcher Berliner Straßenecke gesehen hatten. »Augenblick, immer der Reihe nach, bitte. Was kam Ihnen wie ein Missverständnis vor?«

»Ich war mit einem Freund der Familie dort, Herrn Peter Cornelissen. Herr Edel war ebenfalls eingeladen. Er kam zu mir und begrüßte mich ganz vertraulich. Dann erwähnte er etwas von einem Spaziergang am Wannsee, zu dem wir verabredet seien. Und einem Brief, den er mir geschrieben habe. Ich wusste von gar nichts, ich habe nie einen Brief von ihm erhalten. Dann griff er nach meinem Arm, wurde zudringlich. Zum Glück kam Peter dazu. Herr Edel ist praktisch aus dem Saal geflohen. Ich dachte, er habe sich geirrt, und es sei ihm einfach peinlich gewesen. Eigenartig war es schon«, fügte sie nachdenklich hinzu.

Sollte er sich etwa auch noch mit den Liebesnöten der jungen Dame auseinander setzen? Doch er bewahrte Haltung. »Das möchte ich meinen, Fräulein Cramer. Ich bin Ihnen beiden sehr dankbar, dass Sie sich die Mühe gemacht haben, diese Aussagen zu machen. Natürlich ist Herrn Edels Verhalten Ihnen gegenüber äußerst ungewöhnlich, gibt aber an sich noch keinen Anlass für polizeiliche Schritte. Der Tatsache, dass er sich am fraglichen Tag in der Nähe des Tatorts aufgehalten hat, werden wir natürlich nachgehen. Sollte er Sie noch einmal belästigen und womöglich handgreiflich werden, rufen Sie bitte umgehend die

Schutzpolizei.« Er klappte das Notizbuch zu, stand auf und gab Ellen und Viola die Hand.

Draußen auf dem Flur sahen die Frauen einander erleichtert an. »War gar nicht so schlimm«, meinte Viola und atmete tief ein. »Hoffentlich ist die Sache damit ausgestanden.«

»Komm, Liebes, wir haben uns einen guten starken Kaffee verdient.«

Als Leo und Robert sich gegen elf im Büro trafen, war von Malchow nicht da. Leo warf seine Aktentasche ungehalten auf einen Stuhl. »Wo steckt er?«

»Keine Ahnung«, meinte Robert achselzuckend. »Ich bin auch gerade erst gekommen. Vergiss von Malchow mal für einen Moment und erzähl mir genau, was du gestern Abend gefunden hast.«

Leo berichtete noch einmal ausführlich von seinem Fund und legte Robert die Liste vor, die er in einem Umschlag mitgebracht hatte. »Die Abkürzungen habe ich mir mehr oder weniger zusammengereimt. Es handelt sich vermutlich um Viktor von Dreesen, einen Kaufhausbesitzer, der vor einem Jahr Selbstmord begangen hat. Ich fürchte, wir müssen die Familie befragen, auch wenn ich solche Geschichten ungern wieder aufrühre. Aber wir haben endlich etwas Neues in der Hand!«

»Und wie willst du mit diesem Kode vorgehen?«

»Ich fahre noch einmal in Sartorius' Wohnung und schaue mir alles an, was wir nicht mitgenommen haben. Vor allem die Bücher. Er kann durchaus ein Buch als Schlüssel benutzt haben.«

»Klingt wie aus einem Roman«, sagte Robert skeptisch.

»Mag sein, aber Sartorius war eine schillernde Persönlichkeit mit einem Hang zu Kunst und Esoterik, da kann man so etwas nicht ausschließen.«

»Soll ich mitkommen?«

Leo schüttelte den Kopf. »Nein, für dich habe ich leider etwas

Unerfreulicheres vorgesehen. Familie von Dreesen. Ich kann von Malchow unmöglich dorthin gehen lassen, mit seinem mangelnden Taktgefühl zerschlägt er höchstens Porzellan. Tut mir leid«, fügte er hinzu, als er Roberts gequälten Blick bemerkte. »Ich nehme von Malchow mit in die Nussbaumallee, da habe ich ihn wenigstens unter Kontrolle.«

»Wie geht es Marie?«, fragte Robert.

Leo lächelte. »Besser. Sie darf nächste Woche nach Hause. Morgen kommt sie auf eine normale Station, dann darf ich ihr auch die Bücher bringen.«

»Freut mich. Ich schaue auch noch mal bei ihr vorbei.«

Kurz darauf traf Berns ein. »Von Malchow noch nicht da? Ich hab ihn doch heute Morgen schon hier gesehen. Egal, hier sind die Ergebnisse der Befragungen von gestern.« Er legte Leo einige getippte Seiten hin. »Sieht besser aus, als es ist. Wir laufen immer wieder gegen eine Wand. Sicher, ein paar Leute haben bestätigt, dass Blatzheim Ernas Stammfreier war, aber das wussten wir ja schon. Ich habe in Dresden nachfragen lassen, sein Alibi für den Tatzeitpunkt wurde bestätigt. Natürlich kann es ein Auftragsmord gewesen sein, aber –« Er hob zweifelnd die Hände.

»Nein, nein, ganz sicher nicht«, sagte Leo. »Der Mann, der in der ›Roten Hand‹ nach ihr gefragt hat und mit dem man sie zweimal gesehen hat, ist ein und derselbe. Und er ist der Mörder.« Die Überzeugung in seiner Stimme war geradezu ansteckend.

»Und jetzt, Chef?«, fragte Berns.

Leo setzte ihn über die neuen Entwicklungen im Fall Sartorius in Kenntnis. Berns wirkte ein wenig erstaunt. »Sollen wir die Klante erst mal auf Eis legen?«

»Wenn Sie es so ausdrücken möchten, Berns. So ganz stimmt das allerdings auch nicht.« Leo überlegte kurz, dann entschloss er sich, Berns von seinem ursprünglichen Verdacht zu erzählen, nach dem die beiden Fälle zusammenhingen.

»Aber was haben Sartorius und die Klante miteinander zu tun?«, fragte Berns wenig überzeugt. »Wir haben keinerlei Anhaltspunkte dafür gefunden.« Er hielt wenig von kriminalistischem Instinkt, sondern verließ sich lieber auf greifbare Tatsachen wie Fingerabdrücke, Fußspuren und Ähnliches.

»Das weiß ich nicht. Vielleicht gar nichts. Aber der Mörder hat womöglich beide gekannt. Dann wäre er selbst die Verbindung«, gab Leo zu bedenken. »Wir konzentrieren uns jetzt auf die Liste. Berns, Sie fahren mit Walther zu Familie von Dreesen, aber bitte nicht ohne Voranmeldung. Ich hinterlasse eine Nachricht bei Fräulein Meinelt, damit sie von Malchow in die Nussbaumallee schickt. Ich fahre schon einmal vor.«

Im Flur watschelte Ernst Gennat auf ihn zu. »Wechsler, kommen Sie doch bitte kurz in mein Büro.«

Er wischte sich über die Stirn, sein Gesicht war bei der sommerlichen Wärme ganz rot angelaufen. Gesund kann das nicht sein, dachte Leo bei sich, als er Gennat in dessen Büro folgte. Der ältere Beamte schob einen halb vollen Kuchenteller beiseite und bot Leo einen Platz an, während er selbst sich schwer atmend auf dem Sofa niederließ. »So, mein Junge, was war das nun für eine Geschichte mit diesem Dießing?«

Leo, der wie auf heißen Kohlen saß, weil er unbedingt Sartorius' Wohnung nach dem Kodeschlüssel durchsuchen wollte, erklärte die Angelegenheit, ohne von Malchows Namen zu erwähnen.

»Sie wundern sich sicher, warum ich Sie überhaupt darauf anspreche. Aber die Sache macht natürlich überall die Runde, und es gibt Leute, die um jeden Preis nach oben wollen. Und Sie daher nicht im besten Licht erscheinen lassen. Also geben Sie Acht«, sagte Gennat warnend.

»Ich tue mein Bestes, Herr Oberkommissar.«

»Solche Sachen können der Karriere sehr schaden«, fügte Gennat hinzu. »Vor allem, wenn gewisse Leute gute Beziehungen nach oben haben. Sie wissen ja, das Präsidium ist eine Welt für sich. Es kommt nicht nur auf die Fähigkeiten an, sondern auch darauf, wen man kennt.«

Leo nickte. »Dessen bin ich mir durchaus bewusst. Aber Sie verstehen, dass ich mich in einer schwierigen Lage befinde. Falls ich Vermutungen äußere, wo sich die undichte Stelle befinden könnte, wird mir das womöglich mehr schaden, als wenn ich einfach den Mund halte und alles auf meine Kappe nehme.«

»Natürlich. Ich wollte Ihnen nur sagen, dass Sie auf mich zählen können, soweit es in meiner Macht steht zu helfen. Das Wort vom Adelsklub ist mir nicht fremd. Bringen Sie Ihre laufenden Fälle anständig zu Ende, das ist das Beste, was Sie für Ihren Ruf tun können. Danach wird ja wieder eine neue Kommission gebildet, bei der Sie hoffentlich mehr Glück mit der Zuteilung Ihrer Assistenten haben, Wechsler.« Er stand auf und drückte Leo energisch die Hand.

»Danke, Herr Oberkommissar, Ihre Unterstützung bedeutet mir viel.«

Der ältere Kommissar winkte ab. »Schon gut, und jetzt Augen zu und durch.«

Komisch, Ernst Gennat gegenüber kam er sich immer wie ein Junge vor, obwohl dieser gar nicht so viel älter war als er selbst. Vielleicht lag es an seinem Status als eingefleischter Junggeselle, dessen Herz nur für Kriminalistik und Kuchen schlug, und der väterlichen Art, mit der er Verhafteten, Zeugen und jüngeren Kollegen begegnete.

Draußen prallte Leo beinahe mit Herbert von Malchow zusammen.

»Schön, dass ich Sie auch einmal im Büro antreffe«, sagte Leo knapp. »Kommen Sie, wir fahren in die Nussbaumallee und durchsuchen noch einmal die Wohnung von Sartorius. Es gibt neues Beweismaterial.«

Von Malchow hob die Hand, um ihn zu unterbrechen. »Bedaure, Herr Kommissar, aber ich muss zunächst noch etwas für den Oberregierungsrat erledigen.«

»Verdammt, von Malchow, Sie gehören zu meiner Kommission, es ist mitten in der Dienstzeit, und ich habe nicht vor, Sie für irgendwelche anderen Erledigungen abzustellen«, fuhr Leo ihn an. »Ihre Eigenmächtigkeit steht mir bis hier.« Es störte ihn nicht, dass der eine oder andere Vorübergehende ihnen einen neugierigen Blick zuwarf.

»Tut mir leid, aber die Sache ist wichtig.« Von Malchow deutete auf eine Aktenmappe, die er unter dem Arm trug.

Leo biss die Zähne zusammen. Er konnte natürlich darauf bestehen, dass von Malchow sofort mit ihm kam, riskierte damit jedoch einen erneuten Zusammenstoß mit Konrad von Gatow. Er dachte an Gennats warnende Worte und knurrte: »Na schön. Erledigen Sie, was Sie zu erledigen haben, und dann kommen Sie mir umgehend in die Wohnung nach. Notfalls zu Fuß.«

Mit diesen Worten ließ er von Malchow stehen.

Er war beinahe eingedöst, so lang wurde ihm das Warten, doch als er die beiden Männer auf dem Parkplatz stehen sah, setzte er sich abrupt auf. Sie sprachen miteinander, Wechsler wirkte aufgebracht, der andere blieb gelassen. Jetzt ging Wechsler davon. In diesem Moment klopfte es an die Scheibe. Er kurbelte das Fenster herunter und sah zu dem Schutzmann hoch, der missbilligend auf den eleganten Wagen herabsah. »Sie dürfen hier nicht parken, guter Mann.«

Er lächelte zuvorkommend. »Ich wollte ohnehin gerade weiterfahren.«

»Schönen Wagen haben Sie da«, sagte der Schutzmann noch und ging weiter.

Er sah zum Präsidium hinüber. Die beiden Männer waren verschwunden. Doch jetzt rollte ein Dienstwagen vom Parkplatz auf die Straße. Das war er! Er setzte sich mit dem Delage unauffällig dahinter, wobei er stets darauf achtete, dass mindestens ein anderes Automobil zwischen ihnen blieb. Immerhin war das ein Polizist. Andererseits war es ihm so lange gelungen, die Polizei zu täuschen. Er war klug. Sie durften ihn nicht unterschätzen. Das wäre sehr töricht. Auch die Cramers hatten ihn unterschätzt, aber –

Seine Gedanken flogen. Wohin mochte der Mann, den er von früher kannte, wohl fahren? Die Fahrt führte stetig nach Westen, Unter den Linden entlang, durch den Tiergarten, über den Kaiserdamm bis nach Charlottenburg. Seine Hände am Lenkrad schwitzten. Er wischte sie an der Hose ab. Die Gegend kannte er. Der Polizist bog nach rechts in die Lindenallee, fuhr geradeaus, immer weiter, dann nach links in die Nussbaumallee. Der Wagen hielt vor dem Haus, in dem Sartorius gewohnt hatte.

Wieder wischte er sich die Hände an der Hose ab. Er fühlte sich nackt ohne die Handschuhe, aber sie gehörten der Vergangenheit an, mit den Handschuhen hatte er etwas zerstört, das endgültig verloren war, den alten Max, den braven, belächelten Junggesellen, den Mann, der von einem Peter Cornelissen auf die Straße gesetzt wurde. Den Mann, der zwar als künstlerischer Kopf der Firma galt, aber keine Ahnung von Zahlen hatte, der nicht den Geschäftssinn und das Durchsetzungsvermögen seines Vaters besaß. Und damit auch nicht dessen Ansehen. Den Mann, dem vor gar nicht langer Zeit ein Scharlatan gesagt hatte, er sei unrettbar verloren.

Er fuhr langsam weiter und parkte in einer Nebenstraße. Niemand konnte ihn jetzt noch aufhalten. Er spürte, wie ihn die Macht durchflutete, die Macht, die er gespürt hatte, als er den Buddha schwang, als er den Seidenschal –

18

»Gehen wir heute Nachmittag nicht zu Marie, Tante Ilse?«
Georg steckte den Kopf zur Küchentür herein.

Seine Tante, die gerade das Geschirr vom Mittagessen spülte,
schüttelte den Kopf. »Ich habe zu tun. Du bist doch ein großer
Junge, möchtest du heute allein hingehen?«

»Ja, sicher. Vielleicht kann ich ihr mit den Fingerpuppen
durchs Fenster eine Geschichte vorspielen.«

»Gute Idee. Um sechs bin ich wieder da. Hier, nimm meinen
Schlüssel, du kommst ja sicher vor mir zurück.«

Gut, dass Georg keine Fragen gestellt hatte. Sie wollte sich
mit ihrem Bekannten Herrn Schneider treffen, den sie seit der
missglückten Verabredung vor einigen Wochen nicht mehr gesehen hatte. Ein Spaziergang, vielleicht eine Tasse Kaffee irgendwo im Grünen, sie freute sich schon seit Tagen darauf. Leo
konnte nichts dagegen haben, wenn Georg ein paar Stunden
allein blieb, er war doch schon acht. Sie hatte ihr Glück kaum
fassen können, als Herr Schneider angerufen und um ein erneutes Treffen gebeten hatte. Nach der Enttäuschung von damals
hatte sie schon damit gerechnet, nie wieder von ihm zu hören.
Dumm dagestanden hatte sie, als Leo sie an jenem Sonntag einfach mit den Kindern sitzen gelassen hatte. Ein bisschen Um-
herlaufen in der Emdener Straße war nicht gerade romantisch,
vom Gerede der Nachbarn ganz zu schweigen. Nicht dass sie
sehr auf Romantik aus gewesen wäre, so etwas passte nicht zu
ihr, aber ganz so nüchtern sollte es dann doch nicht zugehen.

»Ich geh noch ein bisschen Fußball spielen, bevor ich Marie
besuche«, rief Georg von der Wohnungstür.

»Bis nachher.«

Sie sah auf die Uhr. Noch ein wenig Zeit, um sich zurechtzumachen. Sie ging in ihr Schlafzimmer und setzte sich vor die Frisierkommode, die noch von ihrer Mutter stammte. Sie hatte darauf bestanden, einige eigene Möbelstücke mitzubringen, als sie zu Leo gezogen war. Ilse bürstete sich die Haare und steckte sie im Nacken hoch. Eigentlich war die Frisur nicht mehr modern, die jungen Frauen trugen ihr Haar heutzutage viel kürzer, aber sie konnte sich mit der Vorstellung nicht anfreunden. Außerdem wirkte Herr Schneider sehr seriös, vielleicht missbilligte er sogar diese gewagten Kurzhaarfrisuren.

Ilse zog die Schürze aus und betrachtete ihr gelbes Kleid. Die Taille war hoch angesetzt, was allmählich ebenfalls aus der Mode kam, aber es war aus gutem Stoff gefertigt und hatte hübsche Knöpfe. Sie strich den Rock glatt und drehte sich einmal um sich selbst. Gar nicht schlecht. Sie steckte eine Bernsteinbrosche an, die sie von ihrer Mutter geerbt hatte, und suchte einen Strohhut mit einer gelben Blume an der Krempe aus. Gut. Sie war bereit.

Sie trat ans Fenster. Noch war er nicht zu sehen. Ob sie nach unten gehen sollte?, fragte sie sich unsicher. Nein, besser nicht, das könnte aussehen, als ob sie es nötig hätte, auf ihn zu warten. Hast du das denn nicht?, meldete sich eine verstohlene Stimme in ihr, die sie sofort zum Schweigen brachte.

Sie hatte ihn bei der Geburtstagsfeier einer alten Schulfreundin kennen gelernt, wo er sehr gewandt, aber nicht großspurig aufgetreten war. Sie hatte sich gewundert, dass er sich überhaupt mit ihr unterhielt, da sie sich manchmal ein wenig als spätes Mädchen fühlte, doch an jenem Nachmittag war alles anders gewesen. Niemand konnte ihr etwas über ihn erzählen, da er anscheinend der Bekannte irgendeines Bekannten war, aber sie wollte ihm auch nicht nachspionieren.

Danach hatten sie sich einmal zum Tee verabredet, was Leo gar nicht gemerkt hatte, und er hatte ihr einen kleinen dezenten

Blumenstrauß überreicht, den sie ihrem Bruder gegenüber als Geschenk an sich selbst ausgegeben hatte. Die nächste Verabredung war schon der geplatzte Sonntagsspaziergang gewesen.

Nervös schaute sie erneut aus dem Fenster. Und da war er tatsächlich, hob den Kopf, sah sie am Fenster stehen und winkte. Sie machte ihm ein Zeichen, holte rasch ihre Handtasche, zog die Wohnungstür hinter sich zu und sprang beinahe die Treppe hinunter.

Eine Frau fegte gerade den Hausflur. Leo grüßte freundlich, wies sich aber nicht aus. Er wollte ganz ungestört bleiben. Sartorius' Wohnung war von der Polizei noch nicht freigegeben worden, zum Glück, wie er nun dachte, sonst hätte man schon sämtliche Besitztümer abgeholt, verschenkt und verkauft, womit vermutlich jede Aussicht, die Liste zu entschlüsseln, dahingewesen wäre. Außer dem Geräusch des Besens auf den Fliesen war im Haus kein Laut zu hören.

Er ging in den ersten Stock hinauf und bewunderte wie schon beim ersten Mal das schöne hölzerne Geländer und die erlesenen Stuckarbeiten. Er entfernte das Siegel, schloss die Tür auf und betrat die Wohnung, in der eine beinahe greifbare Stille herrschte. Im Wohnzimmer zeugte nur noch die Kreidemarkierung von dem Verbrechen, das hier geschehen war, die Mordwaffe befand sich bei den Asservaten im Präsidium. Er zog sein Jackett aus und hängte es über eine Stuhllehne. Dann sah er sich um. In diesem Raum gab es nur wenige, dafür umso prächtigere Bücher, die aufgeschlagen in einem großen Regal standen. Es handelte sich um kostbare chinesische Bände, in Seide gebunden und von Hand illustriert. Er hob einen davon heraus, legte ihn auf einen Tisch und blätterte vorsichtig darin, obwohl er annahm, dass Sartorius kein Chinesisch gekonnt und deshalb den Kode auch nicht nach diesem Buch gewählt hatte. Hoffentlich, fügte er in Gedanken hinzu, sonst mussten sie jemanden auftreiben, der die Sprache beherrschte.

Die Abbildungen ließen auf ein medizinisches Werk schließen. Eine menschliche Gestalt war wie eine Landkarte beschriftet, sämtliche Körperteile waren mit Punkten versehen, von denen Linien zu inneren Organen führten. Faszinierend, dachte er, aber leider nicht sehr hilfreich.

Leo stellte das Buch ins Regal zurück. Es gab weitere chinesische Nachschlagewerke, dazu noch einige, die indischen und persischen Ursprungs zu sein schienen. Hier kam er nicht weiter.

Er ging ins Arbeitszimmer, aus dem sie die Dankesschreiben der Patienten und Sartorius' Finanzunterlagen mitgenommen hatten. Der umfangreichen Bibliothek hatten sie damals keine große Beachtung geschenkt. Aber wo beginnen?

Langsam ging er an den Regalreihen entlang. Ältere französische Literatur, Montaigne, Pascal, verschiedene Briefwechsel. Erotische Literatur. Clelands ›Fanny Hill‹, de Sade, Sacher-Masochs ›Venus im Pelz‹, daneben anonyme Werke, was ihn an die Bilder im Schlafzimmer erinnerte.

Doch der Tote schien sich auch für Anthropologie interessiert zu haben, außerdem entdeckte Leo Werke über Edelsteine, Wünschelrutengänger, Hypnose und Mesmerismus, Akupunktur, Homöopathie, eine bunte Mischung aus Okkultismus und Wissenschaft. Doch wo sollte er anfangen? Er konnte unmöglich die ganze Bibliothek durchblättern. Und wenn der Schlüssel zum Kode nun ganz woanders verborgen lag?

»Bitte, Frau von Dreesen, beruhigen Sie sich doch«, sagte Robert und hielt ihr ein Taschentuch hin, zum Glück hatte er am Morgen ein sauberes eingesteckt. »Wir tun nur unsere Pflicht.«

Die junge Frau, sie war nicht älter als Anfang dreißig, schüttelte den Kopf und machte eine abwehrende Handbewegung. Dann sagte sie mit erstickter Stimme: »Das weiß ich. Ich hatte gehofft, ich könnte gefasst bleiben, aber es ist noch so frisch.

Ein Jahr ist nicht viel, wenn man einen geliebten Menschen verloren hat.«

Robert und Berns, der sich noch viel unbehaglicher fühlte, sahen einander an. Wie viel mochte die arme Frau wissen?

»Keine Sorge, wir wollen den Tod Ihres Mannes nicht noch einmal öffentlich aufrollen. Es geht uns allerdings um die genauen Umstände, die ihn zu dieser Tat veranlasst haben. Wir haben den begründeten Verdacht, dass Ihr verstorbener Mann erpresst wurde.«

Bei diesen Worten fuhr sie hoch, wollte es schon abstreiten, doch ihr Gesichtsausdruck verriet, dass er ins Schwarze getroffen hatte.

»Sie haben bei der Untersuchung damals nichts dergleichen erwähnt, aber wir ermitteln im Mordfall Gabriel Sartorius und haben Hinweise darauf, dass er seine Patienten mit ihren persönlichen Neigungen und Schwächen erpresste. Mit den Problemen, die sie überhaupt erst zu ihm geführt haben.« Er sah Frau von Dreesen prüfend an. »Habe ich Recht?«

Sie nickte. »Ich ... ich habe es nicht erwähnt, weil es Viktor auch nicht wieder lebendig gemacht hätte. Außerdem –«, sie biss sich auf die Lippen, »war es mir unangenehm. Ich wollte nicht, dass die Leute es erfahren und mich und die Kinder ansehen, als ob ... Da er sich das Leben genommen hat, damit diese Dinge nicht ans Licht kommen, wollte ich seinen Wunsch respektieren.«

»Das kann ich verstehen, aber Ihre Aussage kann dazu beitragen, einen Mord aufzuklären. Wir werden diskret vorgehen.«

Unschlüssig blickte sie auf ihre Hände. »Ich besitze den Brief nicht mehr, Herr Walther. Ich habe ihn verbrannt.«

»Es reicht, wenn Sie mir sagen, was sinngemäß dringestanden hat. Und wie Sie an den Brief gekommen sind.«

Sie trank einen Schluck Wasser und holte tief Luft. »Gut, ich werde Ihnen alles erzählen. Unsere Ehe war glücklich, das habe ich jedenfalls geglaubt. Wir haben zwei wunderbare Kinder, das Geschäft lief gut, es gab keine finanziellen Sorgen. Eines Abends saßen wir beim Essen, als ein Brief abgegeben wurde. Von irgendeinem Kind, wie mir das Mädchen später sagte. Viktor öffnete und las ihn. Dann wurde er ganz still. Aß nicht weiter, steckte den Brief ein und verließ bald darauf das Haus. Angeblich wollte er noch einmal ins Geschäft fahren, ist aber nie dort angekommen. Zwei Tage später fand man seine Leiche im Landwehrkanal. Da es keine Spuren äußerer Gewalt gab, lautete das Urteil auf Selbsttötung. Was ich auch nie bestritten habe. Aber in Wahrheit hat ihn derjenige getötet, der ihm diesen Brief geschickt hat.« Sie trank noch einen Schluck. »Als ich mich wieder gefasst hatte, erkundigte ich mich bei der Polizei, ob man bei Viktors Sachen einen Brief gefunden habe. Dem war nicht so. Also suchte ich in seinem Arbeitszimmer und fand den Brief in einer Schreibtischschublade. Ich weiß nicht, weshalb er ihn nicht vernichtet hat. Vielleicht wollte er ja, dass ich ihn finde, damit ich seine Tat verstehe. Oder ob er einfach die Nerven verloren hat?« Sie unterdrückte ein Schluchzen und wischte sich wieder über die Augen.

»Was stand in dem Brief und wie sah er aus?«

»Er war auf einfachem weißem Papier mit der Maschine geschrieben und lautete in etwa – ich weiß nicht, ob ich noch alles richtig zusammenbekomme: Weiß Ihre Frau, was Sie abends treiben, wenn Sie sich – wie war das noch – ach ja, wenn Sie angeblich ins Dampfbad gehen?« Sie senkte den Kopf und schluckte. »An die nächsten Sätze erinnere ich mich genau: Hat sie je die Striemen auf Ihren Schenkeln gesehen? Oder nähern Sie sich ihr nur im Dunkeln?« Einen Moment lang konnte sie nicht weitersprechen. »Und dass seine Geschäftsfreunde sicher auch nicht wüssten, wie sehr es ihn errege, gewürgt zu werden. Und dass es ihm etwas wert sein müsse, dass es niemand erfährt. Seine Frau natürlich auch nicht. Und dass der Schreiber sich wieder melden und ein Angebot erwarten würde.« Rote Flecken krochen an ihrem Hals empor.

»Das erklärt natürlich einiges«, meinte Berns. »Haben Sie nie etwas geahnt von seinen, hm, Vorlieben?«

Sie schüttelte heftig den Kopf. »Nein.« Die Beamten merkten, wie schwer es ihr fiel, derart intime Dinge auszusprechen, aber sie zwang sich dazu. »Ich war sehr unerfahren, als ich Viktor heiratete. Ich hatte keinen Vergleich, wusste nicht, ob er besonders leidenschaftlich war oder nicht. Aber ich war immer glücklich mit ihm.«

Robert schaute zu Boden, als wollte er sich auf etwas Unangenehmes vorbereiten. »Wir danken Ihnen sehr, Frau von Dreesen. Leider muss ich Ihnen noch eine Frage stellen, die Sie womöglich kränken wird. Wir suchen den Mörder von Gabriel Sartorius, dem mutmaßlichen Erpresser. Wo waren Sie am 5. Juni 1922 zwischen fünf und sechs Uhr nachmittags?«

Sie wurde rot, aber nicht vor Scham, sondern vor Wut. »Was soll das heißen? Stehe ich etwa unter Verdacht?«

»Nein, nein«, beschwichtigte Robert sie rasch. »Wir müssen nur alle Eventualitäten ausschließen, Frau von Dreesen. Alle Erpressungsopfer und deren Angehörige zählen zu den möglichen Tätern, ein anderes Motiv ist uns bisher nicht bekannt.«

Frau von Dreesen schluckte. »Ich müsste in meinen Kalender schauen, um Ihnen zu sagen, wo ich an diesem Tag gewesen bin«, sagte sie bemüht. »Einen Moment, bitte.« Sie holte eine Handtasche und zog einen eleganten Taschenkalender hervor. »Am 5. Juni war ich mit meinen Kindern und der Nanny im Zoo. Den ganzen Nachmittag.«

Dem war nichts hinzuzufügen. Die Kriminalbeamten bedankten sich und standen auf. Frau von Dreesen führte sie persönlich zur Haustür, wo sie einen Augenblick zögerte.

»Für Ihre Diskretion wäre ich wirklich dankbar. Vielleicht können Sie nicht verstehen, weshalb mir noch so viel an meinem Mann liegt, dass ich sein Andenken bewahren möchte, aber es geht auch um meine Kinder. Und den Ruf der Firma. Sie sollen nicht auch noch alles andere verlieren.«

»Wir werden uns bemühen«, versicherte Robert.

Er wartete eine Weile ab. Genoss die Vorfreude. Rauchte in aller Ruhe eine Zigarre. Kam sich ungeheuer mächtig vor. Dann stieg er aus. Er klopfte auf die Tasche des Mantels. Flach und glatt. Er schob die Hand hinein. Kühl und geschmeidig. Genau richtig.

Er bog in die Nussbaumallee, getrieben von der Gewissheit, dass dies der einzige Weg war. »Herbert, Herbert!«, hatten sie gerufen. Ihn angefeuert, als er Max die Hose öffnete, ihn zum Bett stieß. Dieser Mann stand für alle, die ihm das angetan, die ihn zu etwas Unerträglichem gezwungen hatten, die gelacht hatten über seine Scham, die ihn in die Arme einer Frau gedrängt hatten, die das Unheil in seinen Körper säte. Er spürte die tiefe Gewissheit, dass er sich an diesem Tag ein für alle Mal davon lösen, dass er noch heute zu Viola fahren und ihr als freier Mann gegenübertreten konnte.

Max Edel stieß das Gartentor auf und schritt auf die offene Haustür zu. Der Boden im Flur war feucht, doch es war niemand zu sehen.

Leo war einer Eingebung gefolgt und hatte sich die Trittleiter aus der Ecke hinter der Zimmertür geholt. Er stellte sie vor das Regal, stieg hinauf und fuhr mit der Hand über die Oberseiten der Bücher. Staub. Aber darum ging es ihm nicht. Reihe um Reihe arbeitete er sich vor. Dann kletterte er hinunter und stellte die Leiter beiseite, nahm sich die unteren Buchreihen vor. Und endlich fühlte er etwas. Es war hinter die Reihe geschoben worden und überragte ein wenig die Bücher, die davor standen.

Er nahm die Bände heraus und zog ein schmales Heft hervor. Nichts Geheimnisvolles, nur ein liniertes Schreibheft, wie Kinder es in der Schule benutzten. Leo wollte es gerade aufschlagen, als es an der Wohnungstür klopfte.

Er stieß einen leisen Fluch aus, schob das Heft in die Innentasche seines Jacketts und ging zur Tür. Niemand da. Vielleicht die Putzfrau. Er zuckte mit den Schultern, wandte sich um und wollte wieder hineingehen, als ihn jemand abrupt in die Wohnung stieß, die Tür hinter sich zutrat und ihn in den Schwitzkasten nahm. Der Angreifer sprach kein Wort, nur sein Atem war zu hören. Die Überraschung war so groß, dass Leos Instinkt aussetzte. Rauer Stoff, vielleicht Tweed, kratzte über seine Wange.

Die Luft wurde knapp, bunte Funken sprühten vor seinen Augen. Leo spürte einen brennenden Schmerz in der linken Körperhälfte, dann schlug seine Schläfe gegen etwas Hartes, und er stürzte kopfüber ins Leere.

19

Sie saßen in einem kleinen Café und unterhielten sich. Ilse hatte sich beim Hereinkommen ein wenig unsicher umgeschaut, da sie es nicht gewöhnt war, in Herrenbegleitung auszugehen, aber das Lokal wirkte seriös und nicht zu teuer. Eine gute Wahl.

»Was möchten Sie trinken?«, fragte Herr Schneider freundlich.

»Einen Kaffee, bitte. Man bekommt heutzutage so selten guten Kaffee.«

»Das stimmt. Aber die Zeiten werden wieder besser, glauben Sie mir.« Dann beugte er sich ein wenig vor. »Ich freue mich sehr, dass Sie Zeit für mich hatten. Was sagten Sie doch gleich, wo Sie arbeiten?«

Ilse sah etwas verlegen vor sich auf den Tisch. »Ich ... ich führe meinem Bruder den Haushalt. Er ist verwitwet und hat zwei Kinder.«

»Das braucht Ihnen doch nicht peinlich zu sein, Fräulein Ilse.« Sie wurde rot, als er ihren Vornamen aussprach. »Ich finde es sehr lobenswert, wie soll ein Mann mit zwei Kindern allein zurechtkommen?«

Sie nickte ein wenig zögernd, wäre beinahe damit herausgeplatzt, dass sie sich manchmal dennoch unglücklich fühlte, weil ihr eigenes Leben an ihr vorbeizuziehen schien. Doch das war kein Gesprächsstoff für die zweite Verabredung.

»Und was sind Sie von Beruf?«

»Ich bin Kaufmann. Nachlässe, Geschäftsauflösungen und Ähnliches, An- und Verkauf, was sich gerade ergibt. In der heutigen Zeit muss man anpassungsfähig sein, rasch handeln, die

Gelegenheit nutzen. Aber das finden Sie sicher gar nicht so interessant.« Er winkte der Kellnerin und bestellte Kuchen. »Den Käsekuchen, der ist immer so gut hier.«

»Kommen Sie öfter her?«

»Dann und wann, wenn ich in der Nähe bin. Der Kuchen ist wirklich ausgezeichnet.«

Sie kamen irgendwie auf das Thema Tiere, und Herr Schneider erzählte mit leuchtenden Augen von seinen drei Schäferhunden. Ilse fühlte sich entspannt wie seit langem nicht mehr und ließ sich den köstlichen Käsekuchen auf der Zunge zergehen.

Herbert von Malchow stieg aus dem Taxi. Da kein Dienstwagen mehr verfügbar gewesen war und er keineswegs vorhatte, mit Hinz und Kunz in der Elektrischen nach Charlottenburg zu fahren, hatte er das Fahrgeld aus eigener Tasche bezahlt. Warum musste Wechsler unbedingt noch einmal in die Wohnung des Heilers? Im Büro wusste anscheinend jeder mehr als er, die Kollegen schienen ihn von dem Fall auszuschließen.

Daher war auch die Aussicht auf eine gründliche Durchsuchung mit Leo Wechsler wenig erfreulich. Seit er die Sache mit Dießing an die Presse gegeben hatte, war ihr Verhältnis noch unterkühlter als zuvor. Natürlich war die Unterstellung, er habe es für Geld getan, blanker Unsinn. Das hatte er nicht nötig, da er von seinem Vater einen monatlichen Unterhalt erhielt, der sein mageres Gehalt wohltuend ergänzte und die Tatsache ausgleichen sollte, dass sein ältester Bruder das Gut übernommen hatte. Nein, er hatte einfach die Gelegenheit und die Bekanntschaft mit einem Reporter aus dem Zeitungsviertel genutzt, um Wechsler, der sich gern allwissend gebärdete, eins auszuwischen. Wechsler, der von ganz unten gekommen war und keinen Hehl aus seiner einfachen Herkunft machte. Der von Malchow unterschwellig vorzuwerfen schien, dass der es leichter gehabt hatte, weil er die richtigen Leute kannte und die Karriereleiter schneller erklimmen würde als er selbst.

Von Malchow wischte sich ein Stäubchen vom Ärmel. So einfach hatte er es nun auch wieder nicht gehabt. Nach seinem eher kurzen Kriegseinsatz in der Etappe hatte er vom Militär fürs Leben genug und musste sich als dritter Sohn eines Gutsbesitzers nach einer neuen Beschäftigung umsehen. Den Besitz hatte sein ältester Bruder Alfred übernommen, während Dietrich erfolgreich die Offizierslaufbahn eingeschlagen hatte. Was also blieb für ihn übrig?

Bei einer Festlichkeit im Hause seiner Eltern hatte er Theodor von Fritzsche kennen gelernt, der ihm von seiner Kriminalarbeit in Berlin erzählte. Es hatte spannend geklungen, nach Großstadt und Abenteuer, und er hatte gegen den Willen seines Vaters beschlossen, die Beamtenlaufbahn bei der Kriminalpolizei einzuschlagen. Sein Vater hatte sich letztlich in das Unvermeidliche gefügt, nachdem von Fritzsche ihm bestätigt hatte, dass es unter den Berliner Kripoleuten zahlreiche Aristokraten gab.

So weit, so schlecht. Denn er hatte diese Tätigkeit gewaltig unterschätzt. Sie bestand aus viel Kleinarbeit, endlosen Befragungen, Aktenwälzen. Seine Kollegen konnten sich über einen Fingernagel am Tatort mehr erregen als über die Tagespolitik. Dazu die unangenehmen Leute, mit denen er ständig zu tun hatte. Nein, das hatte er sich anders vorgestellt, konnte aber nicht mehr zurück, diese Genugtuung wollte er seinem Vater dann doch nicht gönnen.

Von Malchow wischte sich über die Stirn, als wollte er die unangenehmen Gedanken vertreiben, und blieb vor dem Gartentor der Villa stehen. Er schaute sich kurz das Haus an, da er damals nicht mit am Tatort gewesen war. Das Anwesen könnte ihm auch gefallen. Der Tote hatte bei der Wahl seines Domizils zweifellos Geschmack bewiesen. Von Malchow öffnete das Tor, ging den Weg entlang und wollte gerade an der Haustür klingeln, als diese von innen aufgerissen wurde. Ein Mann stürzte heraus, prallte gegen von Malchow und stieß ihn zu Boden. Dann hetzte er den Weg zur Straße entlang.

Von Malchow rappelte sich fluchend hoch, klopfte seine maßgeschneiderte Hose ab und strich das Jackett zurecht. Dann schaute er sich verwundert um, sah den Mann aber nur noch auf dem Gehweg hinter einem Rhododendron verschwinden. »Keine Manieren«, murmelte er vor sich hin und trat in die Eingangshalle.

Von Malchow stieg die Treppe hinauf in den ersten Stock. Ein schönes Haus, dachte er bei sich, als er mit der Hand über das spiegelglatte Geländer fuhr. Er war so still hier und angenehm kühl, in der Luft hing ein ganz leichter, nicht unangenehmer Hauch von Essig.

Als er die offene Wohnungstür sah, stutzte er und blickte sich um. Es passte ganz und gar nicht zu seinem Vorgesetzten, bei einer Durchsuchung die Tür offen zu lassen. Er klopfte, und als keine Antwort kam, trat er ein.

Ein leises Stöhnen. Von Malchow schaute hinter die Tür.

Wechsler lag am Boden, eine Hand an die linke Hüfte gepresst. Zwischen seinen Fingern sickerte Blut hervor.

»Und schicken Sie einen Krankenwagen. Nein, ich weiß nicht, was er hat, Schuss- oder Stichwunde, aber es blutet stark. Machen Sie schnell.« Wie durch ein Wunder war das Telefon nicht abgestellt worden. Von Malchow eilte in die Küche, riss alle Schränke auf, bis er ein sauberes Handtuch fand, und lief zu Leo zurück. Er drehte ihn vorsichtig auf den Rücken und drückte das Handtuch auf die Wunde. Dann klopfte er ihm nicht allzu sanft gegen die Wange. »Was ist passiert, Herr Kommissar?«

Leo öffnete stöhnend die Augen und versuchte, den Kopf zu heben. »Ich weiß nicht ... er kam von hinten ...« Von Malchow entdeckte nun auch die Platzwunde an der rechten Schläfe, von der sich ein breites, rotes Rinnsal bis zum Kinn zog. Er befeuchtete ein weiteres Küchenhandtuch und wand es um Leos Kopf. »Können Sie sprechen?«

Leo schluckte. Seine Stimme klang belegt. »Es hat geklopft. Keiner draußen. Er kam von hinten.«

»Haben Sie sein Gesicht gesehen?«

Leo schüttelte den Kopf und verzog schmerzvoll das Gesicht. »Sind Sie ihm begegnet?«

»Ich glaube, ich bin an der Haustür mit ihm zusammengestoßen. Er stürmte geradezu davon, aber ich habe mir nichts dabei gedacht. Außerdem hatte er den Hut ziemlich tief ins Gesicht gezogen.«

Bei diesen Worten huschte ein Lächeln über Leos Gesicht. »Er ist zurückgekommen.« Dann sank sein Kopf zur Seite.

Vermutlich phantasierte er, dachte von Malchow. In diesem Moment klingelte es. Er lief hinunter und öffnete die Tür, worauf Walther, Stankowiak und Dr. Lehnbach an ihm vorbei die Treppe hinaufliefen.

»Dr. Lehnbach war gerade im Büro, als Sie anriefen«, rief Robert über die Schulter. »Wo ist er?«

»Oben im Flur, hinter der Tür.«

Als von Malchow hereinkam, kniete Lehnbach schon neben Leo und untersuchte ihn. »Platzwunde, eventuell leichte Gehirnerschütterung. Und hier –«, er schob Leos Jackett zur Seite und knöpfte das Hemd auf. »Eine Stichwunde an der linken Hüfte. Nicht besonders tief, aber der Blutverlust ist beträchtlich. Fragt sich, ob die Waffe von vorn oder hinten geführt wurde.«

»Er griff von hinten um mich herum«, meldete Leo sich heiser zu Wort.

»Da bist du ja wieder«, sagte Robert und drückte kurz seine Hand. »Verdammt, du hast uns einen ganz schönen Schreck eingejagt. Der Krankenwagen kommt gleich. Wie ist das bloß passiert?« Er sah Lehnbach fragend an, der daraufhin nickte.

»Es klingelte. Ich hab aufgemacht, aber niemanden gesehen. Als ich wieder reinwollte, kam er von hinten und stieß mich in den Flur. Dann drückte er mir die Luft ab und stach zu. Den

Kopf muss ich mir beim Sturz angestoßen haben.« Leo schloss die Augen. »Mir ist schwindlig.«

Sie hörten Schritte auf der Treppe. Zwei Sanitäter kamen mit einer Trage herein, betteten Leo vorsichtig darauf und wollten ihn schon abtransportieren, als er die Hand hob und auf sein Jackett klopfte. »Robert, schau in die Innentasche. Das Heft. Da steht es drin.«

Robert nahm das Heft und steckte es ein. »Ich komme bald zu dir. Marie lässt dich grüßen, ihr geht es schon viel besser.«

Die Putzfrau hob fragend die Hände. »Ich hab nur den einen Herrn gesehen, den Dunkelhaarigen mit dem grauen Anzug. Er ist die Treppe hochgegangen.«

»Nach ihm muss noch jemand hereingekommen sein. Waren Sie die ganze Zeit hier?«

Sie schüttelte den Kopf. »Zwischendurch hab ich ein paar Mal Wasser an der Gartenpumpe geholt. Die Haustür stand offen, ich war ja nur um die Ecke.«

»Das hat er wohl abgepasst«, warf von Malchow ein.

»Vielen Dank«, sagte Robert. »Falls Ihnen noch etwas einfällt, rufen Sie bitte das Polizeipräsidium an.«

Er wandte sich ab und nahm von Malchow beiseite. »Können Sie sich wirklich an nichts erinnern? Sie müssen ihm doch ganz nahe gewesen sein.« Es klang vorwurfsvoller als beabsichtigt.

»Schon, aber es ging sehr schnell. Er hat mich umgerannt. Gut gekleidet war er, heller Anzug, dunkelbrauner Hut, der das Gesicht verdeckte. Kein Mantel. Mehr kann ich nicht sagen.«

Robert überlegte kurz, verkniff sich dann eine Bemerkung über mangelnde Beobachtungsgabe und sah den ungeliebten Kollegen an. »Ich möchte Ihnen danken. Sie haben schnell reagiert und den Kommissar vermutlich vor Schlimmerem bewahrt.«

»Ich habe nur meine Pflicht getan«, sagte von Malchow mit

seiner üblichen blasierten Distanz. »Das hätte ich für jeden Mann von der Straße getan.«

»Trotzdem. Ich nehme nachher Ihre Aussage auf. Sie sind unser einziger Zeuge.«

Außer Atem gelangte er zu seinem Wagen, sah sich noch einmal flüchtig um und stieg ein. Dann holte er tief Luft und lehnte sich in die Polster zurück. Es war der Falsche gewesen. Er musste diesen Wechsler erwischt haben. Es war so schnell gegangen, und in dem Sekundenbruchteil, in dem er die falsche Haarfarbe bemerkte, hatte er schon zugestochen.

Verdammt, war das möglich? Er war so sicher gewesen, dass der andere den Wagen geholt hatte und in die Nussbaumallee gefahren war. Sein Glück, dass der Zusammenprall vor dem Haus so schnell und überraschend gekommen war, dass ihn der andere gewiss nicht erkannt hatte.

Falls er sich überhaupt an ihn erinnerte.

Bei Wechsler zu Hause öffnete niemand. Robert sah sich unschlüssig um. Wo mochte Ilse sein? Vielleicht bei Marie im Krankenhaus. Er fuhr rasch in die nahe gelegene Klinik und betrat den Balkon der Isolierstation. Georg kniete mit einem Karton voller Fingerpuppen vor dem Fenster. Marie stand drinnen unmittelbar davor und strahlte ihren Bruder an. »Hier ist der Kasper, er hat Bauchweh. Und das ist der Arzt, der macht ihn wieder gesund.« Er sah angestrengt auf Maries Lippen. »Warum er Bauchweh hat? Er hat zu viel Kuchen gegessen, drei ganze Sahnetorten.« Marie lachte und tippte mit dem Finger gegen die Scheibe. Robert ließ ihnen noch einen Moment, bevor er sich räusperte.

»Georg, wo ist deine Tante?«

Der Junge drehte sich überrascht um. »Hallo, Onkel Robert, was machst du denn hier?«

»Komm mal her.«

Georg sah ihn ein wenig erschrocken an. »Ist was mit Vati?«
Er nickte. »Er ist verletzt worden. Ich glaube, es ist nicht so schlimm, aber sie haben ihn hierher ins Krankenhaus gebracht. Wo ist deine Tante Ilse?«, wiederholte er.

»Sie hatte was vor. Da bin ich allein gekommen.«

Robert stutzte, dann fiel ihm ein, dass Leo etwas von einem Freund erzählt hatte. Da hatte sie sich den richtigen Tag ausgesucht, dachte er und schalt sich sofort für diesen ungerechten Gedanken. »Am besten, du bleibst bei Marie. Ich sehe nach deinem Vater und komme noch mal wieder. Wenn du deine Tante siehst, sag ihr bitte, was passiert ist.«

»Was genau ist denn passiert?«, fragte Georg ängstlich.

So viel Zeit musste sein. »Dein Vater hat eine Wohnung durchsucht. Dort hat ihn ein Mann überfallen und mit einem Messer verletzt. Wer und warum, wissen wir noch nicht. Mach dir keine Sorgen, es wird alles gut.« Er strich dem Jungen über den Kopf und eilte in die Notaufnahme.

»Er hat Glück gehabt. Es sind keine inneren Organe verletzt, nur der Blutverlust hat ihn geschwächt. Zum Glück wurde er rechtzeitig eingeliefert. Die Gehirnerschütterung ist nicht schwerwiegend. Er kann in zwei bis drei Tagen nach Hause.«

»Kann ich mit ihm sprechen?«

»Bedaure, er braucht jetzt Ruhe. Kommen Sie morgen wieder.«

»Seine Schwester kommt heute noch her.«

»Gut, ich werde sie zu ihm lassen.«

In Gedanken versunken ging Robert zurück zur Isolierstation. Wie passte dieser Vorfall ins Gesamtbild?

Er zweifelte nicht daran, dass der Mord an Sartorius und der Überfall auf Leo zusammenhingen. Fragte sich nur, ob der Täter Leo oder die Wohnung beobachtet hatte. Vermutlich Ersteres, denn niemand hatte damit rechnen können, dass die Polizei noch einmal in die Nussbaumallee zurückkehren würde. Wer hatte davon gewusst? Eigentlich nur er selbst und von Malchow, aber diesen Angriff traute er ihm nun doch nicht zu. Dann fiel ihm das Heft ein, das er aus Leos Tasche gezogen hatte. Er würde es heute Abend mit nach Hause nehmen und in aller Ruhe durcharbeiten.

Georg sah ihn mit großen Augen an, als er auf den Balkon trat. »Es geht ihm schon besser, er kann in ein paar Tagen nach Hause. Schön, dass du dich um Marie kümmerst. Sie sieht schon richtig gesund aus.«

»Die Ärzte sagen, sie wird bald entlassen.«

»Das freut mich wirklich, Georg. Ist sicher ein bisschen langweilig so allein.«

Der Junge grinste verlegen. »Na ja, ich hab jetzt meine Ruhe, aber sie fehlt mir schon.«

»Guten Tag, Herr Walther«, sagte eine Stimme hinter ihm. Er drehte sich um und begrüßte Ilse Wechsler. Ihre Wangen waren leicht gerötet, sie sah irgendwie jünger aus als sonst.

»Guten Tag, Fräulein Wechsler. Gut, dass Sie kommen.« Er berichtete, was geschehen war. Sie sah ihn erschrocken an und schaute sich unwillkürlich um, als könnte sie Leo irgendwo entdecken.

»Ich muss sofort zu ihm.«

»Ich zeige Ihnen den Weg. Georg, du bleibst noch hier, bis deine Tante wiederkommt, ja?«

Der Junge nickte beruhigend, als wollte er sagen, ich habe alles im Griff. Robert steckte ihm heimlich einen Groschen zu und zwinkerte ihm zu, bevor er Ilse zur Notaufnahme brachte.

»Grüßen Sie ihn von mir und sagen Sie ihm, ich werde heute Abend ein bisschen im Schulheft lesen.«

Sie sah ihn verwundert an und verschwand hinter der Glastür.

Er war noch einmal in die Firma gefahren. Erst als er durch die verlassenen Korridore ging und der Nachtwächter ihn fragend ansah, wurde ihm bewusst, wie spät es war. Er schloss behutsam die Bürotür, als wäre sie aus Glas. Allein sein, in Ruhe nachdenken.

Doch seine Gedanken rasten, widersetzten sich jeder Ordnung. Er presste die Hände vors Gesicht, aber wie bei einem Migräneanfall nützte es nichts, die Augen zu schließen. Die Bilder tobten in seinem Kopf, blitzten auf und verschwanden.

Sartorius, der sich über den Terminkalender beugte. Der Verschlag im Hinterhof. Wechsler in der offenen Wohnungstür, während er selbst in der Wandnische wartete.

Viola, immer wieder Viola, die ihn ansah wie einen Fremden. Und dann das Gesicht, das er nur flüchtig erblickt hatte und das ihn seither verfolgte wie ein Gespenst aus längst vergangenen Tagen.

20

Robert hatte es sich in seiner kleinen Wohnküche gemütlich gemacht. Da er alleinstehend war, brauchte er nicht viel Platz, und die schönen Wochenenden verbrachte er ohnehin im Schrebergarten. Er stellte eine geöffnete Flasche Bier auf die karierte Wachstuchdecke und setzte sich, wobei er dachte, wie nett es doch war, bei der Arbeit mal ein gepflegtes Bier zu trinken. Dann holte er das Schulheft aus der Tasche und schlug es auf. Vorn hatte Leo das hauchdünne Blatt Papier mit den Notizen, das er im Terminkalender gefunden hatte, hineingelegt. Robert platzierte Schulheft und Blatt nebeneinander.

Aus dem Büro hatte er noch Leos Aufzeichnungen zu den Initialen V. D. und die Niederschrift der Aussage Frau von Dreesens geholt. Dieser Fall schien so weit klar. Der Ehemann hatte seine masochistischen Neigungen ausgelebt, sich Sartorius anvertraut, war später damit erpresst worden und hatte sich daraufhin das Leben genommen. Ähnlich klar lag die Sache auch bei Verena Moltke. Womit feststand, dass Sartorius in diesen beiden Fällen leer ausgegangen sein dürfte. Ein Selbstmord und eine Familie, die keinen allzu großen Wert auf den Ruf der Tochter und Schwester legte.

Wie kam es, dass nur V. M., V. D., P. W. und M. E. auf dem Blatt standen – hatte er nur bei ihnen Erpressungsversuche unternommen? Oder waren es die »säumigen« Zahler? Hatte er die erfolgreichen Fälle bereits ad acta gelegt?

Robert nahm das Schulheft und schaute sich den Schlüssel an.

```
A – D
B – E
C – F
D – G
E – H
F – I
G – J
H – K
I – L
J – M
K – N
L – O
M – P
N – Q
O – R
P – S
Q – T
R – U
S – V
T – W
U – X
V – Y
W – Z
X – A
Y – B
Z – C
```

Wie simpel. Jeder Buchstabe war einfach durch den jeweils dritten nachfolgenden Buchstaben des Alphabets ersetzt worden.
Auf den ersten Blick entstanden dabei Wortungetüme wie
DQVWHFNXQJ, das sich jedoch mühelos als ANSTECKUNG
entschlüsseln ließ. Gewiss wären sie bei längerem Überlegen
auch von allein darauf gekommen. Die Häufigkeit der einzelnen
Buchstaben ließ immerhin Rückschlüsse zu. E war der häufigste

Buchstabe im Deutschen, also musste man zunächst nach seiner Entsprechung suchen. Dann hätte Leo sich den Weg in die Wohnung sparen können. Andererseits stimmte das auch nicht so ganz. Eine erneute Durchsuchung der Wohnung war ohnehin erforderlich, da sie dort womöglich weitere Unterlagen zu den Erpressungsversuchen finden würden. Geheime Konten, Schließfächer mit Bargeld, was mochte ihnen wohl alles entgangen sein? Sartorius war erstaunlich wohlhabend gewesen.

Er nahm sich einen Notizblock, schrieb den ersten Absatz zu M. E. ab und den Klartext daneben.

HQGVWDGLXP VBSKLOLV, DQVWFCNXQJ EHL ERU-GHOOEHVXFK, QHXQCHKQ HOI, DXI JXWHQ UXI EHGDFKW.

ENDSTADIUM SYPHILIS, ANSTECKUNG BEI BORDELL-BESUCH, NEUNZEHN ELF, AUF GUTEN RUF BEDACHT.

Verdammt. Er schlug mit der flachen Hand auf das Heft. Gleich beim ersten Versuch. Leo hatte Recht gehabt. Das hier konnte die Verbindung zwischen den beiden Mordfällen sein. 1911, Ansteckung im Bordell bei Erna Klante, später irgendwann eine Konsultation bei Sartorius, dann die Erpressung. Der Mann war auf seinen Ruf bedacht und konnte sich die Behandlung bei einem Heiler leisten, was auf eine gewisse gesellschaftliche Stellung schließen ließ. So weit, so gut.

NUDQNKHLW ZHLW IRUWJHVFKULWWHQ.

KRANKHEIT WEIT FORTGESCHRITTEN. Er spürte, er kam der Sache näher. Und beim nächsten Satz wusste er Bescheid.

VWDUUH SXSLOOHQ.

STARRE PUPILLEN.

In der Zeitung stand nichts. Das beunruhigte ihn. Ein Polizistenmord wäre gewiss eine Meldung wert gewesen. Entweder hatte man Wechsler noch nicht gefunden – oder er war nicht tot. Er schaute auf seine bloßen Hände, sah nicht die verhassten

Flecken, nur das Zittern. Bislang hatte er nicht gezittert. Doch hatte er bislang auch keine Angst verspürt.

Auf einmal fühlte er sich in seinem eigenen Haus nicht mehr sicher. Die Wände schienen Augen zu haben, im Korridor knarrten die Dielen. Er spähte hinaus. Niemand zu sehen.

Unbewusst rieb er sich den rechten Arm. An das taube Gefühl hatte er sich beinahe gewöhnt, ab und zu schien ein Puppenarm von seiner Schulter zu baumeln. Er trat vor den Spiegel neben dem Rollsekretär. Seine Augen – was war mit seinen Augen? Er ging näher heran. Die rechte Pupille war auf einmal viel größer als die linke. Zögernd führte er die Hand ans Gesicht und strich darüber, als wäre er nicht sicher, wem er gegenüberstand.

Unschlüssig verharrte er zwischen Sekretär und Tür. Dann schien ein Ruck durch seinen Körper zu gehen. Noch war er nicht am Ende.

Rasch hatte er im Ankleidezimmer einen kleinen Koffer gepackt. Er verließ das Haus, ohne dass ihn die Haushälterin und die anderen Dienstboten bemerkten, ging in die Garage, packte den Koffer ein. Schon rollte der Delage die Einfahrt hinunter auf die Straße.

Robert konnte in dieser Nacht kaum schlafen. Am nächsten Morgen fuhr er in aller Frühe ins Büro und holte die Unterlagen der beiden Fälle, worauf er sich ins Krankenhaus Moabit begab. Auf sein Drängen hin ließ man ihn zu Leo, der mit einem dicken weißen Pflaster an der Schläfe im Bett lag und ziemlich gereizt wirkte. Man hatte ihm ausnahmsweise ein Einzelzimmer gegeben, da vorerst nichts von dem Mordversuch an die Öffentlichkeit dringen sollte.

»Die wollen mich nicht rauslassen«, lautete die empörte Begrüßung. Dann besann er sich. »Schön, dich zu sehen, Robert. Du siehst so begeistert aus.«

»Bin ich auch. Aber erzähl erst, wie es dir geht.«

Leo deutete auf seinen Kopf. »Leichte Gehirnerschütterung,

die Kopfschmerzen sind beinahe weg. Und ich liege dumm herum. Die Stichwunde hier links – es war übrigens ein gewöhnliches Taschenmesser, meint der Arzt – ist halb so schlimm. Nicht sonderlich tief, hat bloß ziemlich geblutet.«

»Die Ärzte werden mich erschlagen, wenn ich dir sage, was ich dir zu sagen habe«, meinte Robert verschmitzt.

Leo setzte sich auf und verzog gequält das Gesicht. »Dieser Verband ist so etwas von eng. Na, red schon.«

»Wir haben ihn, Leo. Du hattest Recht. Der Mörder von Gabriel Sartorius und Erna Klante ist ein und derselbe.«

Leo packte ihn am Unterarm. »Wie bist du darauf gekommen? Durch die Liste?«

»Er ist der Besitzer der Knopffabrik.«

»Natürlich, M. E. ist Max Edel«, fiel Leo ihm ins Wort.

Robert zog einen Stuhl heran und holte das Schulheft und das dünne Papier aus der Aktentasche. »Ich hatte Glück, gleich beim ersten Versuch. Der Mann hat sich laut Sartorius' Notizen 1911 in einem Bordell mit Syphilis angesteckt. Und befindet sich mittlerweile im Endstadium der Krankheit. Hier hat Sartorius vermerkt, dass Edel starre Pupillen hat. Weißt du noch, mir sind doch seine Augen aufgefallen, als ich Edel damals in der Firma gesehen habe. Außerdem stellt er die bewussten Knöpfe her.«

»Und hat versucht, mich umzubringen.«

Walther nickte. »In der Tat. Anscheinend fühlt er sich von dir bedroht. Oder er ist einfach verrückt.«

Leo nickte. »Ich habe doch mit dem Arzt hier in der Klinik darüber gesprochen. Wenn das Gehirn befallen ist, kann es zu den unterschiedlichsten Ausfallerscheinungen kommen.«

Robert räusperte sich. »Über sein Motiv bin ich mir allerdings immer noch nicht ganz im Klaren.«

»Er hat seinen Erpresser getötet. Möglicherweise ahnte er, dass es Sartorius war. Vielleicht hatte er mit niemandem sonst über seine Krankheit gesprochen.«

»Aus Scham?«

»Schon möglich. Denk nur, wie er sich damals gewehrt hat, das hat Elvira Blank doch ausgesagt. Es ist nicht gerade angenehm, vor johlenden Freunden seine Unschuld zu verlieren«, gab Leo zu bedenken. »Aber trotzdem ... die Erpressung wäre zwar ein Motiv für den Mord an Sartorius, doch warum Erna Klante? Es war so viel Zeit vergangen. Wenn er sich durch sie bedroht fühlte oder sich an ihr rächen wollte, hätte er längst etwas unternehmen können.«

»Vielleicht hat er sie erst jetzt gefunden.«

»Na ja, das darf er uns alles selbst erzählen. Warum sollen wir uns für ihn den Kopf zerbrechen.«

»Was machst du da?«

Leo war aus dem Bett aufgestanden und hielt sich vorsichtig an Roberts Schulter fest.

»Ich gehe.«

»Wohin?«

»Ins Büro. Du glaubst doch nicht etwa, ich sehe vom Bett aus zu, wie ihr Edel verhaftet? Nach all der Arbeit, die er uns gemacht hat.«

»Leo, das geht nicht. Du bist erst seit gestern hier. Mit einer Gehirnerschütterung ist nicht zu spaßen.«

»Einer *leichten* Gehirnerschütterung.«

»Trotzdem.«

»Wir müssen den Mann umgehend verhaften. Er ist entweder ein Mörder, der überaus geschickt vorgeht, oder geisteskrank, was ihn ebenso gefährlich macht.« Er schaute in den Schrank. »Wo sind denn meine Sachen?«, fragte er über die Schulter gewandt.

»Keine Ahnung. Sie waren ganz voller Blut.«

»Verdammt, dann musst du mir eben welche von zu Hause holen.«

Robert stand auf und sah zur Decke. »Auf deine Verantwortung. Ich höre mir die Warnungen der Ärzte lieber nicht an, mein Freund.«

»Schon gut. Gib mir mal diesen komischen Bademantel, der da an der Tür hängt. Ich schaue bei Marie vorbei, bis du wieder zurück bist.«

Doch dazu kam er nicht. Kurz nachdem Robert gegangen war, trat Herbert von Malchow ins Zimmer.

»Guten Morgen, Herr Kommissar. Ich wollte mal sehen, wie es Ihnen geht.«

»Morgen. Besser. Danke auch«, sagte Leo kurz angebunden, aber nicht unfreundlich. »Hätten Sie gestern nicht ein paar Minuten früher kommen können?«

»Das ging leider nicht. Aber Sie haben es ja ohne größere Schäden überstanden, wie ich sehe«, meinte von Malchow bissig.

»Ist das hier ein reiner Genesungsbesuch oder haben Sie Dienstliches zu berichten?«

»Das auch. Ich weiß nicht, ob es von Bedeutung ist, aber gestern waren Ellen und Viola Cramer bei mir, um eine Aussage zu machen.«

Leo sah ihn überrascht an. »Ellen Cramer? War das nicht die letzte Patientin von Gabriel Sartorius?«

»Ja, und Viola ist ihre Tochter. Hier sind die Aussagen.« Er hielt Leo mehrere maschinegeschriebene Seiten hin. »Ich wusste nicht so recht, ob es mit unseren Fällen zu tun haben könnte. Die Damen wirkten ein bisschen ... na ja, überspannt. Besser gesagt, ihre Geschichte kam mir so vor.«

Leo winkte ab, um von Malchow zum Schweigen zu bringen, und setzte sich lesend auf die Bettkante. Als er fertig war, sah er hoch. »Wissen Sie eigentlich, was diese Aussage bedeutet?«

Von Malchow antwortete mit einem Achselzucken.

»Max Edel, der Viola Cramer diesen seltsamen Heiratsantrag gemacht hat und am 4. Juni in der Nähe des Tatorts gesehen wurde, ist vermutlich unser Mörder.«

»Wie bitte?«

»Hier.« Leo berichtete kurz von den verschlüsselten Unterlagen und zeigte von Malchow die Übersetzung. Er hörte, wie dieser scharf einatmete und sah, dass er ganz blass geworden war. »Was ist los, von Malchow? Soll ich das Fenster öffnen?«, fragte er ein wenig ironisch.

Doch von Malchow fuhr sich statt einer Antwort mit dem Finger in den Kragen, als wäre er plötzlich zu eng geworden. »Verdammt«, sagte er leise und wandte sich ab.

»Sagen Sie mir bitte, was los ist.«

Von Malchow drehte sich um, und zum ersten Mal sah Leo in seinen Augen echtes Gefühl, eine Mischung aus Scham und Furcht. »Ist Ihnen denn nicht klar, was das bedeutet? Der junge Kerl damals in Elviras Bordell, das war Edel. Und ich war dabei. Ich war an dem Abend guter Stimmung und fand die Sache einfach lustig. Ich habe die Jungs noch angespornt, hab dieser Erna sogar einen Schein ins Mieder gesteckt.« Er hob hilflos die Hände. »Und das arme Schwein hat sich bei seinem ersten Mal mit Syphilis angesteckt.«

Leo spürte, dass von Malchow tatsächlich erschüttert war. »Das konnten Sie nicht wissen. Und die anderen auch nicht.«

»Natürlich nicht, aber...« Er überlegte. »Dann bin ich vor dem Haus also mit ihm zusammengestoßen? Ich habe ihn nicht erkannt.«

»Es ist ja auch lange her. Falls Sie ihn tatsächlich nur dieses eine Mal gesehen haben.«

»Was wollen Sie damit andeuten, Herr Kommissar?«

»Ich deute gar nichts an. Wenn Sie mir gegenüber erklären, dass dies die einzige Begegnung zwischen Ihnen und Max Edel war, glaube ich das, Schluss, aus.«

»Werden Sie ihn verhaften?«

»Selbstverständlich. Wir sollten auch das Haus der Cramers unter Beobachtung stellen. Womöglich taucht er noch einmal dort auf. Wenn er geisteskrank ist, kann er den Damen durchaus gefährlich werden.«

Von Malchow nickte. »Wer übernimmt in Ihrer Abwesenheit die Leitung der Kommission?«

»Niemand. Walther ist in meine Wohnung gefahren, um mir Kleidung zu holen. Ich verlasse noch heute das Krankenhaus.«

»Aber was sagen die Ärzte dazu? Es ist doch erst einen Tag her«, meinte von Malchow fassungslos. »Wie Sie da gelegen haben –«

»Ich werde nicht hier im Bett bleiben und zusehen, wie der Fall ohne mich abgeschlossen wird«, sagte Leo ohne Rücksicht darauf, dass man ihm diese Haltung durchaus als persönliche Eitelkeit auslegen konnte. Es interessierte ihn nicht, was von Malchow von ihm dachte. Kein Kriminalbeamter, der etwas auf sich hielt und aufrecht stehen konnte, würde untätig zusehen, wie man einen spektakulären Fall ohne ihn zu Ende brachte.

In diesem Moment klopfte es, und Robert kam mit einem Anzug und weiteren Kleidungsstücken über dem Arm herein. Er sah von Malchow überrascht an und grüßte ihn knapp.

»Wie sieht es im Büro aus?«, erkundigte sich Leo.

»Nichts Neues. Berns wartet im Wagen.«

»Gut. Von Malchow, haben Sie Walther bereits von der Aussage der Damen Cramer berichtet?«

»Nein.« Er brachte Robert auf dem Flur auf den neuesten Stand, während Leo sich drinnen anzog. Als er mit dem Mantel über dem Arm aus dem Krankenzimmer trat, kam gerade der behandelnde Arzt vorbei und blieb abrupt stehen.

»Können Sie mir verraten, was Sie da machen, Herr Wechsler?«, fragte er streng.

»Ich entlasse mich aus dem Krankenhaus, Herr Doktor.«

»Das kann ich keinesfalls verantworten. Sie sind gestern in einem ernsten Zustand eingeliefert worden und müssen sich erst von der Gehirnerschütterung und dem Blutverlust erholen. Bitte gehen Sie wieder in Ihr Zimmer.«

»Tut mir leid.« Leo zog die Tür hinter sich zu. »Ich habe dienstlich zu tun.«

»Wenn Sie dieses Krankenhaus verlassen, tun Sie das auf eigene Gefahr. Sie sollten etwas vorsichtiger mit Ihrer Gesundheit umgehen. Guten Tag.« Mit diesen Worten ließ er Leo unvermittelt stehen.

»Ich muss noch zu Marie«, sagte Leo. Robert bemerkte, dass er leicht das Gesicht verzog und fragte, ob er nicht doch lieber einen Tag warten wolle.

»Warten? Seit Wochen sind wir hinter dem Kerl her. Er hat bei Cramers eine theaterreife Vorstellung hingelegt, die vermutlich einem kranken Hirn entsprungen ist. Und mich dann hinterrücks überfallen. Wer weiß, wozu er sonst noch fähig ist.«

»Schon, Leo, aber –«

»Kein aber. Ich komme mit. Wartet unten auf mich, ich gehe noch kurz zu Marie.«

Er ließ sich von einer Schwester den Weg zur Kinderstation erklären. Marie lag jetzt in einem großen Saal, in dem zwanzig Kinderbetten standen. Der einzige Schmuck waren einige Buntstiftbilder an den Wänden, sonst wirkte der Raum mit den weißen Metallbetten ziemlich kahl und abweisend. Er sah sich suchend um, doch Marie winkte ihm schon fröhlich zu. Sie kniete im Bett und hielt ein aufgeschlagenes Buch in den Händen. »Guck mal, Papa, das hat eine Frau zu Tante Ilse gebracht. Das ist für mich.«

»Hallo, Liebes.« Er setzte sich vorsichtig aufs Bett und nahm seine Tochter in den Arm. Sie kuschelte sich an ihn, schaute hoch und deutete erschrocken auf seine Schläfe.

»Papa, was hast du denn gemacht?«

»Ein kleiner Unfall, aber es geht mir schon besser. Endlich kann ich dich wieder anfassen.« Er strich ihr sanft über die Wange. »Du darfst bald nach Hause.« Dann warf er einen Blick auf das Buch. TIERGESCHICHTEN FÜR DIE JUGEND stand darauf. »Und von wem hast du das?«

Sie zuckte mit den Schultern. »Eine Frau hat es Tante Ilse für mich gegeben, hab ich doch gesagt. Von der sind auch die bei-

den hier.« Sie zeigte auf zwei weitere Bücher, die auf dem Nacht-
tisch lagen. Da wurde ihm alles klar.

»Ich glaube, wir müssen uns bei jemandem bedanken.«

Auf dem Weg nach draußen überlegte Leo, ob seine Entschei-
dung wirklich richtig gewesen war. Im Bett hatte er sich ganz
kräftig gefühlt, doch schon jetzt, nach wenigen Metern, sickerte
ihm ein Rinnsal Schweiß zwischen den Schulterblättern hinunter. Er wischte sich mit der Hand über die Stirn.

»Fühlen Sie sich nicht wohl?«, fragte eine Schwester, die
gerade vorbeikam.

Er schüttelte den Kopf. »Es geht schon, danke.« Er holte tief
Luft und ging weiter Richtung Ausgang, getrieben von dem
dringenden Bedürfnis, Edel persönlich Handschellen anzulegen. Ein kräftiger Tritt vors Schienbein wäre ihm allerdings
noch lieber gewesen.

*Er parkte vor dem Hintereingang der Firma, stieg mit dem Kof-
fer aus und sah sich um. Die schmale Straße lag verlassen da.
Wohnhäuser gab es keine, nur hohe Mauern und Zäune, hinter
denen Fabriken und Werkstätten lagen. Er schloss die Tür auf,
die unauffällig in die Mauer eingelassen war, und schlüpfte hinein. Die Treppe führte von der winzigen Diele aus steil nach
oben.*

*Er war seit Jahren nicht hier gewesen. Nicht seit dem Tod sei-
nes Vaters, als er die Wohnung zum ersten und gleichzeitig letzten Mal betreten hatte.*

*Er erinnerte sich, wie er den Testamentsvollstrecker nach
dem Schlüssel gefragt und ein mitleidiges Lächeln geerntet
hatte. Der Anwalt hatte einen vielsagenden Blick mit dem Be-
triebsleiter gewechselt und ihn zu der zweiten Tür geführt, die
von der Manufaktur aus zu erreichen war. »Sehen Sie selbst,
Herr Edel.«*

Eigentlich war es keine Wohnung, sondern ein einziges riesi-

ges Schlafzimmer mit dem größten und luxuriösesten Bett, das er je gesehen hatte. Es symbolisierte auf schamlose Weise, wozu sein Vater diesen Raum benutzt hatte. Hierher war er gegangen, wenn er sich angeblich in wichtigen Besprechungen befand und sogar den eigenen Sohn abwimmeln ließ.

Er hatte nie erfahren, ob seine Mutter von alldem wusste, weil er nie gewagt hatte, sie darauf anzusprechen.

Die Entdeckung hatte seinen Ekel vertieft, seinen toten Vater noch fremder erscheinen lassen, als er ihm ohnehin immer gewesen war.

Nun aber war er froh, dass es diesen Zufluchtsort gab. Hier würde er auf Viola warten.

21

Der Briefumschlag lag zwischen ihnen auf dem Tisch, als wage keine der Frauen, ihn zu berühren. Daneben ein einzelnes Blatt: edles, graues Bütten mit feinem Wellenrand.

Viola sah ihre Mutter zweifelnd an. »Soll ich den Kriminalbeamten anrufen, der mit uns gesprochen hat?«

Ellen überlegte. »Ich weiß nicht so recht, ich will mich auch nicht lächerlich machen. Der arme Mann ist vermutlich so verliebt, dass er nicht mehr weiß, wo ihm der Kopf steht.«

»Nein«, entgegnete Viola heftig, »das glaube ich nicht. Es geht um mehr als Verliebtheit, ich habe mich regelrecht vor ihm gefürchtet. Und du hast ihn damals in der Nähe des Tatorts gesehen. Mit dem Mann stimmt etwas nicht, ganz sicher. Lass mich anrufen.«

Ellen nickte.

Viola ging in die Eingangshalle zum Telefontischchen und hob den Hörer ab. Ihre Mutter warf noch einen Blick auf die Nachricht.

Teure Viola,
ich erwarte Sie am bekannten Ort.
M.

Mehr stand nicht in dem Brief. Wo mochte dieser vereinbarte Ort sein? Hätte sie den abstrusen Auftritt des Mannes nicht miterlebt, könnte sie glatt an den Aussagen ihrer Tochter zweifeln. Er war so von seiner Absicht überzeugt gewesen. Allerdings schien Max Edels ganze Liebesgeschichte nur in seinem Kopf zu existieren, was reichlich beängstigend war.

Leos Hemd klebte ihm am Rücken, als er sich hinter seinen Schreibtisch setzte. Der Verband schnürte ihm die Luft ab.

»Du siehst gar nicht gut aus«, bemerkte Robert.

»Ach, hör auf. Holst du mir bitte ein Glas Wasser?«

Dann ließ er sich mit der Staatsanwaltschaft verbinden. »Herr Dr. Friedrich, hier ist Wechsler, Morddezernat. Ich benötige dringend einen Haftbefehl gegen Herrn Max Edel, geboren in Berlin am 3. Mai 1889, wohnhaft in Berlin, wegen zweifachen Mordes und versuchten Mordes. – Ja, es ist eilig. Es besteht Fluchtgefahr.« Dafür gab es zwar keine Indizien, aber die Behörden wollten bisweilen gedrängt werden. »Gut, ich schicke jemanden vorbei.«

Als Robert mit dem Wasser zurückkam, tauchte von Malchow hinter ihm in der Tür auf. »Herr Kommissar, das hier dürfte Sie interessieren.« Er hielt seinen Notizblock hoch. »Gerade hat mich Fräulein Cramer angerufen. Sie hat eine Nachricht von Edel erhalten, laut der er sich mit ihr am bekannten Ort treffen will.«

»Damit kommen Sie genau richtig. Wo befindet sich denn dieser bekannte Ort?«

»Das weiß sie leider auch nicht. Sie hat sich nie mit ihm irgendwo verabredet, es gab nur zufällige Begegnungen bei größeren Gesellschaften.«

Leo trank einen Schluck Wasser. »Robert, wir fahren zu Edel nach Hause, sobald wir den Haftbefehl haben. Wenn er nicht da ist, suchen wir in der Firma. Von Malchow, Sie holen bitte die Damen Cramer hierher. Ich möchte sehen, wie Edel auf sie reagiert.«

Von Malchow nickte. »Wird gemacht, Herr Kommissar.«

Sie würde kommen, dessen war er gewiss. Die letzten Tage waren ein böser Traum gewesen, doch nachdem er die Nachricht unter der Tür durchgeschoben und sich davongestohlen hatte, spürte er neue Zuversicht. Er kam sich wie ein frecher Straßen-

junge vor. Sie würde kommen und ihn aus dem Albtraum wecken, der ihn gequält hatte.

Er trat an das kleine Fenster, durch das man in die Manufaktur blickte, sah die Menschen zwischen den Arbeitstischen umhereilen und spürte eine nie gekannte Macht. Sie alle arbeiteten für ihn. Ob sein Vater sich so gefühlt hatte, wenn er, gesättigt von seinen Liebesspielen, hier am Fenster stand? Oder hatte es ihn gar nicht interessiert?

Er wandte sich ab. Fuhr sich abrupt mit der Hand ans Gesicht. Und spürte nichts. Seine rechte Wange war ganz taub.

Panisch sah er sich um. In einer Ecke entdeckte er ein Waschbecken mit einem Spiegel darüber. Zögernd trat er davor und schaute hinein. Er sah aus wie immer, bis auf die starren Pupillen. Sie würde gewiss nichts merken, so wie sie nie etwas gemerkt hatte. Und sie würde ihn gesund machen, auch das wusste er. Er hatte sich für sie frei gemacht, alle Fesseln abgestreift, alle Spuren beseitigt, so dass er nur noch ihr gehörte.

Viola, das Veilchen. Seine Stirn berührte den kalten Spiegel. Er versuchte, sie mit seinen Gedanken herbeizuzwingen. So etwas gab es doch, er hatte davon gelesen. Wenn man nur stark genug an jemanden dachte, würde derjenige dies spüren. Komm zu mir, dachte er, komm endlich zu mir.

Die Haushälterin öffnete und sah sie überrascht an, als Leo seinen Ausweis vorzeigte. »Wir möchten zu Herrn Edel.«

»Den habe ich heute noch gar nicht gesehen. Er hat auch nicht gefrühstückt, aber sein Wagen ist weg. Vermutlich ist er ganz früh in die Firma gefahren.«

»Hat er keinen Chauffeur?«, erkundigte sich Leo.

»Doch, aber nur, wenn er mit dem Daimler unterwegs ist. Den Delage fährt er selbst. Ludwig, das ist der Fahrer, meint, er sei in den letzten Tagen oft allein unterwegs gewesen.«

Sie führte die Beamten in den Salon. »Möchten Sie hier warten?« Sonnenlicht fiel durch die wolkigen Gardinen und zeichnete Muster auf den Orientteppich. Das ganze Haus kündete von Wohlstand und bürgerlicher Eleganz.

»Nein, aber wir würden Ihnen gern einige Fragen stellen. Ist Ihnen in letzter Zeit etwas an Herrn Edel aufgefallen?«

Die Frau schaute sie unsicher an, als schwanke sie zwischen Loyalität zu ihrem Arbeitgeber und dem Pflichtgefühl gegenüber der Polizei.

»Nehmen Sie doch Platz. Sie können ruhig mit uns sprechen, Frau...«

»Leipold, Maria Leipold. Ja, er wirkte in letzter Zeit manchmal unglücklich, aber ob er krank war, kann ich nicht sagen. Und es kam mir vor, als hörte er oft nicht richtig zu. Dann musste ich ihn dreimal fragen, ob er noch Kaffee möchte oder ein Ei. Das ist mir schon aufgefallen.«

»Sonst nichts?«, hakte Leo nach, der froh war, auf dem bequemen Sofa zu sitzen.

»Nein, das heißt, da war noch etwas.« Sie zögerte. »Herr Edel trägt gewöhnlich Handschuhe. Das ist eine Gewohnheit von ihm, eine persönliche Laune. Er hat wunderschöne Handschuhe aus allen möglichen Stoffen und Ledersorten und...«

»Und?«, half Robert nach.

»Und auf einmal trägt er keine mehr. Seit ein paar Tagen schon.«

»Das will nicht unbedingt etwas heißen. Immerhin haben wir Hochsommer. Oder möchten Sie uns noch etwas sagen?«

Frau Leipold nickte und schaute verlegen zu Boden. »Nicht dass Sie denken, ich spioniere ihm nach. Aber ich war gestern im Keller, und da stand ein Sack in der Ecke, wie wir ihn für die Altkleider benutzen, die Herr Edel der Wohlfahrt schenkt. Allerdings trage ich die Säcke immer in den Keller und wusste nicht, woher dieser plötzlich kam. Also habe ich reingeschaut und lauter zerschnittene Handschuhe drin gefunden.«

»Dürfen wir die sehen?«

»Ja, natürlich.« Sie ging hinaus und sprach mit jemandem.

Kurz darauf trug ein Hausmädchen mit weißer Schürze und Häubchen den bewussten Sack in den Salon und stellte ihn neben den Sofatisch. Sie knickste und verließ das Zimmer. Frau Leipold schnürte den Sack auf und ließ die Beamten hineinsehen. Leo griff hinein und förderte einen Haufen Stofffetzen zutage. Seide, Satin, Leder, Baumwolle, Handschuhe zum Autofahren und zur Abendkleidung, in allen Farben, bestickt, mit Lochmuster und Riegel am Handgelenk.

»Und Sie sagen, er trug immer Handschuhe?«

»Ja. Ob er sie zum Schlafen ausgezogen hat, kann ich nicht sagen, aber tagsüber hatte er sie immer an. Sogar beim Essen.«

»Das erklärt die fehlenden Fingerabdrücke«, meinte Robert.

»Ja, es passt alles zusammen.«

»Darf ich fragen, warum Sie hier sind? Ist Herrn Edel etwas zugestoßen?«, fragte sie besorgt. »Er wirkte so durcheinander, nicht dass er sich etwas angetan hat.«

»Das glaube ich kaum. Wir fahren jetzt in die Firma. Sollte er hier erscheinen, rufen Sie bitte umgehend diese Nummer an.«

Er sah nicht mehr den fassungslosen Blick, mit dem sie auf das Wort Morddezernat schaute.

Herr Lehmann sah sie überrascht an und wandte sich an Robert. »Ich habe nicht vergessen, dass Sie erfahren wollten, wie Knöpfe hergestellt werden. Aber wegen einer Betriebsführung sind Sie wohl nicht gekommen.«

Leo trat einen Schritt vor. »In der Tat, deswegen sind wir nicht gekommen. Wir suchen Herrn Edel.«

»Den habe ich heute Morgen noch gar nicht in der Firma gesehen. Haben Sie schon Fräulein Merkert gefragt?«

»Ja, sie ist ihm heute auch noch nicht begegnet.«

»Vielleicht fühlt er sich nicht wohl und ist zu Hause geblieben. Hat in letzter Zeit nicht gut ausgesehen.«

»Bei ihm zu Hause waren wir schon. Seine Haushälterin sagt,

sie habe ihn heute auch noch nicht gesehen, er müsse das Haus früh verlassen haben.«

»Tja, dann ...« Lehmann blickte zu seinem Schreibtisch, als wollte er sagen, ich habe zu arbeiten, doch das beeindruckte Leo und Robert wenig. Leo hielt ihm die Nachricht an Viola Cramer hin. »Können Sie mir sagen, wo dieser bekannte Ort sein könnte?«

»Ich verstehe nicht –«

»Herr Lehmann, wir ermitteln in zwei Mordfällen, die Sache ist dringend. Falls es hier in der Firma einen Ort geben könnte, an dem Herr Edel sich mit einer Frau treffen würde, dann sagen Sie es uns bitte.«

Der Verkaufsdirektor schaute verlegen auf seine Schuhe und räusperte sich. »Nun ja, es gibt eine Wohnung, eigentlich einen großen Raum mit Bad, über der Manufaktur, der auch von der Seitenstraße zu erreichen ist. Dort hat der alte Herr Edel manchmal ... Damen empfangen. Es war in der Firma ein offenes Geheimnis, nur der Juniorchef wusste nichts davon. Er hat es erst nach dem Tod seines Vaters erfahren.«

»Wie kommen wir dorthin?«

»Ich zeige es Ihnen.«

Herr Lehmann führte sie durch den Korridor, in dem es wie immer nach Bohnerwachs und Leder duftete. Die Herren auf den Porträts blickten gleichgültig auf die kleine Gruppe hinunter. Sie stiegen eine Treppe hinab und gelangten durch eine große Doppeltür und über einen Fabrikhof in die Manufaktur. Die Decke wurde von grün gestrichenen Metallträgern mit Blättermuster gestützt, durch die hohen Fenster fiel Tageslicht herein. Arbeiter saßen und standen an Tischen, neben sich Kästen mit Knopfrohlingen und fertigen Knöpfen, schliffen, sägten und bohrten. Über allem lag ein feiner Staub, der auch vor den Fenstern im Sonnenlicht tanzte.

Am Ende der Halle ging eine unauffällige Tür ab. Herr Lehmann drückte die Klinke herunter. »Abgeschlossen.«

»Moment.« Robert griff in die Tasche und zog einen Bund Dietriche hervor. »Die habe ich immer dabei«, sagte er beinahe entschuldigend. Er machte sich an dem Schloss zu schaffen, und bald schwang die Tür auf.

»Vielen Dank, Herr Lehmann, wir brauchen Sie jetzt nicht mehr.«

Der Mann schaute sie enttäuscht an, wandte sich aber widerspruchslos zum Gehen.

»Ich möchte nicht wissen, wie es jetzt in ihm arbeitet«, flüsterte Robert.

Leo legte einen Finger an die Lippen. »Leise, Edel könnte noch immer bewaffnet sein.« Sie stiegen die schmale Treppe hoch, die in einem kleinen Absatz endete, von dem eine Tür nach rechts abging. Gegenüber führte eine ähnliche Treppe nach unten. Der Ausgang zur Straße.

Im Dämmerlicht sah Robert die Schweißperlen auf Leos Stirn. Hoffentlich hielt er durch. Nun galt es vor allem, einen Kampf zu vermeiden.

Leo schaute vorsichtig um die Ecke. Die offene Tür gab den Blick auf einen großen Raum frei, der nur mit einem breiten Bett möbliert zu sein schien. Darauf saß mit dem Rücken zu ihnen ein Mann mit silberblondem Haar. Einen Moment lang fühlte Leo sich an das Bild von der Frau erinnert, das er Elisa Reichwein abgekauft hatte. Der Eindruck von Einsamkeit war ganz ähnlich.

Er hörte die Schritte. Sie war gekommen. Nun würde alles gut. Er wollte sich zu ihr umdrehen, doch etwas zwang ihn, still sitzen zu bleiben. Sie würde von hinten kommen, sanft seinen Rücken berühren, ihn an der Schulter zu sich herumdrehen –

»Kriminalpolizei. Ich bin Kommissar Wechsler, das hier ist Kriminalsekretär Walther. Maximilian Edel, ich verhafte Sie im Namen des Gesetzes wegen Verdacht des Mordes an Gabriel Sartorius und Erna Klante und des versuchten Mordes an meiner Person. Kommen Sie bitte mit.«

Er glaubte schon, der Mann werde nicht reagieren, doch dann wandte er sich ganz langsam um und stand auf. Sein Gesicht war so blass, dass es mit dem Haar zu verschmelzen schien. Er rieb sich den rechten Arm. Sein Blick wirkte starr, er schien an den Männern vorbeizuschauen. »Sie ist nicht gekommen.«

Als sie durch die Manufaktur gingen, wandten sich ihnen viele Köpfe zu, doch Edel schaute starr geradeaus. »Darf ich noch meinen Mantel holen?«, fragte er, und Robert begleitete ihn in sein Büro, wo Edel einen leichten Sommermantel überzog. Er warf einen Blick auf die Papiere, die auf seinem Schreibtisch ausgebreitet waren, doch Robert drängte ihn, sich zu beeilen. Wenn ihr Verdacht stimmte, würden diese Papiere lange unberührt bleiben.

Im Wagen saß Edel ruhig mit Robert im Fond. Leo wunderte sich, dass er keinerlei Gegenwehr geleistet hatte, doch womöglich stand er unter Schock. Auch war es schon bei gesunden Menschen schwer, ihr Verhalten vorauszusagen, also musste dies für einen vermutlich Geisteskranken in noch größerem Maße gelten. Er lehnte sich in die Polster und wäre beinahe eingeschlafen, so erschöpft fühlte er sich plötzlich. Zum Glück hatten sie nicht lange nach Edel suchen müssen, das hätte er nicht durchgestanden.

Leo ging vor ins Büro und wies von Malchow an, mit Ellen und Viola Cramer im Nebenzimmer zu warten, bis man sie rief. Dann gab er Fräulein Meinelt Anweisung, niemanden hereinzulassen, holte Berns zum Stenographieren dazu und ließ sich schwer in den Stuhl hinter dem Schreibtisch fallen.

Edel saß davor, zusammengesunken, beinahe apathisch. »Sie ist nicht gekommen«, wiederholte er. Es waren die ersten Worte, die er seit der Verhaftung gesprochen hatte.

»Herr Edel, ist Ihnen klar, warum wir Sie hierher gebracht haben?«, fragte Leo. »Sie werden des Mordes an dem Heiler Gabriel Sartorius verdächtigt. Und an der Prostituierten Erna Klante. Und des Mordversuchs an mir, und zwar gestern in der Wohnung von Gabriel Sartorius.«

Edel reagierte nicht.

»Gut, dann erzählen Sie uns, wer nicht gekommen ist.«

»Viola, meine Verlobte.« Berns sah ihn erstaunt an, doch Leo bedeutete ihm mit einer Handbewegung, er solle schweigen.

»Wir wollen demnächst heiraten, ganz traditionell, keine moderne Hochzeit mit kurzem Kleid und Essen im Hotel. Ich habe mir schon Brautkleider angesehen. Sie wird wunderschön sein.«

»Herr Edel, uns liegt eine Aussage vor, nach der Fräulein Cramer Sie gar nicht näher kennt. Sie wurde von Ihrem Heiratsantrag völlig überrascht, wie sie sagt.«

»Aber ich . . . sie hat doch –« Er sah Leo hilflos an und rieb sich wieder den Arm.

»Herr Edel, die Sache ist sehr ernst. Ein Geständnis würde uns allen helfen.« Von Ernst Gennat hatte er gelernt, dass es ratsam war, Ruhe zu bewahren und den Verhafteten mit Verständnis zu begegnen, um sie nicht zu verängstigen oder noch verstockter zu machen.

»Sie haben im Jahre 1911 mit einer Prostituierten namens Erna Klante verkehrt. Einige Zeit später haben Sie bestimmte Krankheitszeichen an Ihren Geschlechtsteilen entdeckt. Rote Schwellungen, Verhärtungen, was auch immer. Aus Scham sind Sie nicht zum Arzt gegangen und haben auch mit niemandem sonst darüber gesprochen.«

Ganz langsam hob Edel den Kopf und schaute Leo bestürzt an. »Woher wissen Sie das?«

»Das habe ich mir zusammengereimt. War es so?«

Der Verhaftete schaute wieder zu Boden und nickte. Dabei knetete er seine Hände, auf denen ein paar helle Flecken zu sehen waren.

»Irgendwann waren die Schwellungen verschwunden. Sie fühlten sich wieder wohl. Haben nicht mehr an einen Arztbesuch gedacht, es ist ja auch unangenehm, mit Fremden über so intime Dinge zu sprechen. Zumal Sie in geschlechtlichen Dingen ohnehin sehr zurückhaltend waren. Anders als Ihr Vater.« Das war ein Schuss ins Blaue, doch Leo hatte sich aus den Bemerkungen über das Liebesnest in der Firma einiges zusammengereimt. Und sein Gefühl sagte ihm, dass er richtig lag.

Edel riss den Kopf hoch und legte eine Hand auf den Tisch. »Lassen Sie es mich . . . selbst erzählen.«

»Bitte.« Leo lehnte sich zurück und atmete tief durch. Der Verband fühlte sich mittlerweile klebrig an, hoffentlich blutete die Wunde nicht zu stark. Er konnte das Verhör unmöglich unterbrechen.

Robert stand auf und kam mit zwei Gläsern Wasser zurück, von denen Leo dankbar eins entgegennahm. Das andere stellte Robert vor den Verhafteten.

»Wir hören, Herr Edel.«

»Sie haben Recht mit der Geschichte in diesem . . . diesem Etablissement. Wir waren an dem Abend unterwegs, ein paar junge Burschen, mit denen mich mein Vater bekannt gemacht hatte. Männer aus gutem Hause, aber mit wenig Anstand. Eigentlich mochte ich sie nicht besonders. Sie tranken viel, trieben sich bis in den frühen Morgen herum, so etwas lag mir nicht. Von meiner Mutter habe ich gelernt, dass man Frauen mit Respekt begegnen muss, und ein solches Haus hätte ich allein nie aufgesucht.«

»Sie brauchen sich nicht zu entschuldigen.«

»Ich will es ja nur erklären. Jedenfalls saßen wir in einem

Nachtlokal, als ein Bekannter meiner sogenannten Freunde dazustieß. Er hörte von ihrer Idee, mit mir in ein Etablissement zu gehen und eine Frau zu bezahlen, mit der ich dann schlafen sollte. Er sagte, er kenne ein ausgezeichnetes Haus, in dem er selbst verkehre, und schleppte uns alle dorthin. Ich ... ich war sehr schüchtern und schämte mich in Grund und Boden. Aber sie waren gnadenlos, drängten mich die Treppe hinauf in dieses Zimmer, alles in Rot, und sie haben gejohlt, und er war der Lauteste von allen ... Den Rest dieser Geschichte möchte ich lieber für mich behalten.«

Leo nickte. »In Ordnung. Allerdings muss ich Sie fragen, ob Sie danach Verkehr mit Frauen gehabt haben.«

Edel schüttelte den Kopf. »Nein, *sie* hat mich mit dieser Krankheit angesteckt. Das meinen Sie doch, oder?«

»Ja, ich meine Syphilis.« Leo sah, wie Edel zusammenzuckte.

»Mit dem weiteren Verlauf haben Sie auch Recht. Ich merkte, dass etwas mit mir nicht stimmte, habe aber nicht gewagt, einen Arzt aufzusuchen. Ich mochte nicht über meinen Körper sprechen oder ihn anderen zeigen«, brachte er mühsam heraus und nahm einen tiefen Schluck aus seinem Glas. Robert, der an einem Regal lehnte, trat unbehaglich von einem Fuß auf den anderen. Es war nicht angenehm zu sehen, wie sich ein Verhafteter wand, doch er wusste, dass Mitleid fehl am Platz war. Für solche Verhöre war Leo mit seiner ruhigen, präzisen Art genau der Richtige.

»Weiter, Herr Edel.«

»Danach fühlte ich mich lange Zeit gesund. Etwa fünf Jahre müssen es gewesen sein. In dieser Zeit starb mein Vater, und ich übernahm die Leitung der Firma. Alles lief gut. Dann wurde ich wieder krank. Ich hatte Herzprobleme, die für einen Mann meines Alters ungewöhnlich waren. Vermutlich hingen sie auch mit dieser Krankheit zusammen, doch ich habe meinem Arzt nichts davon gesagt. Er führte die Beschwerden auf die starke berufliche Anspannung zurück. Ich war ja gerade erst Direktor geworden. Dann bekam ich Geschwüre an den Händen.« Er strich mit der linken über die rechte Hand, als tastete er nach seinen Handschuhen. »Sie heilten ab, aber es blieben Flecken zurück. Also trug ich von da an Handschuhe.«

»Deren Überreste Ihre Haushälterin zerschnitten im Keller gefunden hat«, warf Leo ein.

»Wie hat sie . . . ja, ich habe sie vernichtet.«

»Warum?«

Edel fuhr sich über die Stirn. Sein Blick wirkte noch starrer als zuvor, und er rieb sich wieder den rechten Arm.

»Weil – dazu komme ich noch. Als ich Viola kennen lernte, wurde alles anders.«

»Wann haben Sie Fräulein Cramer kennen gelernt?«

»Vorletztes Jahr, bei einem Silvesterball, den ihre Eltern gaben.«

»Und es kam zu einer Annäherung zwischen Ihnen?«

»Ich habe mich in sie verliebt und sie sich in mich. Für mich war es das erste Mal, dass ich eine Frau traf, die ich heiraten wollte«, fügte er etwas verlegen hinzu. Es klang so überzeugend, dass man es ihm glatt hätte abnehmen können. Kein Wunder, er glaubte ja selbst daran. »Und seit einigen Monaten ist sie meine Verlobte.«

»Fräulein Cramer hat ausgesagt, dass sie nichts von dieser Beziehung weiß. Dass Sie sich das alles nur einbilden.« Er überlegte, ob er die Frauen hereinrufen sollte, verschob es aber, da er erst auf die Morde kommen wollte.

»Das ist nicht wahr. Ich habe das alles für sie getan.«

»Was genau haben Sie für Viola Cramer getan?«

»Sartorius hat mir geschrieben«, entgegnete Edel sprunghaft. »Ich hatte ihm alles erzählt, und er wollte Geld von mir.«

»Er hat Sie also erpresst?«

Edel sah ihn hilflos an. »So nennt man es wohl. Er hat getan, als wollte er mir helfen, und dann war er so . . . herablassend.

Und dass auch andere davon wissen könnten, dabei habe ich doch niemandem ...« Seine Worte wurden immer zusammenhangloser.

»Darum haben Sie ihn ermordet? Wegen der Erpressung?«

»Ja, das auch.« Edel sah sich gehetzt um. »Er musste weg. Er wusste alles, und ich wollte doch mit Viola ganz neu anfangen. Alles Vergangene musste weg, ich wollte völlig frei sein für sie.«

»Und Erna Klante?«

»Sie wusste es auch. Sie hatte mich doch angesteckt«, stieß Edel ungeduldig hervor. »Sie hätten es womöglich Viola sagen können, dann hätte sie mich verabscheut, sich vor mir geekelt ...« Er schaute auf seine Hände und brach in Tränen aus. »Dann kamen die Träume. Und mein toter Arm. Ich weiß nicht mehr weiter. Mein Vater hatte immer diese Frauen da oben, und ich wollte nur diese eine und selbst sie ...« Er wurde von Schluchzen geschüttelt.

»Ich glaube, wir können auf die Gegenüberstellung mit den Damen Cramer verzichten, er ist jetzt ohnehin nicht mehr vernehmungsfähig«, sagte Leo zu Robert. Dann wandte er sich an den völlig aufgelösten Mann. »Wir bringen Sie gleich in eine Zelle. Der Gefängnisarzt wird Ihnen etwas zur Beruhigung geben, und morgen können Sie ein volles Geständnis ablegen, Herr Edel.«

Robert half dem Verhafteten aufzustehen und führte ihn zur Tür. Als er mit ihm in den Korridor trat, ging die Tür des Nachbarbüros auf, und von Malchow steckte den Kopf heraus. »Wie lange sollen wir noch warten?«

In diesem Augenblick durchfuhr ein Schlag Edels Körper. Er riss sich los und stürzte auf von Malchow zu. Seine Hand schoss in die Jackentasche, und Robert sah etwas an von Malchows Kehle aufblitzen.

»Nein!«, schrie er. »Komm her, Leo!«

Leo stemmte sich stöhnend vom Stuhl hoch, trat an die Tür und sah von Malchow und Edel, der ihm ein bräunlich geflecktes Taschenmesser gegen die Kehle drückte. Verdammt, vermutlich hatte er es die ganze Zeit bei sich gehabt.

»Ganz ruhig, Herr Edel, lassen Sie das Messer fallen.«

»Nein. Wissen Sie überhaupt, wer das hier ist?«

»Natürlich. Das ist mein Kollege Kriminalsekretär Herbert von Malchow. Tätliche Bedrohung von Polizeibeamten ist ein schweres Vergehen. Sie sollten Ihre Lage nicht noch schlimmer machen, Herr Edel.«

»Wollen Sie sich über mich lustig machen? Ob der Mann hier Polizist ist, interessiert mich nicht. Er war dabei, er hat mich zu der Frau geführt, er hat sie ausgesucht, er hat mich ausgelacht, obwohl er mich gar nicht kannte.«

Von Malchow wurde leichenblass und sah seine Kollegen flehend an.

»Er hat sie angefeuert, hat sie angetrieben, hat sich über meine Scham lustig gemacht. Jahrelang habe ich ihn nicht gesehen, hatte sogar seinen Namen vergessen. Dann habe ich ihn hier draußen auf der Straße gesehen. Und da fiel es mir wieder ein. Der Mann hat mein Leben vernichtet, als er mich zu dieser kranken Hure schleppte –« Das obszöne Wort brach förmlich aus ihm heraus.

Leo setzte alles auf eine Karte. Er schaute über Edels Schulter hinweg in den leeren Flur. »Hier rüber!«

Edel drehte sich instinktiv um und ließ einen Moment das Messer sinken, worauf Robert vorschoss und von Malchow wegriss. Sie rollten beide über den Boden. Edel sah die Kriminalbeamten entsetzt an, ließ die Waffe fallen, stieß Leo aus dem Weg und flüchtete in Richtung Treppenhaus.

»Er läuft nach oben. Ihr kommt hinten herum.«

»In deinem Zustand?«, fragte Robert.

Doch Leo war schon weg.

Noch nie war ihm eine Treppe so lang vorgekommen. Er hörte über sich Schritte, ob sie von Edel stammten, konnte er nicht sagen. Ein Kollege vom Raubdezernat, der ihm entgegenkam, sah ihn verwundert an. »Geht es Ihnen nicht gut, Wechsler?«

»Doch. Haben Sie einen Mann im grauen Anzug die Treppen hinauflaufen sehen? Silberblondes Haar?«

»Ja, der ist mir im zweiten Stock begegnet und wollte weiter nach oben. Hatte es ziemlich eilig.«

»Danke.«

Er spürte, wie ihm der Schweiß den Rücken hinunterlief. Seine Hände hingegen waren kalt. Er musste stehen bleiben und tief Luft holen. Warum den Helden spielen?, schalt er sich. Robert oder Berns wären längst oben.

Im vierten Stock schaute er vorsichtig nach links und rechts. Hier befanden sich Archivräume, der Korridor lag verlassen da. Nur eine Tür stand offen. Von drinnen hörte er Straßenbahngebimmel und Verkehrslärm, obwohl die Räume hoch über der Erde lagen.

Edel stand am offenen Fenster und sah Leo an, als hätte er auf ihn gewartet.

»Er darf nicht so davonkommen, er ist ein Verbrecher. Er ist der wahre Verbrecher«, sagte er. »Er hat mich beschmutzt, er hat mich krank gemacht, ich hasse diesen Mann.«

Leo überlegte rasch. »Ich weiß. Die Folgen für Sie waren furchtbar, aber er hat es nicht vorsätzlich getan. Sie hingegen haben Sartorius im Affekt und Erna Klante vorsätzlich getötet. Um ein Haar hätten Sie gestern auch mich getötet.«

Er hörte Schritte hinter sich.

»Wer ist das?«

»Meine Kollegen.«

»Nein, ich will mit Ihnen allein reden.«

Leo drehte sich zu Robert und Berns um und bedeutete ihnen mit einer Handbewegung, im Korridor zu warten.

»Viola wollte heute kommen. Wären Sie nicht gewesen, wäre sie zu mir gekommen. Ich habe das alles für sie getan.«

»Ich weiß. Kommen Sie bitte, Herr Edel.« Leo machte einen

Schritt auf ihn zu. Edels Hand krampfte sich um die Fensterbank. »Bleiben Sie ruhig. Sie werden sich einen Anwalt nehmen, der sich Ihre Geschichte anhören und sich vor Gericht für
Sie einsetzen wird. Dabei wird man Ihr entsetzliches Schicksal
berücksichtigen, dessen bin ich sicher.« Noch einen Schritt.

Max Edel stieg auf die Fensterbank und sprang aus dem vierten Stock auf die belebte Alexanderstraße.

EPILOG

»Meinst du, sie hätten ihn ins Zuchthaus geschickt?«, fragte Robert nachdenklich.

»Vermutlich nicht. Seine Unzurechnungsfähigkeit war klar erkennbar«, entgegnete Leo. »Er wäre wohl in einer Heilanstalt geendet. Für ihn war es wohl besser so, als langsam den Verstand zu verlieren.«

»Das, was davon übrig war«, warf Robert ein.

»Eigenartig, wie durchdacht Geisteskranke manchmal handeln. Wir haben lange gebraucht, um auf ihn zu kommen. Ob Sartorius Geld von ihm erpresst hat, werden wir wohl nie erfahren. Egal, der Fall ist hiermit abgeschlossen.« Leo klappte die Akte zu. »Jetzt lasse ich meinen Verband erneuern und hole Marie aus dem Krankenhaus ab.« Er wollte gerade seine Jacke anziehen, als von Malchow ins Vorzimmer trat.

»Herr Kommissar«, er schaute Robert zögernd an.

»Warte bitte draußen auf mich.«

Robert tippte sich an den Hut und verließ das Zimmer.

»Nun?«

»Damit ist unsere Zusammenarbeit wohl fürs Erste beendet.«

Leo nickte. »Haben Sie mir noch etwas zu sagen? Wenn nicht, würde ich gern ins Krankenhaus fahren.«

Von Malchow rieb sich unbehaglich die Hände an der Hosennaht. »Eins noch. Ich wollte mich bedanken. Die Sache im Flur, wie Sie ihn von mir abgelenkt haben, meine ich.«

»Schon gut«, unterbrach ihn Leo. »Sie waren auch zur Stelle, als ich Sie gebraucht habe. Damit sind wir quitt. Ach nein, ich habe sogar etwas bei Ihnen gut.«

Von Malchow sah ihn fragend an.

»Der Artikel über Dießing. Den hab ich nicht vergessen. Einen schönen Feierabend wünsche ich.« Mit diesen Worten ließ er von Malchow stehen und ging hinaus.

Auf dem Flur begegnete er Gennat. »Gratuliere, Wechsler. Schöne Schweinerei auf der Alexanderstraße, aber das ließ sich wohl nicht vermeiden, was?«

»Ich glaube nicht. Andernfalls hätte er es in der Zelle getan, da bin ich mir sicher. Trotz seiner Verwirrung hatte er erkannt, dass es keinen Ausweg gab.«

»Die Szene hier im Flur habe ich leider verpasst. Kommt ja nicht so häufig vor, dass es bei uns wie im Kriminalroman zugeht, was?« Er nickte freundlich und watschelte davon.

»Den Verband lassen Sie bitte drei Tage an Ort und Stelle, danach kommen Sie noch einmal zum Nachsehen, verstanden?« Der Arzt sah Leo streng an.

»Ja, versprochen.«

»Was war eigentlich so wichtig, dass Sie Hals über Kopf das Krankenhaus verlassen mussten?«

»Das lesen Sie sicher morgen in der Zeitung, Herr Doktor.«

Marie stand fertig angezogen neben ihrem Bett, in der einen Hand eine kleine Tasche und unter dem anderen Arm ihre Bücher. Als er den Saal betrat, ließ sie alles fallen und stürzte sich in Leos Arme. »Endlich, Vati, ich dachte, du kommst gar nicht mehr.«

»Als wenn ich dich vergessen würde!«

»Was macht dein Gesicht?« Sie betastete vorsichtig das Pflaster an seiner Schläfe.

»Schon besser, Liebes. Es tut kaum noch weh. Komm, wir fahren nach Hause.«

An diesem Tag leistete er sich ein Taxi. Das hatten er und Marie sich wahrlich verdient.

»Ich würde dich gern mit ihm bekannt machen.«

»Sicher, lade ihn demnächst einmal ein. Ich verspreche, ich werde dann keinen Dienst haben, Ilse.« Er war so froh, dass er Marie wieder zu Hause hatte und gleich zwei Fälle erledigt waren, dass er seiner Schwester alles versprochen hätte.

An diesem Abend erzählte er auch seinem Sohn, wie es zu den Verletzungen gekommen war, da er spürte, dass Georg Angst um ihn gehabt hatte. Nachdem er die Kinder zu Bett gebracht hatte, setzte er sich ins Wohnzimmer und vertiefte sich in ein Kunstbuch. Als er es aufschlug, fiel ihm ein, dass er zuletzt darin gelesen hatte, als Robert ihm den Mord an Gabriel Sartorius gemeldet hatte.

Er blickte erst wieder auf, als Ilse mit zwei Tassen Kräutertee das Zimmer betrat. Sie stellte ihm eine hin und schaute ihn an, als wäre ihr nicht wohl in ihrer Haut. »Hast du von Matussek gehört, Leo?«

»Nein. Hat der Prozess begonnen?«

»Er ist schon vorbei. Es ging alles ganz schnell. Sie haben auf Tod durch Enthaupten entschieden.«

Leo zuckte unwillkürlich zusammen. Er wusste, dass die Todesstrafe angesichts der vielen scheußlichen Verbrechen oftmals angemessen schien, doch die Vergeltung von Gewalt mit Gewalt behagte ihm nicht. Anders als manche Kriminalbeamte wohnte er Hinrichtungen grundsätzlich nicht bei. »Hast du noch einmal von der Kleinen gehört?«

»Ja, sie bleibt bei ihrer Tante auf dem Land, es geht ihr anscheinend ganz gut. Jetzt, da Marie gesund ist, kann sie ihr endlich das Bild malen. Und ich schreibe einen kleinen Brief dazu.«

Am nächsten Morgen – er hatte wegen seiner Verletzung einige Tage freibekommen – saß er mit den Kindern beim Frühstück. »Weißt du was, Marie? Wir gehen gleich jemanden besuchen.«

»Wen denn?«

»Wart's ab.«

Die Leihbücherei wirkte so hell und einladend wie beim letzten Mal. Mit Marie an der Hand betrat er den Laden und schaute sich um. Hinter einem Regal tauchte Clara Bleibtreu auf, schob sich einige Haarsträhnen aus dem Gesicht und kam mit ausgestreckter Hand auf sie zu. »Guten Tag, das ist aber eine nette Überraschung. Bist du wieder gesund? Haben dir die Bücher gefallen?«

Marie nickte eifrig. »Besonders das mit den vielen Kindern, das Vati bei dir ausgeliehen hat.« Sie wollte die Bücher aus der Tasche holen, die Leo neben sich gestellt hatte, und sie Clara geben, doch der Stapel rutschte ihr aus der Hand. Leo wollte sich instinktiv bücken, fasste sich aber an die rechte Seite und unterdrückte einen Schmerzenslaut.

Clara Bleibtreu sammelte die Bücher auf und sah ihn fragend an. »Was ist denn mit Ihnen passiert?«

»Das erzähle ich Ihnen, wenn ich darf, bei einer Tasse Tee.«

DANKSAGUNG

Letztlich ist ein Buch – insbesondere ein historischer Roman – stets eine Gemeinschaftsarbeit, zu der viele kluge Köpfe Nützliches beigetragen haben. Mein Dank gilt daher vor allem:

Dr. med. Silke Ganzera und Dr. med. Wolfgang Kaisers, deren fachliches Wissen mich durch unwegsames Gelände führte;

Rudi Grewenig, der mir bei der Zündtechnik alter Automobile weiterhalf;

Ulla Hary, ohne deren Polnischkenntnisse ein kleiner, aber wichtiger Aspekt gefehlt hätte;

Gabi Köllges, einer waschechten Berlinerin, die »fremdsprachige« Passagen auf Herz und Nieren prüfte;

Susanne Mehs, Sebastian Otto und Peter Schels, die mich hilfsbereit und detailliert über Syphilis informierten;

Mirko Tamkus und seiner wunderbaren Internetseite mit alten Berliner Stadtplänen, die mich sicher durch die Metropole lotste;

den vielen mir unbekannten Betreibern erstklassiger Internetseiten zur deutschen und Berliner Geschichte;

den Autorinnen und Autoren zahlreicher Werke über Kriminalistik, Medizin, Sozialgeschichte, Stadtentwicklung, Kunst und andere Fachgebiete, die mehr wissen, als ich je vergessen kann – nicht zuletzt Regina Stürickow, durch deren Bücher ich Ernst Gennat und die »rote Villa« am Alexanderplatz erst kennen lernte;

meinem Agenten Bastian Schlück, der mich mit gutem Rat und sanfter Kritik durch dieses Projekt gesteuert hat;

meiner Lektorin Kristina Arnold, die sofort an Leo glaubte;

Rebecca Gablé, ohne die ich womöglich nie wieder mit dem Schreiben angefangen hätte;

meinen Eltern, denen ich meine Liebe zu Büchern verdanke;

meinen Kindern Lena und Felix für ihre neugierigen Fragen;

und Axel – eigentlich für alles.

Susanne Goga im <u>dtv</u>

Kommissar Leo Wechsler ermittelt im
Berlin der zwanziger Jahre

Leo Berlin

Kriminalroman

ISBN 978-3-423-**21390**-5

1922. Wer hat den Wunderheiler mit dem
Jade-Buddha erschlagen? Berlin wird von
einer Reihe von Morden erschüttert. Ein
Fall für Leo Wechsler.

»Ein außergewöhnlicher historischer Kriminalroman. Spannend, authentisch, wunderbar erzählt – eine Zeitreise erster Klasse.«
Rebecca Gablé

Tod in Blau

Kriminalroman · <u>dtv</u> premium

ISBN 978-3-423-**24577**-7

Berlin 1922. Ein Künstler wird ermordet. Eine erste Spur führt
zur rechtsextremen Asgard-Gesellschaft. Und Leo Wechsler fragt
sich, welche Rolle die avantgardistische Tänzerin Thea Pabst bei
all dem spielt ...

»Spannend von der ersten bis zur letzten Seite, ein klasse Krimi
über die Zwanziger, die so golden nicht waren.« *Neue Presse*

Die Tote von Charlottenburg

Kriminalroman

ISBN 978-3-423-**21381**-3

1923. Eine engagierte Ärztin und Frauen-
rechtlerin wird tot aufgefunden. Ihr Neffe
will nicht an einen natürlichen Tod glauben. Und in der Tat hatte sich die Ärztin
zu Lebzeiten viele Feinde gemacht ... Der
dritte Fall für den Berliner Kommissar Leo
Wechsler.

Bitte besuchen Sie uns im Internet: www.dtv.de

dtv

»Ein erstklassiger historischer Thriller.«
The Guardian

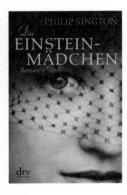

Philip Sington

Das Einstein-Mädchen

Roman
Übersetzt von Sophie Zeitz

ISBN 978-3-423-**21399**-8
ISBN 978-3-423-**24783**-2 (dtv premium)

Wer ist sie?

Berlin 1932. Eine junge Frau wird im Wald bei Caputh bewusstlos aufgefunden und in die Charité eingeliefert. Als sie aus dem Koma erwacht, kann sie sich an nichts erinnern, nicht einmal an ihren Namen. Man hat nur einen Programmzettel von einem Vortrag Albert Einsteins bei ihr gefunden. Martin Kirsch, der zuständige Psychiater, ist fasziniert von diesem Fall – und von seiner Patientin. Wer ist sie? Gibt es eine Verbindung zu Einstein, dem berühmtesten Wissenschaftler der Welt?

»In elegantem, schnörkellosem Stil: ein packender Thriller und gleichermaßen ein trickreiches Vexierspiel.«
Focus online

»Ein Thriller mit Stil. Historisches und Erfundenes sind wunderschön miteinander verwoben.«
The Times

Bitte besuchen Sie uns im Internet: www.dtv.de

dtv

Matthew Pearl

Der Dante Club

Roman
Übersetzt von Rudolf Hermstein

ISBN 978-3-423-20826-0

Boston 1865. Ein Serienmörder versetzt die Stadt in Angst und
Schrecken. Die Polizei ist ratlos. Ausgerechnet die Mitglieder des
neugegründeten Dante Clubs ahnen, was es mit den Untaten auf
sich hat: Die bestialischen Bostoner Morde setzen die in Dantes
›Inferno‹ beschriebenen Höllenqualen in die Praxis um. Fieberhaft
versuchen die Gelehrten, die nächsten Schritte des Mörders vor-
herzusehen – doch dieser verfügt über teuflische Schlauheit …

»Matthew Pearl ist der leuchtende neue Stern am
Literaturhimmel – ein ungestümer, phantasievoller und enorm
begabter Autor. Raffinierte Handlung, klassische Motive,
gelehrte Figuren … dieses Buch muss man einfach lieben!«
Dan Brown (Autor von ›Sakrileg‹ und ›Illuminati‹)

»Ein wahrlich meisterhaftes und lesenswertes Buch, ein Thriller,
den zu lesen höllischen Spaß macht.«
(www.zdf.de)

Walter Satterthwait im <u>dtv</u>

Miss Lizzie und **Miss Lizzie kehrt zurück**

Zwei Romane in einem Band
Übersetzt von Ursula-Maria Mössner

ISBN 978-3-423-**21289**-2

Miss Lizzie
Roman
Übersetzt von Ursula-Maria Mössner
ISBN 978-3-423-**20872**-7

Lizzie Borden soll ihre Eltern bestialisch ermordet haben, doch sie wurde mangels Beweisen freigesprochen. Eines Tages, viele Jahre später, begegnet ihr Amanda, das Nachbarskind. Ihre Freundschaft wird auf eine harte Probe gestellt, als wieder ein Axtmord begangen wird. Ein Krimi mit Witz und Geist.

Miss Lizzie kehrt zurück
Kriminalroman · <u>dtv</u> premium
Übersetzt von Ursula-Maria Mössner
ISBN 978-3-423-**24514**-2

1924. Es ist drei Jahre her, dass Amanda Burton und Miss Lizzie gemeinsam ein haarsträubendes Abenteuer bestanden haben. Jetzt treffen sie sich wieder, in New York in der glitzernden Halbwelt der Roaring Twenties. Amandas Onkel ist erschlagen worden – mit einem Beil. Amanda gerät unter Verdacht. Nur ein Wunder kann ihr jetzt noch helfen … oder Miss Lizzie.
Die Fortsetzung des Bestsellers ›Miss Lizzie‹: Ein hinreißender Kriminalroman, der die Roaring Twenties in New York City lebendig werden lässt.

Bitte besuchen Sie uns im Internet: www.dtv.de

John Harvey im <u>dtv</u>

»In Großbritannien schreibt keiner bessere Kriminalromane.«
The Times

Schrei nicht so laut
Thriller
ISBN 978-3-423-20956-4
15 Jahre sind vergangen, seit zwei Jugendliche mehrere junge Mädchen brutal ermordeten. Nur eine wurde nie gefunden: Susan Blacklock. Der Fall erhält neue Brisanz, als einer der Täter freikommt. Wenig später wird erneut ein junges Mädchen vermisst. Und dann verschwindet Detective Inspector Elders eigene Tochter …

Schau nicht zurück
Thriller
ISBN 978-3-423-21012-6
Bei einem Polizeieinsatz wird Maddy Birch Zeugin der Erschießung eines mutmaßlichen Gangsterbosses – Notwehr, wie es heißt. Ein paar Tage später ist die Kriminalbeamtin tot. Hat ihr Tod etwas mit den polizeiinternen Ermittlungen zu tun? Man bittet Elder um Hilfe.

Schlaf nicht zu lange
Thriller
ISBN 978-3-423-21064-5
Immer wenn ihn seine Exfrau anruft, bekommt Elder Angst, dass seiner Tochter etwas zugestoßen sein könnte. Doch diesmal geht es um die verschwundene Schwester einer Freundin. Kurz darauf taucht sie wieder auf – tot, in ihrem eigenen Bett.

Alle Titel übersetzt von Sophie Kreutzfeldt

Bitte besuchen Sie uns im Internet: www.dtv.de

Die Kriminalromane von Paulus Hochgatterer
im <u>dtv</u>

»Spätestens jetzt sollte man Paulus Hochgatterer lesen.«
Felicitas von Lovenberg in der FAZ

Die Süße des Lebens
Kriminalroman
ISBN 978-3-423-**21094**-2
ISBN 978-3-423-**25310**-9
(<u>dtv</u> großdruck)

Kommissar Ludwig Kovacs und der Psychologe Dr. Raffael Horn stehen vor einem Rätsel: Kennt die siebenjährige Katharina den Mörder ihres Großvaters?

Ausgezeichnet mit dem Deutschen Krimipreis 2007.

Das Matratzenhaus
Kriminalroman
ISBN 978-3-423-**21335**-6

Eine rätselhafte Serie von Kindesmisshandlungen versetzt die Bewohner von Furth in Unruhe. Kommissar Kovacs und Psychiater Dr. Horn geraten bei den Ermittlungen schnell an die Grenzen der eigenen Belastbarkeit ...

Bitte besuchen Sie uns im Internet: www.dtv.de

Veit Heinichen im dtv

»Best of Triest!«
FAZ

Gib jedem seinen eigenen Tod
Ein Proteo-Laurenti-Krimi
ISBN 978-3-423-20516-0

Eigentlich hat sich Kommissar Laurenti auf einen ruhigen Triester Sommer eingestellt. Doch nach einem merkwürdigen Yacht-Unfall bekommt er es mit Mord, Geldwäsche und Menschenschmuggel zu tun. »Spannend und lesenswert.« (Kölner Stadt-Anzeiger)

Die Toten vom Karst
Ein Proteo-Laurenti-Krimi
ISBN 978-3-423-20620-4

Ein grausiger Ritualmord auf dem Karst: der zweite Fall für Kommissar Laurenti. »Proteo Laurenti ist ein leidenschaftlicher Ehemann mit Machoallüren, viel Sinn für gutes Essen und ein scharfsinniger Aufklärer im Kampf gegen das Böse. Man möchte noch öfter mit ihm auf Spurensuche gehen!« (Maike Albath in der ›SZ‹)

Tod auf der Warteliste
Ein Proteo-Laurenti-Krimi
ISBN 978-3-423-20756-0

Proteo Laurenti ermittelt in einer Triester Schönheits-klinik. Hier werden nicht nur Gesichter geliftet, sondern auch illegale Operationen vorgenommen – und Schlimmeres …

Der Tod wirft lange Schatten
Ein Proteo-Laurenti-Krimi
ISBN 978-3-423-20994-6

Auch in Laurentis viertem Fall führen Spuren in die unruhige politische Vergangenheit Triests. Außerdem stören die Hochfinanz des Balkans und der Geheimdienst Laurentis Kreise …

Totentanz
Ein Proteo-Laurenti-Krimi
ISBN 978-3-423-21161-1

Wieder tauchen alte Feinde von Proteo Laurenti auf. Und diesmal wollen sie vor allem eins: den Tod des Kommissars.

Die Ruhe des Stärkeren
Ein Proteo-Laurenti-Krimi
ISBN 978-3-423-21235-9

Drogenschmuggel, illegale Hundekämpfe und eine EU-Sicherheitskonferenz machen Laurenti bei seinem sechsten Fall zu schaffen.